# Leistungsermittlungshandbuch für Baumaschinen und Bauprozesse

Gerhard Girmscheid

# Leistungsermittlungshandbuch für Baumaschinen und Bauprozesse

4. Auflage

Springer

vdf

Gerhard Girmscheid
ETH Zürich
Institut für Bau- und
Infrastrukturmanagement
Wolfgang-Pauli-Str. 15
8093 Zürich
Schweiz
girmscheid@ibi.baug.ethz.ch

ISBN 978-3-642-13794-5 Springer Heidelberg Dordrecht London New York
ISBN 978-3-7281-3345-8 vdf Hochschulverlag AG an der ETH Zürich

e-ISBN 978-3-642-13795-2
DOI 10.1007/978-3-642-13795-2

Die Deutsche Nationalbibliothek verzeichnet diese Publikation in der Deutschen Nationalbibliografie; detaillierte bibliografische Daten sind im Internet über http://dnb.d-nb.de abrufbar.



*Einbandentwurf:* WMXDesign GmbH, Heidelberg

Gedruckt auf säurefreiem Papier

Springer ist Teil der Fachverlagsgruppe Springer Science+Business Media (www.springer.com)

## Vorwort zur dritten Auflage

Der wirtschaftliche, leistungsfähige, hoch mechanisierte Baubetrieb ist durch den optimalen Einsatz der Geräte und Bauhilfsmaterialien in einer Leistungserstellungsprozesskette für die jeweilige baubetriebliche Aufgabenstellung gekennzeichnet. Die Wahl der Geräte wird sowohl durch technische Gegebenheiten wie auch durch wirtschaftliche Gesichtspunkte geprägt. Die wirtschaftlichen Aspekte ergeben sich aus der Marktlage und den strategischen Unternehmenszielen. Daraus resultieren die unternehmensspezifische Art der Gerätebereitstellung, das Service- und Bauhofkonzept sowie die Finanzierung [1].

Die Leistungsermittlung von Einzelgeräten [2], eingebettet in Teil- und Gesamtprozesse, ist die Grundlage für die Auswahl und Anzahl der Leistungsgeräte, um die projektspezifischen Leistungsziele zu erreichen, und dient zudem als unverzichtbare Basis der Termin- und Kostenplanung (Kalkulation) sowie des Controllings. Daher kommt der Leistungsermittlung als Basis einer systematischen, ergebnisorientierten Kalkulation, die in meinem neuen Buch "Risikobasierte Kostenkalkulation und Preisbildung in Bauunternehmen" ausführlich behandelt wird, grösste Bedeutung zu; sie ist somit Grundlage einer ergebnisorientierten, effizienten Baustellenvorbereitung.

Dieses ursprünglich aus meinen Vorlesungen an der ETH Zürich entstandene Handbuch liegt nun, angeregt durch die grosse Resonanz auf die ersten beiden Auflagen, in der dritten, vollständig überarbeiteten und teilweise erweiterten Auflage vor. Es soll angehenden Bauingenieurinnen und -ingenieuren in der Arbeitsvorbereitung und Bauausführung sowie Maschineningenieurinnen/-ingenieuren in den Bau-/Werkhöfen als Nachschlagewerk dienen, um Leistungsermittlungen im Baubetrieb vorzunehmen. Dazu wird ein analytisches Grundkonzept zur Leistungsermittlung von Baugeräten sowie der Produktionsketten von parallelen und hintereinander geschalteten Geräten unterschiedlicher Teilprozesse vorgestellt. Gegenüber der zweiten Auflage wurde die Flüssigkeitsförderung in Kapitel 4 um eine Beispielrechnung für die Dimensionierung der Flüssigkeits-Feststoff-Förderung ergänzt und das Jetgrouting in Kapitel 6 um die Berechnung der erforderlichen Pumpenleistung erweitert. In der Regel werden in diesem Buch keine "Standardwerte", sondern die elementaren analytischen Zusammenhänge angegeben.

Nichts ist perfekt - der Autor weiss, dass ein solches Handbuch weiterentwickelt werden muss und erwartet gerne konstruktive Kritik. So haben aufmerksame Leser auf Fehler in den beiden früheren Ausgaben hingewiesen, die nun berichtigt wurden.

Auch bei dieser dritten Auflage möchte ich meinen Mitarbeitern am Institut für Bauplanung und Baubetrieb der ETH Zürich, insbesondere Herrn Dipl.-Ing. Thorsten Busch, danken, die mit ihrer engagierten Unterstützung dazu beigetragen haben, das Buch in dieser Qualität herzustellen.

Zürich, Januar 2004 Prof. Dr.-Ing. Gerhard Girmscheid

**Vorwort zur vierten Auflage**

Das Handbuch wurde von den Nutzern und vom Autor auf mögliche Unstimmigkeiten überprüft und korrigiert. Hier meinen besonderen Dank an die Nutzer. In dieser Auflage wurden die Transportsysteme LKW, SKW und Dumper sowie die Flüssigkeitsförderung überarbeitet. Die jetzige Fassung dient als umfassende Formelsammlung zur Leistungsermittlung und zur Konfiguration des Bauprozesses des Hoch-, Tief-, Spezialtief-, Tunnel-, Brückenbaus und des Rohrvortriebs.

Ich wünsche allen Nutzern viel Erfolg bei der Gestaltung von Produktionsprozessketten und bei deren Leistungsbestimmung.

Zürich, März 2010 Prof. Dr.-Ing. Gerhard Girmscheid

# Inhaltsverzeichnis

# 1 Leistung im Baubetrieb

**Leistungsbegriffe**

**Bestimmung von Leistungswerten**

**Leistung von Produktionsketten**

**Allgemeine Leistungsberechnung von Baugeräten**

# Leistung im Baubetrieb

## 1.1 Leistungsbegriffe

Um Bauverfahren zu bewerten und anschliessend **Bauzeit und Baukosten** festlegen zu können, müssen Leistungswerte für einzelne Baumaschinen sowie ganze Prozessketten bekannt sein. Einheitliche und konsistente Definitionen der für die Leistungsberechnung relevanten Begriffe sind notwendig, um Angaben und Ergebnisse untereinander vergleichbar zu machen.

Als **Leistung** bezeichnet man Arbeit pro Zeiteinheit, wobei unter Arbeit in der Regel eine hergestellte, gelieferte oder beförderte Menge verstanden wird [3].

$$\text{Leistung} = \frac{\text{hergestellte Menge}}{\text{Zeiteinheit}}$$

**Der Begriff Menge [3]**

Im Baubetrieb häufig verwendete Mengen sind z.B.

- Aushub von Bodenmasse in $m^3$
- Herstellen von Wandschalung in $m^2$
- Verlegen von Betonstahl in t

oder bei Betrachtung einer vom Bauherrn geforderten Gesamtleistung

- Herstellen einer Fertiggarage in Stück
- umbauter Raum im Hochbau in $m^3$

Da diese Mengenbegriffe nicht präzise genug sind, müssen sie in der Regel genauer definiert werden. So kann im **Erdbau** ein $m^3$ bedeuten:

- $fm^3$ Material in ungestörter, natürlicher Lagerung
- $lm^3$ Material in aufgelockertem Zustand, z.B. auf einer LKW-Mulde
- $fm^3$ Material in wieder eingebautem, verdichtetem Zustand

Ein $m^3$ **Beton** kann aufgefasst werden als:

- $m^3$ trockenes Gemisch aus Zuschlagstoffen und Zement
- $m^3$ unverdichteter Frischbeton
- $m^3$ verdichteter, abgebundener Beton

Betongüte, Art der Zuschlagstoffe und des Zements, Wassergehalt sowie Verarbeitungsverfahren sind allerdings noch nicht präzisiert.

Neben der Menge ist auch die der Berechnung zugrunde liegende **Zeiteinheit** des Leistungsbegriffs zu definieren. Einzelne Arbeitsabläufe einer Zeitstudie, wie z.B. das Arbeitsspiel $t_s$ eines Ladegeräts, werden in Minuten angegeben. Im Baubetrieb nutzt man als Zeiteinheiten Stunden, Tage und Monate für die summarische Arbeits-, Einsatz- und Vorhaltezeit. Es bereitet allerdings häufig Schwierigkeiten, Anfang und Ende des zu betrachtenden Zeitraums festzulegen und anzugeben. So stellt sich die Frage, ob zwischen Beginn und Ende der gesamte Zeitraum erfasst oder Teile ausgenommen werden sollen (z.B. die Aufbau-, Abbau- und Einsatzzeit oder nur die Betriebszeit des Geräts).

Auf Baustellen wird in der Regel ohne Schichtbetrieb, allerdings mit Überstunden gearbeitet. Daher kann man die Arbeitszeit wie folgt ansetzen:

1 Tag = 8 – 10 Arbeitsstunden

Im Untertagebau [2] oder bei Instandsetzungsarbeiten von Fernstrassen kommt meistens der Schichtbetrieb zum Einsatz, wobei die Schichtarbeitszeiten oben genannten Arbeitszeiten entsprechen.

### Zeitbegriffe für Baugeräteeinsatz und -bewertung

Bei der Beurteilung von **Baugerätekosten** ist zwischen Betriebszeit, Einsatzzeit und Vorhaltezeit zu unterscheiden (Bild 1-1). Man definiert vereinfacht:

- **Betriebszeit** = reine Arbeitszeiten des Geräts einschliesslich der Umsetzzeiten innerhalb des Arbeitsbereichs.
- **Einsatzzeit** = Betriebszeit, Vorbereitungszeiten (z.B. Auslegen von Baggermatratzen) und Einarbeitungszeiten, Umsetzzeiten innerhalb der Baustelle, betrieblich bedingte Wartezeiten und Zeiten für den Abschluss der Arbeiten.
- **Vorhaltezeit** = Einsatzzeit, Zeiten für An- und Abtransport sowie (falls erforderlich) Auf-, Um- und Abbauzeiten, Stillliegezeiten auf der Baustelle, Zeiten für Wartung, Pflege und Reparatur. Die Vorhaltezeit ist damit die Zeitspanne, in der ein Gerät einer Baustelle zur Verfügung steht und anderweitig nicht darüber verfügt werden kann [4].

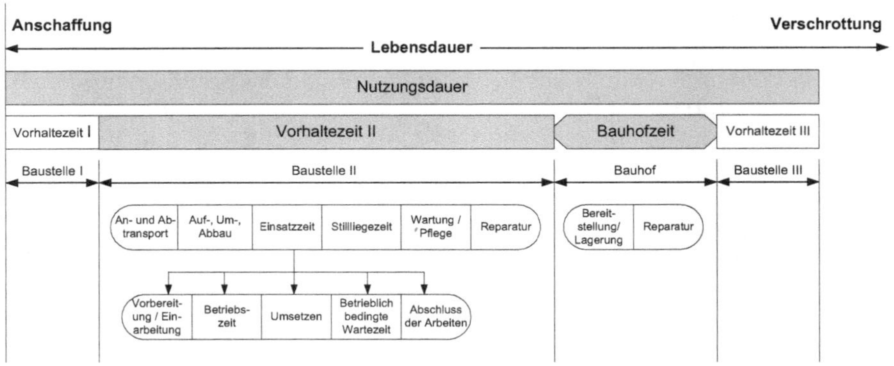


**Bild 1-1: Zeitbegriffe für Baugeräteeinsatz und -bewertung nach [4]**

Die Geräte- und Energiekosten für Bereitstellungsgeräte (z.B. Krane) berechnen sich nach der Dauer der Vorhaltezeit. Die Gerätekosten für Leistungsgeräte (z.B. Bagger) berechnet man oft nach der Dauer der Einsatz- bzw. Betriebszeit und den Energieverbrauch nach der Betriebszeit. Eine Berechnung der Gerätekosten von Leistungsgeräten über die Vorhaltezeit führt allerdings dazu, dass der Baustelleneinsatz dieser Geräte möglichst kurz gehalten wird, da in diesem Fall auch nicht arbeitende Leistungsgeräte Kosten verursachen. Somit wird die Bauleitung angehalten, die Einsätze von Leistungsgeräten effizient zu gestalten und bei beendetem Einsatz die Geräte zügig anderen Baustellen zur Verfügung zu stellen. Als Mass der Effizienz dient in diesem Fall der Quotient aus Betriebs- und Vorhaltezeit.

Die **Ermittlung der Arbeitsleistung** einer **Person** oder einer **Maschine** und der Vergleich mit anderen Leistungen setzen voraus, dass die beeinflussenden **Randbedingungen** erfasst und genormt sind [3]. Die theoretische Grundleistung $Q_0$ muss aufgrund verschiedener, zum Teil interaktiver Einwirkungen auf die Nutzleistung $Q_N$ abgemindert werden.
Diese Reduktionsfaktoren setzen sich aus folgenden Einflussbereichen [5] zusammen:

- den humanen Faktoren (Qualifikation und Motivation der Maschinisten)
- den organisatorischen Faktoren (Qualifikation der Bauleitung und Arbeitsvorbereitung zur Gestaltung organisatorischer Abläufe)
- den technischen Faktoren (an die Aufgaben angepasstes Gerät sowie technischer Zustand)

- den umweltbedingten Faktoren (Wetter, Temperatur, Bodenzustand etc.)

Die humanen, organisatorischen und umweltbedingten Faktoren setzen sich z.B. zusammen aus:

- dem **Bedienungsfaktor $\eta_1$ [-]**. Dieser reflektiert die humanen Faktoren der Ausbildung und der Qualifikation des Beschäftigten und seine Leistungsmotivation in Abhängigkeit von Lohn, Prämien und persönlichem Einsatz [3].

**Tabelle 1-1: Werte für Bedienungsfaktoren $\eta_1$ [-] [3]**

| Ausbildung und Qualifikation | Leistungsmotivation | $\eta_1$ |
|---|---|---|
| sehr gut (geübt) | sehr gut (100 %) | 1.00 |
| durchschnittlich | gut (90 %) | 0.80 |
| sehr gut (geübt) | ausreichend | 0.75 |

Interpretiert man die untere Zeile der Tabelle 1-1, so führt bei einem sehr guten Baggerfahrer ein Absinken der Leistungsmotivation von „sehr gut" auf „ausreichend" zu einem Leistungseinbruch von 25 %. Es ist allerdings nicht einfach, einen allgemeingültigen Bezugswert z.B. für einen sehr gut ausgebildeten und qualifizierten sowie sehr hoch motivierten Baggerfahrer festzulegen, weshalb sich die Auswahl der passenden Beiwerte für die menschliche Arbeitsleistung in der Leistungsberechnung als schwierig erweist.

- den **Betriebsbedingungen $\eta_2$ [-]**. Diese reflektieren die organisatorischen und umweltbedingten Faktoren wie die Einsatzbedingungen (Wetter, Helligkeit, örtliche Gegebenheiten wie z.B. Verschlammung der Arbeitsfläche bei Radladern) sowie die Arbeitsvorbereitung der Arbeitsabläufe.

Das Produkt der Faktoren $\eta_1 \times \eta_2$ wird auch als **Betriebsbeiwert** bezeichnet.

Neben den Leistungseinflussfaktoren, die durch den Menschen, die Organisation und die Umweltbedingungen beeinflusst werden, müssen noch die **technischen Leistungseinflussfaktoren** erfasst werden. Diese geben den Einfluss der realen Betriebsbedingungen gegenüber den als ideal definierten Bedingungen zur Ermittlung der Grundleistung $Q_0$ wieder. Die idealen Bedingungen, die der Ermittlung der Grundleistung zugrunde liegen, müssen den Unterlagen der Maschinenhersteller wie z.B. [6], [7] entnommen werden.

Die **technischen Leistungseinflussfaktoren** untergliedern sich in (nach [5] und [8]):

- $f_1$ Abbau- bzw. Grabtiefenfaktor: Geometrische Relationen wie Abbauhöhe/Grabentiefe zu Löffelstiellänge.
- $f_2$ Schwenkwinkeleinfluss- bzw. Fahrwegfaktor: Verhältnis des idealen zum realen Schwenkwinkel bzw. Fahrweg vom Lade- zum Abladepunkt.
- $f_3$ Entleerungsgenauigkeitsfaktor: Entladen des Löffels oder der Schaufel gezielt auf ein Transportfahrzeug oder nur auf Schütthaufen oder eine Kippe. Bei Entleerung auf ein Transportgerät ist das Verhältnis von Löffel-/Schaufelinhalt zum Fassungsvermögen des Transportgeräts zu berücksichtigen.
- $f_4$ Schneiden- bzw. Zahnzustandsfaktor: Abnutzungsgrad der Schneid- bzw. Aufladewerkzeuge.
- $f_5$ Verfügbarkeits-/Gerätezustandsfaktor: Einsatzzeit, Instandhaltungszustand des Geräts.

Der **Geräteausnutzungsgrad $\eta_G$ [-]** ergibt sich aus dem Quotienten der effektiven Betriebszeit (= Schichtzeit minus Unterbrechungs-/ Ausfallzeiten) und der Schichtzeit. Man kann diesen Faktor auch als Effektivitätsfaktor bezeichnen; er sagt aus, dass ein Gerät z.B. 50 min/h effektiv arbeitet. Diese Reduktion ergibt sich aus Umsetzzeiten bei einem Bagger während eines kontinuierlichen Aushubvorgangs (z.B. Graben) bzw. Ladevorgangs, um die optimale Geräteposition im Gerätearbeitsbereich für die Arbeit einzunehmen, oder Zigarettenpausen des Maschinenführers etc.

Tabelle der Leistungseinflussfaktoren, durch die die in den Handbüchern [6], [7] beschriebenen Idealbedingungen abgemindert werden:

**Tabelle 1-2: Leistungseinflussfaktoren**

| | | |
|---|---|---|
| $\eta_1$ | $\leq 1$: | Mensch: Leistungsfaktor des Geräteführers (Ausbildung, Motivation) |
| $\eta_2$ | $\leq 1$: | Organisation und Umwelt: Einfluss der Betriebsbedingungen auf die Leistung (Wetter, Staub, Helligkeit, Arbeitsvorbereitung, Arbeitsabläufe etc.) |
| $f_1 \ldots f_5$ | $\leq 1$: | Technik: Technische Einflussfaktoren |
| $\eta_G$ | $\leq 1$: | Effektivzeit: Geräteausnutzungsgrad eines Geräts, z.B. bezogen auf die Schichtzeit (Schichtzeit = effektive Betriebszeit sowie Unterbrechungs- und Ausfallzeiten) |

Die Faktoren für die wichtigsten Leistungsgeräte können Kapitel 8 entnommen bzw. in Analogie übertragen werden.

## 1.2 Bestimmung von Leistungswerten

### Nachkalkulation

Leistungswerte beruhen auf Erfahrung und werden normalerweise im Rahmen des technischen Controllings dokumentiert. Sie resultieren aus der Nachkalkulation bereits fertig gestellter Bauprojekte und dienen vor allem der Ermittlung der für die Ausführung geräteintensiver Arbeiten benötigten Maschinen- und Lohnstunden. Ihre Kehrwerte ergeben Aufwandswerte, die sich als Quotient aus verbrauchter Arbeitszeit und geleisteter Menge definieren.

Die für die Ausführung einer Tätigkeit benötigten Arbeitsstunden werden mit Hilfe dieser Aufwandswerte für Bauwerke mit gleichen Randbedingungen herangezogen. In der Kalkulation bezeichnet man die Aufwandswerte auch häufig als Stundenansätze.

$$\text{Ist-Leistung} = \frac{\text{geleistete Menge}}{\text{verbrauchte Arbeitszeit}}$$

$$\text{Ist-Aufwandswert} = \frac{\text{verbrauchte Arbeitszeit}}{\text{geleistete Menge}} = \frac{1}{\text{Ist-Leistung}}$$

Durchschnittliche Leistungswerte für Bauleistungen sind in Standardbüchern [9], [10], [11], [12] zusammengestellt, werden aber von den Bauunternehmen meist anhand eigener Erfahrungen aufgestellt und auf dem neuesten Stand gehalten.

Folgende Punkte sind bei der Ermittlung der Leistungswerte zu berücksichtigen:

- Jede Arbeit hat zu Beginn ihrer Ausführung eine Anlaufzeit, auch Lernphase genannt, bei der aufgrund der notwendigen Einarbeitung (Lernkurve) nur eine verminderte Leistung erzielt wird. Zusätzlich schränken in der Auslaufzeit der Ausführung verminderte Arbeitsflächen und Störungen im Bauablauf durch nachfolgende Gewerke die Leistungsfähigkeit ein. Zwischen Anlauf- und Auslaufzeit liegt die Hauptleistungszeit, in der die höchste Leistung erbracht wird. Diese Hauptleistungszeit setzt sich zusammen aus der Betriebszeit, den betrieblich bedingten Wartezeiten und den Umsetzzeiten auf der Baustelle. Für die Arbeitsausführung sind nun zwei Leistungswerte ermittelbar:

- Ein mittlerer Leistungswert, bezogen auf die Einsatzzeit, bestehend aus Zeiten für Vorbereitung/Einarbeitung, Betriebszeit, betrieblich bedingte Wartezeiten, Umsetzen innerhalb der Baustelle und Zeiten für den Abschluss der Arbeiten.
- Ein höherer Leistungswert, ausschliesslich auf die Betriebszeit bezogen.

- Auch während der Betriebsszeit verläuft die Leistungskurve nicht gleichmässig, sondern bewegt sich vielmehr in einer mehr oder weniger grossen Bandbreite um den Durchschnittswert.

**Bei der Ermittlung der Bauzeit und der Baukalkulation ist immer der mittlere auf die Einsatzzeit bezogene Leistungswert zugrunde zu legen. Die Abstimmung und Optimierung der Gerätekonfiguration erfolgt hingegen über den auf die Betriebszeit bezogenen Leistungswert.**

## Zeitmessverfahren

Das Zeitmessverfahren wird einerseits zur Bestimmung von detaillierten Arbeitsabläufen und Leistungswerten sowie andererseits zur kontinuierlichen Verbesserung sich wiederholender Arbeitsabläufe eingesetzt. Diese detaillierten Leistungswerte werden durch **direkte Messungen und Beobachtungen** während der Bauausführung ermittelt. Zwei Methoden bieten sich hierzu an [3]:

- Die Dauer einzelner Arbeitsvorgänge wie auch der Verlustzeiten misst man mit durchlaufender **Stoppuhr**.
- Mit Hilfe der Momentaufnahme (Zählverfahren, Multimomentverfahren) wird z.B. im Minutenabstand festgestellt und notiert, welche Tätigkeit ein einzelner Arbeiter oder die Arbeitsgruppe zu diesem Zeitpunkt gerade ausführt. Die Summe der Vielzahl solcher Beobachtungsstichproben ergibt eine Häufigkeitsstückliste. Diese enthält, bezogen auf die Gesamtbeobachtungsdauer, bestimmte Zeitanteile je Ablaufart [13].

Diese Methoden liefern bei einer genügend langen Beobachtung sowohl die **Leistungswerte** als auch eine gute **Übersicht** über schlecht funktionierende Arbeitseinsätze und **ungenügende Abstimmung** einzelner Produktionsketten (Verlustzeiten). Daher wird dieses Verfahren hauptsächlich zur kontinuierlichen Verbesserung von sich wiederholenden Arbeitsabläufen auf der Baustelle eingesetzt.

## 1.3 Leistung von Produktionsketten

Häufig wird bei der Bauwerkserstellung die Produktionsleistung nicht von einer einzelnen Maschine, sondern von mehreren in einer Produktionskette zusammenarbeitenden Maschinen erbracht. Beispiele hierfür sind das Zusammenspiel

- **im Betonbau von Betonmischer, Betontransport, Betonpumpen und Betonverteiler;**
- **im Erdbau von Ladegeräten, Lastkraftwagen und Planiergeräten.**

Die Leistung einer Produktionskette wird immer vom **Leitgerät** bestimmt. Beim Leitgerät handelt es sich um eine einzelne Maschine oder eine Maschinengruppe, die innerhalb der Produktionskette die **kleinste Leistung** erbringt. In der Regel sind das Maschinen oder Maschinengruppen, bei denen die Leistung nur sehr aufwendig, z.B. wegen sehr hoher Investitions-, Miet- und Reparaturkosten, oder überhaupt nicht, z.B. wegen räumlichen oder von Arbeitsverfahren bestimmten Begrenzungen, angepasst werden kann. Alle anderen Maschinen der Produktionskette sind dann an die Leistungsfähigkeit des Leitgeräts anzupassen [1].

Erfordert die Durchführung einer Bauaufgabe **zwei parallel oder abwechselnd arbeitende Produktionsketten**, so müssen diese mit dem Ziel eines möglichst kontinuierlichen Produktionsflusses in Bezug **auf minimale Wartezeiten optimiert** werden [3]. Auf Linienbaustellen stellt z.B. das Schalen und Betonieren eines Hochhauses mit den Bauwerksteilen Decken sowie Kern und Stützen ein Beispiel zweier parallel laufender Produktionsketten dar. Die nachfolgenden baubetrieblichen Leistungsberechnungen und vor allem die leistungsabmindernden Beiwerte beruhen auf den Untersuchungen der Firmen Liebherr [6] und Caterpillar [7] sowie der Professoren Bauer [8] und Kühn [14].

## 1.4 Allgemeine Leistungsberechnung von Baugeräten

### Kurzzeitleistungen

Unter dieser Leistungskategorie werden die Leistungen in der Hauptphase des Vorgangs auf die Betriebszeit bezogen definiert.

Die **theoretische Leistung $Q_T$ [m³/h]** ist abhängig von der konstruktiven Gestaltung des Geräts in Bezug auf Maschinenleistung, Technologie, Kinematik, Arbeitsgeschwindigkeit und Lade- und Transportgefässinhalt. Sie besteht unter optimalen technischen Betriebsbedingungen, aber ohne Berücksichtigung materialabhängiger, technischer, bedienungs- und betriebsbedingter Einflüsse sowie der Geräteausnutzung.

$$Q_T = \frac{V_{SAE}}{t_S} \times 3600 \qquad [m^3/h]$$

Die **Grundleistung $Q_0$ [fm³/h]** berücksichtigt die **materialabhängigen** Einflussfaktoren und erfolgt unter optimalen technischen Betriebsbedingungen, aber ohne Berücksichtigung technischer, bedienungs- und betriebsbedingter Einflüsse sowie der Geräteausnutzung.

$$Q_0 = \frac{V_{SAE}}{t_S} \times 3600 \times k_1 \qquad [fm^3/h]$$

Die **technische Grundleistung $Q_{T0}$ [fm³/h]** berücksichtigt alle materialabhängigen und **technischen** Einflussfaktoren, ohne bedienungs- und betriebsbedingte Einflüsse sowie die Geräteausnutzung.

$$Q_{T0} = \frac{V_{SAE}}{t_S} \times 3600 \times k_1 \times k_2 \qquad [fm^3/h]$$

Die **Nutzleistung $Q_N$ [fm$^3$/h]** (Durchschnittsleistung/Dauerleistung über die Betriebszeit) berücksichtigt alle bekannten materialbedingten und technischen Leistungsfaktoren, insbesondere auch die **Bedienungs- und Betriebsbedingungen sowie die Geräteausnutzung**.

$$Q_N = \frac{V_{SAE}}{t_S} \times 3600 \times k_1 \times k_2 \times k_3 \times \eta_G \qquad [\text{fm}^3/\text{h}]$$

$$k_1 = \alpha \times \varphi \qquad [-]$$

$$k_2 = f_1 \times f_2 \times f_3 \times f_4 \times f_5 \qquad [-]$$

$$k_3 = \eta_1 \times \eta_2 \qquad [-]$$

| | | |
|---|---|---|
| $V_{SAE}$ | Nenninhalt Grab-/Transportgefäss gemäss SAE | [m$^3$] |
| $t_S$ | Spielzeit | [s] |
| $\alpha$ | Lösefaktor | [fm$^3$/lm$^3$] |
| $\varphi$ | Füllfaktor | [-] |
| $\eta_1$ | Bedienungsfaktor | [-] |
| $\eta_2$ | Betriebsbedingungen | [-] |
| $f_1$ | Abbau-/Grabtiefenfaktor | [-] |
| $f_2$ | Schwenkwinkel-/Fahrwegfaktor | [-] |
| $f_3$ | Entleerungsgenauigkeitsfaktor | [-] |
| $f_4$ | Schneiden-/Zahnzustandsfaktor | [-] |
| $f_5$ | Verfügbarkeits-/Gerätezustandsfaktor | [-] |
| $k_1$ | Ladefaktor | [-] |
| $k_2$ | Leistungseinflussfaktor | [-] |
| $k_3$ | Betriebsbeiwert | [-] |
| $\eta_G$ | Geräteausnutzungsgrad | [-] |
| fm$^3$ | Material in ungestörtem bzw. verdichtetem Zustand | |
| lm$^3$ | Material in aufgelockertem Zustand, z.B. auf einer LKW- Mulde | |

Die Kurzzeitleistung bezieht sich auf die Betriebszeit, d.h. auf die reine Arbeitszeit des Geräts. Bei grossen, maschinenintensiven Erdbaustellen, d.h. Baustellen mit kontinuierlichem Geräteeinsatz, entspricht sie weitgehend der durchschnittlichen Leistung des gesamten Arbeitstags $Q_{AT}$ [fm$^3$/h]. Bei zyklischen Arbeitsabläufen, bei denen das Gerät nur zeitweise während der Arbeitszeit in Betrieb ist, weicht die Kurzzeitleistung teilweise deutlich von der Durchschnittsleistung des Arbeitstags ab.

Im Berechnungskonzept von Kurzzeit-/Nutzleistung $Q_N$ sind neben den auf die Grundleistungen $Q_0$ bezogenen technischen Reduktionsfaktoren bereits auch die Bedienungs- und Betriebsbedingungen wie Motivation, Wettereinfluss etc. sowie die Geräteausnutzung während der Betriebszeit enthalten. Berücksichtigt wird ferner, dass eine neue Maschine höhere Leistungen erbringt als eine ältere, bedingt durch Verschleiss, aber auch durch häufigere kleinere Reparaturen an z.B. Hydraulikschläuchen oder Reisszähnen. Ferner ist auch die Geräteausnutzung über einen definierten Zeitraum enthalten, da z.B. ein Baggerführer nicht ununterbrochen eine volle Stunde oder einen ganzen Tag hocheffizient unter Beibehaltung der Konzentration über die ganze Schichtzeit hinweg arbeitet. Bei diesem Geräteausnutzungsgrad ist auch z.B. das Nachrücken eines Baggers während des Aushubs oder Ladevorgangs enthalten.

In der Kurzzeit-/Nutzleistung sind die folgenden Reduktionen nicht enthalten:

- Vorbereitungszeiten (z.B. Auslegen von Baggermatratzen oder das Umrüsten auf ein anderes Grabgefäss)
- Unterbruchszeiten für das Umsetzen an einen neuen Standort auf der gleichen Baustelle
- Betrieblich bedingte Unterbrechungen und Wartezeiten
- Einarbeitungs- und Abschlusszeit mit meist geringerer Leistung (Bild 1-3), da einerseits in der Lernphase erst der optimale Ablauf in der Prozesskette gefunden werden muss und andererseits in der Abschlussphase oft schon parallele Arbeiten anderer Gewerke beginnen, die Behinderungen verursachen können, oder noch Nacharbeiten durchgeführt werden müssen.

### Langzeitleistung

Die Langzeitleistung, auch Einsatzleistung $Q_{ET}$ genannt, bezieht sich auf die Einsatzzeit der Geräte, die sich aus der Dauer der Prozesse ergibt, und baut auf dem Konzept der Kurzzeitleistung auf. Die Kurzzeitleistung wird dazu ergänzt durch Vorbereitungs- und Einarbeitungszeiten, durch unproduktive betrieblich bedingte Wartezeiten, die Dauer des Umsetzens an einen anderen Arbeitsort auf der Baustelle sowie Zeiten für den Abschluss der Arbeiten.

Beim Sprengvortrieb im Untertagebau, einem zyklisch ablaufenden Vortriebsverfahren, wird nach dem Sprengen das Haufwerk geladen. Diese Arbeiten beanspruchen nur 3 – 4 Stunden einer Schicht von 8 – 10 Stunden. In der restlichen Zeit werden andere Arbeiten durchgeführt. Das bedeutet, dass die effektive Nutzleistung $Q_N$ [$fm^3/h$] des Geräts wesentlich von der Durchschnittsleistung $Q_{AT}$ [$fm^3/h$] pro Arbeitstag abweichen kann. Das Gleiche gilt auch bei Baugruben, wenn z.B. in einer gewissen Tiefe der Aushub unterbrochen werden muss, um Anker- oder Aussteifungsarbeiten durchzuführen.

### Leistung bei zyklischen Arbeiten

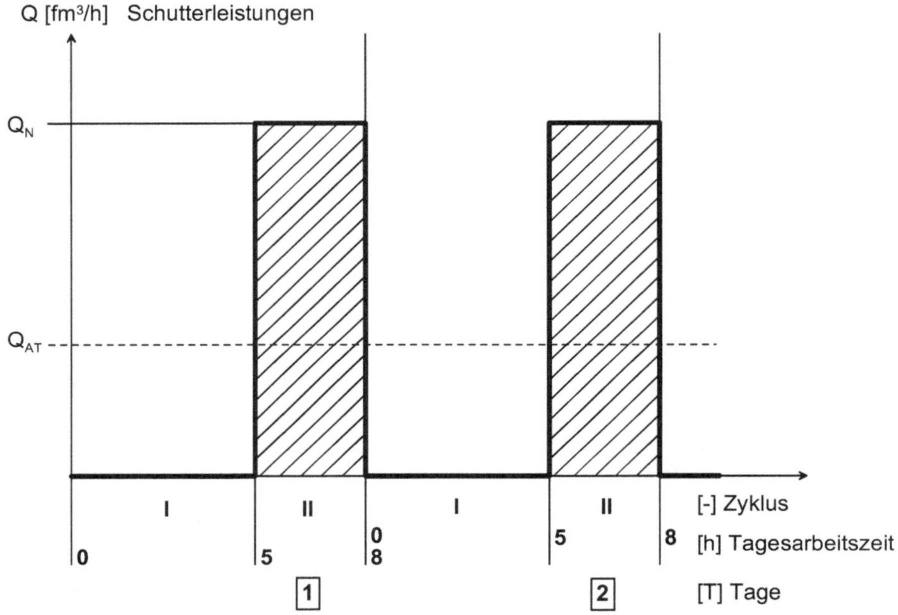


Zyklus I: Sichern und Sprengen
Zyklus II: Schuttern (Laden des Vortriebs)

**Bild 1-2: Darstellung der Schutterleistung in Abschlagszyklen**

Daher müssen die Leistungen einerseits nach Arbeitsabläufen und andererseits nach verschiedenen Zeitabschnitten wie folgt differenziert werden:

- Die Wahl der Maschinen erfolgt aufgrund der erforderlichen Nutzleistung $Q_N$ bzw. Grundleistung $Q_0$.
- Die Tagesleistung $Q_{AT}$ ist eine Durchschnittsleistung, die meist dann deutlich von $Q_N$ abweicht, wenn zyklische Arbeiten durchgeführt wer-

den, oder bei Geräteumsetzungen zu anderen Arbeitsstätten mit zyklischem Charakter.

- Die Einsatzleistung $Q_{ET}$ über die gesamte Einsatzzeit ist meist für kalkulatorische Zwecke erforderlich und beinhaltet neben der Nutzleistung $Q_N$ bzw. Tagesleistung $Q_{AT}$ die Reduktion durch die Vorbereitungszeit, Einarbeitungs- und Abschlussphase sowie betrieblich bedingte Unterbrechungen.

### Allgemeiner Leistungsverlauf während der Vorhaltezeit

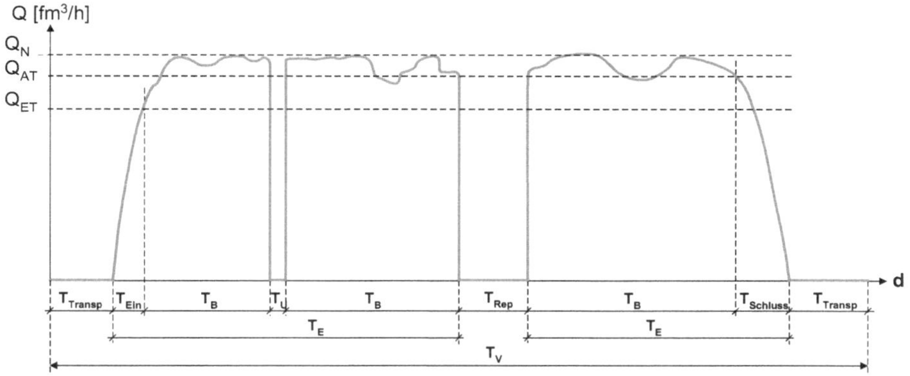


**Bild 1-3: Leistungsverlauf**

| | | |
|---|---|---|
| $Q_N$ | Nutz-/Dauerleistung des Geräts<br>≙ Leistung bezogen auf die Betriebszeit | [fm³/h] |
| $Q_{AT}$ | Tagesdurchschnittsleistung des Geräts<br>≙ Leistung bezogen auf die Tagesarbeitszeit | [fm³/h] |
| $Q_{ET}$ | mittlere Einsatzleistung des Geräts<br>≙ Leistung bezogen auf die Einsatzzeit | [fm³/h] |
| $T_{Transp}$ | Zeit für den Transport | [h]; [AT] |
| $T_{Ein}$ | Einarbeitungszeit | [h]; [AT] |
| $T_B$ | Betriebszeit des Geräts pro Arbeitstag | [h]; [AT] |
| $T_U$ | Zeit für betrieblich bedingte Unterbrechungen | [h]; [AT] |
| $T_{Rep}$ | Zeit für Reparaturen | [h]; [AT] |
| $T_{Schluss}$ | Dauer der Schlussphase | [h]; [AT] |
| $T_E$ | Einsatzzeit der Geräte | [h]; [AT] |
| $T_V$ | Vorhaltezeit | [h]; [AT] |
| d | Vorgangsdauer – mögliche Betriebs- bzw. Arbeitstage gemäss Terminplan (Einsatzzeit) | [h]; [AT] |

Die **effektive Leistung, bezogen auf die Arbeitszeit $Q_{AT}$ [fm³/h] bzw. die Einsatzzeit $Q_{ET}$ [fm³/h]**, ergibt sich zu:

Arbeitszeit: $$Q_{AT} = Q_N \times \frac{T_B}{T_{AT}} \quad [fm^3/h]$$

Einsatzzeit: $$Q_{ET} = Q_{AT} \times \frac{T_{AT}}{T_{ET}} = Q_N \times \frac{T_B}{T_{ET}} \quad [fm^3/h]$$

| | | |
|---|---|---|
| $Q_{AT}$ | Tagesdurchschnittsleistung des Geräts | [fm³/h] |
| $Q_{ET}$ | mittlere Einsatzleistung des Geräts | [fm³/h] |
| $Q_N$ | Nutz-/Dauerleistung des Geräts | [fm³/h] |
| $T_B$ | Betriebszeit des Geräts pro Arbeitstag | [h/AT] |
| $T_{AT}$ | Arbeitsstunden pro Arbeitstag | [h/AT] |
| $T_{ET}$ | Einsatzstunden pro Arbeitstag | [h/AT] |

Die **erforderliche durchschnittliche Leistung, bezogen auf die Einsatzzeit $Q_{ET\text{-}erf.}$ [fm³/h]**, ergibt sich zu:

$$Q_{ET-erf.} = \frac{V}{T_{AT} \times d} \quad [fm^3/h]$$

| | | |
|---|---|---|
| V | Gesamtaushub (Arbeit) | [fm³] |
| $T_{AT}$ | Arbeitsstunden pro Arbeitstag | [h/AT] |
| d | Vorgangsdauer – mögliche Betriebs- bzw. Arbeitstage gemäss Terminplan (Einsatzzeit) | [AT] |

**Anzahl der Lösegeräte n [-]**

$$n \geq \frac{Q_{ET-erf.}}{Q_{ET}} \quad [-]$$

$$Q_{ET} = Q_N \times \frac{T_B}{T_{ET}} \quad [fm^3/h]$$

| | | |
|---|---|---|
| $Q_{ET}$ | mittlere Einsatzleistung eines Geräts | [fm³/h] |
| $T_B$ | Betriebszeit des Geräts pro Arbeitstag | [h/AT] |
| $T_{ET}$ | Einsatzstunden pro Arbeitstag | [h/AT] |

# Leistung im Baubetrieb

Die **Leistung $Q_{AT}$ in der Arbeitszeit $T_{AT}$ entspricht weitgehend der Nutz-/Dauerleistung $Q_N$**, wenn keine zusätzlichen Zeitaufwendungen notwendig werden, die über die in den Gerätezustandsfaktoren, z.B. für tägliche Routinewartung, sowie im Geräteausnutzungsfaktor für kleinere Umsetzungsarbeiten und Erholungspausen schon enthaltenen Zeitaufwendungen hinausgehen.

Die **Arbeitszeit $T_{AT}$ [h/AT]** ergibt sich aus:

$$T_{AT} = \sum_i T_i = T_B + \sum_j T_j \qquad [h/AT]$$

Die Arbeitszeit pro Tag $T_{AT}$ setzt sich zusammen aus:

- der Betriebszeit des Geräts $T_B$
- den möglichen gewollten und ungewollten Unterbrechungen $\sum_j T_j$, z.B. durch Umsetzen der Maschinen, Unterbruch in der Versorgung, kleine Wartungsarbeiten, zyklische Arbeiten

**Die Arbeitszeit $T_{AT}$ entspricht normalerweise der Regelarbeitszeit auf der Baustelle.**

Man kann davon ausgehen, dass die Nutzleistung über Stunden und Tage bei gleicher Arbeit aufrechterhalten werden kann. Muss jedoch das Gerät umgesetzt oder müssen z.B. in einer Baugrube zuerst die Anker gesetzt werden, bevor mit dem Aushub fortgefahren werden kann, dann entspricht die Nettoarbeitszeit des Geräts oder der Prozesskette nicht der Arbeitszeit, der Einsatzzeit und vor allem nicht der Vorhaltezeit.

Unter der **Einsatzzeit $T_{ET}$** werden alle Zeiten zusammengefasst, an denen das Gerät in Betrieb ist. Dazu gehören:

- Vorbereitungszeiten
- Einarbeitungszeit
- Betriebszeit
- Umsetzen auf der Baustelle
- Baubetrieblich bedingte Wartezeit
- Schlussphase

In dieser Zeit ist das Gerät ohne Unterbrechung durch Wartungen, Reparaturen oder Stillstandstage in Betrieb.

Damit ergibt sich die **Einsatzzeit $T_{ET}$** zu:

$$T_{ET} = T_{Vor} + T_{Ein} + T_B + T_U + T_{Um} + T_{Schluss} \quad [h]; [AT]$$

| | | |
|---|---|---|
| $T_{Vor}$ | Vorbereitungszeiten | [h]; [AT] |
| $T_{Ein}$ | Einarbeitungszeit | [h]; [AT] |
| $T_B$ | Betriebszeit | [h]; [AT] |
| $T_U$ | Zeit für betrieblich bedingte Unterbrechungen | [h]; [AT] |
| $T_{Um}$ | Umsetzzeiten auf der Baustelle | [h]; [AT] |
| $T_{Schluss}$ | Dauer der Schlussphase | [h]; [AT] |

Die **Vorhaltezeit $T_{VT}$** umfasst die Einsatzzeit und das Einrichten sowie die Auf-, Um- und Abbau der Geräte mit den dazugehörigen Transportzeiten, die Stillliegezeit auf der Baustelle und die Zeiten für Wartung/Pflege und Reparatur. Damit ergibt sich die **Vorhaltezeit $T_{VT}$** zu:

$$T_{VT} = T_{ET} + T_{Transp} + T_{Aufbau} + T_{Rep} + T_{Wartung} + T_{Still} + T_{Umbau} + T_{Abbau} \quad [h]; [AT]$$

| | | |
|---|---|---|
| $T_{Transp}$ | Zeiten für An- und Abtransport | [h]; [AT] |
| $T_{Aufbau}$ | Zeiten für den Aufbau | [h]; [AT] |
| $T_{Rep}$ | Reparaturzeiten | [h]; [AT] |
| $T_{Wartung}$ | Wartungs- und Pflegezeiten | [h]; [AT] |
| $T_{Still}$ | Stillliegezeiten | [h]; [AT] |
| $T_{Umbau}$ | Umbauzeiten | [h]; [AT] |
| $T_{Abbau}$ | Abbauzeiten | [h]; [AT] |

Es ist daher **sehr wichtig**, dass bei **Leistungsangaben** der **Bezugszeitrahmen** genau **angegeben** wird.

# 2 Baustelleneinrichtungen

Sozialeinrichtungen
Wasserversorgung
Stromversorgung
Druckluftversorgung
Separationsanlagen

# Sozialeinrichtungen

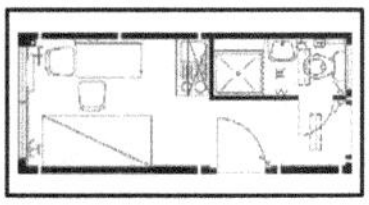

## 2.1 Sozialeinrichtungen [15], [16]

Die hier angegebenen Werte dienen nur zur Vordimensionierung der Sozialeinrichtungen. In jedem Land müssen die speziellen Vorschriften der Arbeitsstättenverordnung beachtet werden.

**Tabelle 2-1: Richtwerte der Sozialeinrichtungen**

| Nr. | Sozialräume | $m^2$/ Arbeiter | $m^3$/ Arbeiter | Andere |
|---|---|---|---|---|
| | | | | |
| 1 | Tagesunterkünfte | 1 | | |
| 2 | Schlaf-/Wohnunterkunft | > 6 | > 10 | |
| 3 | Kantine (mit Küche und Magazin) | 2.5 | | |
| 4 | WC | | | 1/Baustelle bzw. 1/(15 Arbeiter) |
| 5 | Waschraum | | | 1 Waschraumplatz/ Baustelle bzw. 1 Waschraumplatz/ (5 Arbeiter) |
| 6 | Duschen bei mehr als 10 Arbeitern und Baustellen-dauer > 2 Wochen | | | 1 Dusche/ (20 Arbeiter) |
| 7 | Mindestraumhöhen | | | 2.3 m |
| 8 | Fensterfläche | | | 1/10 der Grund-fläche |

Zudem sind spezifische Anforderungen hinsichtlich Tischen, Stühlen, Schränken und anderer Einrichtungsgegenstände zu beachten.

## 2.2 Wasserversorgung [17]

### Begriffsbestimmung und Berechnungsvorgang

- **Wasserbedarfsermittlung:**

  Die Wasserbedarfsermittlung ist notwendig zur Dimensionierung der Versorgungsquelle, der Versorgungsleitungen und eventueller Zusatzeinrichtungen wie Pumpanlagen.

  Ermittlung anhand von Richtwerten (Tabelle 2-2):

  a) Arbeitnehmer

  Trink- und Brauchwasserbedarf der Arbeitnehmer (AN) am Arbeitstag (AT) [l/AN und AT]

  Anzahl AN × Richtwert [$m^3$/AN und AT] = ......... [$m^3$/AT]

  b) Aufbereitungsanlagen

  Beton- und Mörtelanmachwasserbedarf [$m^3/m^3$]

  Leistung Anlage [$m^3$/AT] × Richtwert [$m^3/m^3$] = ......... [$m^3$/AT]

  c) Sonstige Anlagen

  Sonstiger Brauchwasserbedarf für Wasch-, Sieb- oder Trennanlagen für Zuschlagstoffe [$m^3/m^3$]

  Leistung Anlage [$m^3$/AT] × Richtwert [$m^3/m^3$] = ......... [$m^3$/AT]

  ---

  **Zwischensumme 1** = ......... [$m^3$/AT]

d) Zuschlag für Betonnachbehandlung usw.

Pauschaler Zuschlag auf den ermittelten Wasserbedarf für weiteres Brauchwasser zur Nachbehandlung von Beton, zum Feuchthalten der Schalung, zur Reinigung von Geräten und Fahrzeugen [%]

Zuschlag × Zwischensumme 1 [$m^3$/AT] = ......... [$m^3$/AT]

---

**Zwischensumme 2** = ......... [$m^3$/AT]

e) Zuschlag für Verluste in prov. Leitungen

Pauschaler Zuschlag auf den ermittelten Wasserbedarf für Verluste in provisorischen Leitungen [%]

Zuschlag × Zwischensumme 2 [$m^3$/AT] = ......... [$m^3$/AT]

---

**Gesamtwasserbedarf $Q_{\varnothing}$** = ......... [$m^3$/AT]

- **Dimensionierung der Rohrleitung**

**Maximaler Wasserbedarf Q [l/s]**

**Wassermenge für allgemeinen Gebrauch $Q^1_{max}$ [l/s]**

Der maximale Wasserbedarf ($Q^1_{max}$) ergibt sich aus dem 1.5fachen des durchschnittlichen täglichen Gesamtbedarfs (s.o.).

$$Q^1_{max} = \frac{Q_{\varnothing}}{T_{AT}} \times \frac{1.5}{3.6} \qquad \text{[l/s]}$$

| | | |
|---|---|---|
| $Q^1_{max}$ | maximaler Wasserbedarf der Baustelle | [l/s] |
| $Q_{\varnothing}$ | durchschnittl. tägl. Gesamtwasserbedarf | [$m^3$/AT] |
| $T_{AT}$ | tägliche Arbeitszeit | [h/AT] |

**Wassermenge für Betonmischer $Q^2_{max}$ [l/s]**

Für die Dimensionierung der Leitung zum Betonmischer muss gewährleistet sein, dass eine Wassermenge von einem Fünftel des Nenninhalts des Mischers innerhalb von z.B. 20 Sekunden gleichmässig zugegeben werden kann. [17]

$$Q^2_{max} = \frac{\frac{1}{5} \times V_{misch}}{\Delta t} \quad [l/s]$$

| | | |
|---|---|---|
| $Q^2_{max}$ | maximaler Wasserbedarf zur Betonherstellung | [l/s] |
| $V_{misch}$ | Nenninhalt des Mischers | [ l ] |
| $\Delta t$ | 20 Sekunden Zulauf für Betonmischer | [ s ] |

Bei grossem Wasserbedarf für den Mischer empfiehlt sich die Anordnung eines Zwischenspeichers.

**Maximaler Wasserbedarf Q [l/s]**

$$Q = \max\{Q^1_{max}; Q^2_{max}\} \quad [l/s]$$

f) **Durchmesser der Rohrleitung d [dm]**

Der **Durchmesser der Rohrleitung d [dm]** ergibt sich aus dem **maximalen Wasserbedarf Q [l/s]**:

$$Q = \frac{d^2 \times \pi}{4} \times v \qquad 1\frac{l}{s} = 1\frac{dm^3}{s} \quad [l/s]$$

$$\Rightarrow d = \sqrt{\frac{4 \times Q}{v \times \pi}} \quad [dm]$$

| | | |
|---|---|---|
| Q | Fördermenge bzw. max. Wasserbedarf | [l/s] |
| d | lichter Durchmesser der Rohrleitung | [dm] |
| v | Wassergeschwindigkeit in der Rohrleitung, meist 5 bis 8 dm/s | [dm/s] |

# Wasserversorgung

## Richtwerte für den Wasserbedarf

**Tabelle 2-2: Wasserbedarf [17]**

| | |
|---|---|
| Trinkwasser und Waschen | 20 – 30 l/(AN und AT) |
| Duschen | 40 l/(AN und AT) |
| Trinkwasser, Waschen und Duschen | 40 – 70 l/(AN und AT) |
| Trink- und Brauchwasserbedarf bei Tagesunterkünften | 20 – 30 l/(AN und AT) |
| Trink- und Brauchwasserbedarf bei Wohn- und Schlafunterkünften | 50 – 100 l/(AN und AT) |
| Betonanmachwasser | 0.1 – 0.2 $m^3/m^3_{Beton}$ |
| Mörtelanmachwasser | 0.2 – 0.25 $m^3/m^3_{Mörtel}$ |
| Brauchwasser für Kiesaufbereitung | 1.0 – 3.0 $m^3/m^3_{Kies}$ |
| Zuschlag für weiteres Brauchwasser | 20 – 25 % |
| Wasserverluste bei provisorischen Leitungen | 10 – 20 % |

# Wasserversorgung

## Beispiel zur Ermittlung des Gesamtwasserbedarfs einer Bürogebäude-Baustelle

- **Ausgangsdaten**

**Rohbau**:

| | | | |
|---|---|---|---|
| max. Anzahl Arbeitnehmer (AN) Betonarbeit | = | 15 | AN |
| davon in Wohnunterkünften | = | 5 | AN |
| in Tagesunterkünften | = | 10 | AN |
| max. Betonierleistung | = | 180 | $m^3_{Beton}$ /AT |
| Betonanmachwasser | = | 0.15 | $m^3/m^3_{Beton}$ |
| Zuschlag weiteres Brauchwasser | = | 25 | % |
| Zuschlag für Verluste | = | 15 | % |

**Ausbau:**

| | | | |
|---|---|---|---|
| Anzahl Arbeitnehmer in Tagesunterkünften | = | 50 | AN |

- **Wasserbedarf der AN**

| | | | |
|---|---|---|---|
| 10 AN × 0.03 $m^3$/(AT und AN) | = | 0.3 | $m^3$/AT |
| 5 AN × 0.10 $m^3$/(AT und AN) | = | 0.5 | $m^3$/AT |

Der maximale Bedarf ergibt sich meist, wenn im letzten Geschoss noch die Rohbauarbeiten laufen und in den Untergeschossen schon der Ausbau beginnt.

| | | | |
|---|---|---|---|
| 50 AN × 0.03 $m^3$/AT und AN | = | 1.5 | $m^3$/AT |

- **Wasserbedarf Betonherstellung**

| | | | |
|---|---|---|---|
| 180 $m^3_{Beton}$ /AT × 0.15 $m^3/m^3_{Beton}$ | = | 27.00 | $m^3$/AT |
| **Zwischensumme 1** | = | 29.30 | $m^3$/AT |

- **Sonstiges**

| | | | | |
|---|---|---|---|---|
| Nachbehandeln des Betons und Gerätereinigung | 25 % von 29.30 | = | 7.33 | $m^3$/AT |
| **Zwischensumme 2** | | = | 36.63 | $m^3$/AT |
| Leitungsverluste | 15 % von 36.63 | = | 5.49 | $m^3$/AT |

- **Gesamtwasserbedarf** **= 42.12 $m^3$/AT**

## Beispiel zur Dimensionierung der Rohrleitung

- **Ausgangsdaten**

| | | | | | |
|---|---|---|---|---|---|
| Wasserbedarf | = | 42.12 | $m^3/AT$ | | |
| Fliessgeschwindigkeit | = | 0.8 | m/s | = | 8 dm/s |
| Anzahl Arbeitsstunden pro Arbeitstag | = | 9 | h/AT | | |
| Faktor für stündlichen Spitzenbedarf | = | 1.5 | | | |
| Zwangsmischergrösse | = | 1250 | l | | |
| Wasserzugabezeit in den Mischer | = | 20 | s | | |

- **Max. Wasserbedarf pro Stunde**

aus Gesamtwasserbedarf

$$Q^1_{max} = \frac{42.12}{9} \times \frac{1.5}{3.6} \quad = \quad 1.95 \text{ l/s}$$

aus Betonmischergrösse

$$Q^2_{max} = \frac{0.2 \times 1250}{20} \quad = \quad 12.5 \text{ l/s}$$

$$Q^1_{max} << Q^2_{max}$$

⇒ Es empfiehlt sich die Anordnung eines Zwischenspeichers, da ansonsten die Leitungsdimensionierung zu einem unwirtschaftlichen Durchmesser führt. Für die Dimensionierung ist dann $Q^1_{max}$ massgebend.

- **Durchmesser Gesamtzuleitung bis zum Baustellenverteiler**

$$d = \sqrt{\frac{4 \times 1.95}{8 \times \pi}} \quad = \quad 0.56 \text{ dm} \quad = 56 \text{ mm}$$

## 2.3 Stromversorgung [17], [18], [19]

### Begriffsbestimmung und Berechnungsvorgang

- **Leistungsbedarf**

  Der Bedarf der elektrotechnischen Einrichtungselemente der Baustelle zur Bestimmung der elektrischen Energie wird nach Einphasen- und Dreiphasenverbrauchern getrennt zusammengestellt. Die Richtwerte für die Anschlusswerte der Verbraucher können den Handbüchern der Gerätehersteller sowie [4] bzw. den nachfolgenden Seiten entnommen werden.

  a) Leistungswerte der Verbraucher

  Zusammenstellung der Leistungswerte der einzelnen Verbraucher getrennt nach:

  - **Einphasenwechselstrom (230 V)**

    Die Angabe der wirksamen Leistung in [kW] von Verbrauchern wie z.B. Beleuchtung, Wasserkocher entspricht dem Anschlusswert.

| Stück | Verbraucher | Wirkleistung [kW] | |
|---|---|---|---|
| | | einzeln | Gesamt |
| 2 | Kranleuchten | 40 | 80 |
| .. | .. | .. | .. |
| .. | .. | .. | .. |

  - **Dreiphasenwechselstrom (400 V)**

    Angabe der mechanischen wirksamen Leistung an der Antriebswelle von motorgetriebenen Verbrauchern in [kW]; dies kann dem Typenschild oder der BGL [4] entnommen werden. Diese Werte sind nicht dem Anschlusswert gleichzusetzen.

| Stück | Verbraucher | Motorleistung [kW] | |
|---|---|---|---|
| | | einzeln | gesamt |
| 2 | Turmdrehkran | 40 | 80 |
| .. | .. | .. | .. |
| .. | .. | .. | .. |

b) Leistungsaufnahme der Verbraucher

Die Leistungsaufnahme der Verbraucher bestimmt sich aus der dem Verbraucher zuzuführenden Leistung $P_{zu}$ in [kW] unter Berücksichtigung der Ernergieausnutzung (Wirkungsgrad) des Verbrauchers. Die Leistung $P_{zu}$ wird aus dem Wirkungsgrad $\eta$ ermittelt:

$$\eta = \frac{P_{ab}}{P_{zu}} \qquad [-]$$

| | | |
|---|---|---|
| $\eta$ | Wirkungsgrad | [-] |
| $P_{ab}$ | vom Verbraucher abgegebene Leistung | [kW] |
| $P_{zu}$ | dem Verbraucher zugeführte Leistung | [kW] |

Für einzelne Motoren entspricht $P_{ab}$ der Motorleistung in [kW], der Wirkungsgrad kann mit 0.6 – 0.9 angenommen werden.

Werden verschiedene Verbraucher zusammengefasst, d.h. ist $P_{ab}$ die Summe aller erfassten Gerätewerte in [kW], so kann der Wirkungsgrad mit 0.8 – 0.85 angenommen werden.

Danach bestimmt sich **die dem Verbraucher zuzuführende Leistung $P_{zu}$ [kW]** zu

$$P_{zu} = \frac{P_{ab}}{\eta} \qquad [kW]$$

c) Leistungsbereitstellung des Netzes

Die Leistungsbereitstellung des Netzes bestimmt sich aus der gemessenen Spannung und Stromstärke im Netz unter Berücksichtigung der Phasenverschiebung von Spannung und Stromstärke in Wechselstromkreisen mit induktivem Widerstand (Motor).

Die sich daraus ergebende Scheinleistung $P_S$ setzt sich zusammen aus einer **Wirkleistung $P_W$ [kW]**

$$P_W = U \times I_W = U \times I \times \cos\varphi \qquad [kW]$$

| | | |
|---|---|---|
| $P_W$ | Wirkleistung | [kW] |
| U | Spannung | [V] |
| I | Scheinstrom | [A] |
| $I_W$ | Wirkstrom | [A] |

| | | |
|---|---|---|
| $\cos\varphi$ | Leistungsfaktor für den Wirkstrom | [-] |

und einer senkrecht dazu stehenden **Blindleistung $P_B$ [kVA]**

$$P_B = U \times I_B = U \times I \times \sin\varphi \qquad \text{[kVA]}$$

| | | |
|---|---|---|
| $P_B$ | Blindleistung | [kVA] |
| U | Spannung | [V] |
| I | Scheinstrom | [A] |
| $I_B$ | Blindstrom | [A] |
| $\sin\varphi$ | Leistungsfaktor für den Blindstrom | [-] |

Das Verhältnis von tatsächlich aus dem Netz entnommener Leistung in [kW] zu im Netz gemessener Leistung in [kVA] ist der **Leistungsfaktor $\cos\varphi$ [-]**.

$$\cos\varphi = \frac{P_W}{P_S} \qquad \text{[-]}$$

| | | |
|---|---|---|
| $P_S$ | Scheinleistung | [kVA] |
| $P_W$ | Wirkleistung | [kW] |
| $\cos\varphi$ | Leistungsfaktor für den Wirkstrom | [-] |

Für einzelne Motoren kann der Leistungsfaktor $\cos\varphi$ mit 0.8 – 0.9 angenommen werden. Bei Zusammenfassung mehrerer Verbraucher liegt der Wert für $\cos\varphi$ bei 0.6 – 0.8. Die Wirkleistung $P_W$ entspricht der berechneten zugeführten Leistung $P_{zu}$.

Danach ergibt sich für die **Scheinleistung $P_S$ [kVA]**:

$$P_S = \frac{P_{zu}}{\cos\varphi} \quad \text{mit } P_{zu} = P_W \qquad \text{[kVA]}$$

| | | |
|---|---|---|
| $P_S$ | Scheinleistung | [kVA] |
| $P_{zu}$ | zugeführte Leistung (= Wirkleistung $P_W$) | [kW] |
| $\cos\varphi$ | Leistungsfaktor für den Wirkstrom | [-] |

Vektoriell stellt sich der Zusammenhang zwischen Wirk-, Blind- und Scheinleistung wie folgt dar:

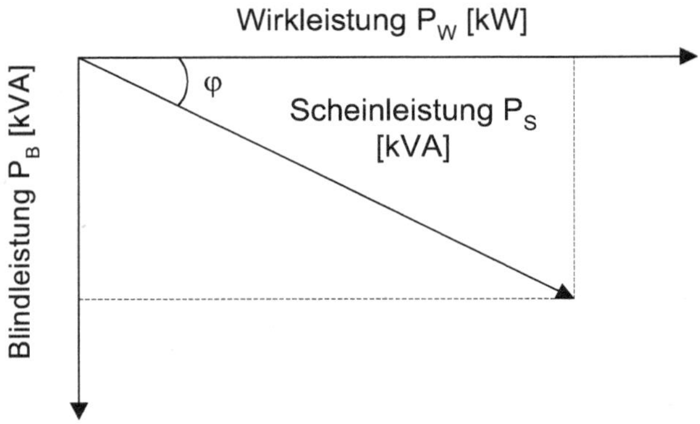


**Bild 2-1: Schematische Darstellung der Leistung von Motoren**

Die Angaben in kW sind die Verbrauchsleistungen. Die Angaben in kVA sind die bereitgestellten Leistungen (Scheinleistung) der Transformatoren.

Mechanisch durch den Motor nutzbar ist nur der wirksame Anteil der Scheinleistung $P_W$. Bei Beleuchtungseinrichtungen usw. ist nur die Wirkleistung zu berücksichtigen. Eine Blindleistung tritt nicht auf. Es ergibt sich die **gesamte erforderliche Scheinleistung $P_{Sges}$ [kVA]** aus der geometrischen Addition von Scheinleistung der Motoren und Wirkleistung der Beleuchtung zu:

$$P_{Sges} = \sqrt{(P_S \times \cos\varphi + P_{WB})^2 + (P_S \times \sin\varphi)^2} \quad \text{[kVA]}$$

| | | |
|---|---|---|
| $P_{Sges}$ | gesamte Scheinleistung | [kVA] |
| $P_S$ | Scheinleistung | [kVA] |
| $P_{WB}$ | Wirkleistung der Beleuchtung | [kW] |
| $\cos\varphi$ | Leistungsfaktor für den Wirkstrom | [-] |
| $\sin\varphi$ | Leistungsfaktor für den Blindstrom | [-] |

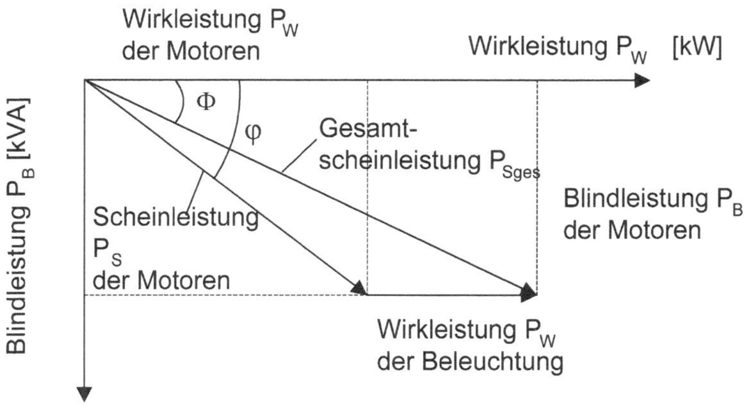


**Bild 2-2: Schematische Darstellung der Gesamtleistung**

d) Anschlusswert der Baustelle

Der Gesamtanschlusswert $P_{AW}$ in [kVA] für die Baustelle ergibt sich aus der Gesamtscheinleistung $P_{Sges}$ in [kVA] unter Berücksichtigung, dass nicht alle Verbraucher gleichzeitig eingeschaltet sind. Dies wird im Gleichzeitigkeitsfaktor a ausgedrückt, der das Verhältnis von tatsächlichem zu theoretisch möglichem Leistungsbedarf angibt.

Für den Gleichzeitigkeitsfaktor a kann angenommen werden:

- **0.4 – 0.5 für Grossbaustellen**
- **0.6 – 0.75 für sonstige Baustellen**
- **0.75 – 0.85 für Einzelgeräte mit mehreren Motoren**

Danach wird der **Anschlusswert $P_{AW}$ [kVA]**:

$$P_{AW} = P_{Sges} \times a \qquad [kVA]$$

| | | |
|---|---|---|
| $P_{AW}$ | Anschlusswert der Baustelle | [kVA] |
| $P_{Sges}$ | Gesamtscheinleistung | [kVA] |
| a | Gleichzeitigkeitsfaktor | [-] |

- **Dimensionierung der elektrischen Versorgungsleitungen [17]**

a) Nach dem zulässigen Spannungsabfall

Vertretbare Spannungsverluste $\Delta U$ in Versorgungsleitungen sind:

- **5 % der Nennspannung bei 400 V d.h. 20 V**
- **3 % der Nennspannung bei 230 V d.h. 6.9 V**

Nachfolgend sind die Formeln für die Berechnung des erforderlichen Leitungsquerschnitts aufgeführt.

**Tabelle 2-3: Formeln zur Berechnung des erforderlichen Leitungsquerschnitts A [mm$^2$]**

| | Spannungsabfall $\Delta U$ [V] | Leitungsquerschnitt A [mm$^2$] |
|---|---|---|
| Einphasen-wechselstrom | Strom I bekannt | |
| | $\Delta U = \frac{2 \times l_L \times I}{\chi \times A} \times \cos\varphi$ | $A = \frac{2 \times l_L \times I}{\chi \times \Delta U} \times \cos\varphi$ |
| | Leistung $P_W$ bekannt | |
| | $\Delta U = \frac{2 \times l_L \times P_W}{\chi \times A \times U}$ | $A = \frac{2 \times l_L \times P_W}{\chi \times \Delta U \times U}$ |
| Dreiphasen-wechselstrom | Strom I bekannt | |
| | $\Delta U = \frac{\sqrt{3} \times l_L \times I}{\chi \times A} \times \cos\varphi$ | $A = \frac{\sqrt{3} \times l_L \times I}{\chi \times \Delta U} \times \cos\varphi$ |
| | Leistung $P_W$ bekannt | |
| | $\Delta U = \frac{l_L \times P_W}{\chi \times A \times U}$ | $A = \frac{l_L \times P_W}{\chi \times \Delta U \times U}$ |

| | | |
|---|---|---|
| $U$ | Spannung | [V] |
| $\Delta U$ | Spannungsabfall | [V] |
| $I$ | Stromstärke | [A] |
| $P_W$ | Wirkleistung bzw. Anschlusswert $P_{AW}$ | [W] |
| $l_L$ | Leitungslänge | [m] |
| $A$ | Leitungsquerschnitt | [mm$^2$] |
| $\chi$ | Leitfähigkeit | [m/$\Omega$mm$^2$] |
| $\cos\varphi$ | Leistungsfaktor | [-] |

Die **Stromstärke I [A]** ergibt sich

- **für Einphasenwechselstrom aus:**

$$I = \frac{P_W}{U \times \cos\varphi} \quad [A]$$

- **für Dreiphasenwechselstrom aus:**

$$I = \frac{P_W}{\sqrt{3} \times U \times \cos\varphi} \quad [A]$$

b) Nach der zulässigen thermischen Belastung

Durch die Verlustleistung wird im Kabel Wärme erzeugt, die über die Oberfläche abgeleitet werden muss. Die Temperatur ist vom Isolierstoff abhängig. Sie begrenzt die maximal zulässige Stromstärke. Für kurze Leitungen ist fast immer die thermische Belastbarkeit massgebend.

Wurde der erforderliche Leitungsquerschnitt $A_{erf}$ bestimmt, kann die vorhandene Stromstärke $I_{vorh}$ ermittelt werden. Im Anschluss muss dieser Wert mit der zulässigen thermischen Dauerbelastbarkeit $I_{zul}$ der Leitung überprüft werden. Die zulässige Dauerbelastungen in [A] und die Leitungsschutzsicherungen sind in Tabelle 2-4 aufgeführt.

## Tabelle 2-4: Zulässige Dauerbelastung und Zuordnung von Überstrom-Schutzorganen für isolierte Leitungen [20]

| Nenn-querschnitt mm² | Gruppe 1<br>Bis zu 3 Leitungen in Rohren | | | | Gruppe 2<br>Rohrdrähte, Feuchtraumleitungen, Stegleitungen, frei in Luft verlegte mehradrige Leitungen und mehradrige Leitungen zum Anschluss ortsveränderlicher Stromverbraucher (einschliessl. Leitungstrossen) | | | | Gruppe 3<br>Frei in Luft verlegte einadrige Leitungen, wobei die Leitungen mit Zwischenraum von mindestens Leitungsdurchmesser verlegt sind, und einadrige Leitungen zum Anschluss ortsveränderlicher Stromverbraucher | | | |
|---|---|---|---|---|---|---|---|---|---|---|---|---|
| | Kupfer | | Aluminium | | Kupfer | | Aluminium | | Kupfer | | Aluminium | |
| | Belastbarkeit in A | Höchstzulässiger Nennstrom der Stromsicherung in A | Belastbarkeit in A | Höchstzulässiger Nennstrom der Stromsicherung in A | Belastbarkeit in A | Höchstzulässiger Nennstrom der Stromsicherung in A | Belastbarkeit in A | Höchstzulässiger Nennstrom der Stromsicherung in A | Belastbarkeit in A | Höchstzulässiger Nennstrom der Stromsicherung in A | Belastbarkeit in A | Höchstzulässiger Nennstrom der Stromsicherung in A |
| 0.75 | — | — | — | — | 13 | 10 | — | — | 16 | 15 | — | — |
| 1 | 12 | 10 | — | — | 16 | 15 | — | — | 20 | 20 | — | — |
| 1.5 | 16 | 15 | — | — | 20 | 20 | — | — | 25 | 25 | — | — |
| 2.5 | 21 | 20 | 16 | 15 | 27 | 25 | 21 | 20 | 34 | 35 | 27 | 25 |
| 4 | 27 | 25 | 21 | 20 | 36 | 35 | 29 | 25 | 45 | 50 | 35 | 35 |
| 6 | 35 | 35 | 27 | 25 | 47 | 50 | 37 | 35 | 57 | 60 | 45 | 50 |
| 10 | 48 | 50 | 38 | 35 | 65 | 60 | 51 | 50 | 78 | 80 | 61 | 60 |
| 16 | 65 | 60 | 51 | 50 | 87 | 80 | 68 | 60 | 104 | 100 | 82 | 80 |
| 25 | 88 | 80 | 69 | 60 | 115 | 100 | 90 | 80 | 137 | 125 | 107 | 100 |
| 35 | 110 | 100 | 86 | 80 | 143 | 125 | 112 | 100 | 168 | 160 | 132 | 125 |
| 50 | 140 | 125 | 110 | 100 | 178 | 160 | 140 | 125 | 210 | 200 | 165 | 160 |
| 70 | — | — | — | — | 220 | 225 | 173 | 160 | 260 | 260 | 205 | 200 |
| 95 | — | — | — | — | 265 | 260 | 210 | 200 | 310 | 300 | 245 | 225 |
| 120 | — | — | — | — | 310 | 300 | 245 | 225 | 365 | 350 | 285 | 260 |
| 150 | — | — | — | — | 355 | 350 | 280 | 260 | 415 | 430 | 330 | 300 |
| 185 | — | — | — | — | 405 | 350 | 320 | 300 | 475 | 430 | 375 | 350 |
| 240 | — | — | — | — | 480 | 430 | 380 | 350 | 560 | 500 | 440 | 430 |
| 300 | — | — | — | — | 555 | — | 435 | — | 645 | — | 510 | — |
| 400 | — | — | — | — | — | — | — | — | 770 | — | 605 | — |
| 500 | — | — | — | — | — | — | — | — | 880 | — | 690 | — |

## Dreiphasenverbraucher-Richtgrössen für die Motorenleistung von elektrisch betriebenen Baumaschinen

**Tabelle 2-5: Motorleistung von Baumaschinen [4]**

| Baumaschine | Kenngrösse | Motorleistung |
|---|---|---|
| Turmkran | Nennlastmoment | |
| fahrbar | 7 – 45 tm | 15.0 – 33.0 kW |
| stationär | 32 – 1250 tm | 20.0 – 145.0 kW |
| Aufzug | Traglast | |
| Schnellbauaufzug | 0.2 – 1.0 t | 2.0 – 10.0 kW |
| Aufzug mit Fahrkorb | 0.5 – 3.2 t | 8.0 – 30.0 kW |
| Betonmischmaschine | Mischgefässinhalt | |
| Trommelmischer | 250 – 750 l | 5.0 – 15.0 kW |
| Trog- / Tellermischer | 150 – 240 l | 3.0 – 8.0 kW |
| | 750 – 4500 l | 19.0 – 35.0 kW |
| Betonmischanlage | Mischgefässinhalt | |
| Trog- / Tellermischer | 500 – 2000 l | 20.0 – 80.0 kW |
| Trog- / Tellermischer | 2000 – 4500 l | 80.0 – 130.0 kW |
| Kompressor | Volumenstrom | |
| Kleinkompressor | 0.04 – 1.65 $m^3$/min | 0.4 – 15.0 kW |
| Kolbenkompressor | 2.0 – 9.0 $m^3$/min | 15.0 – 65.0 kW |
| Schraubenkompressor | 3.0 – 19.0 $m^3$/min | 20.0 – 130.0 kW |
| Kreissäge | Sägeblattdurchmesser | |
| Tischkreissäge | 350 – 550 mm | 2.0 – 9.0 kW |
| Handkreissäge | 170 – 550 mm | 0.6 – 4.0 kW |
| Förderband | Achsabstand | |
| 500 mm Gurtbreite | 4.0 – 15.0 m | 1.0 – 2.0 kW |
| 650 mm Gurtbreite | 10.0 – 60.0 m | 5.5 – 15.0 kW |
| Rüttler | | |
| Aussenrüttler | Fliehkraft | |
| | 1.0 – 25.0 kN | 0.1 – 3.0 kW |
| Innenrüttler | Flaschendurchmesser | |
| | 17.0 – 60.0 mm | 0.6 – 3.0 kW |

## Zwei- und Dreiphasenverbraucher-Richtgrössen für die Anschlusswerte von Elektrogeräten und Beleuchtung

**Tabelle 2-6: Anschlusswerte diverser Elektrogeräte [17]**

| Elektrogerät | Wechselstrom | Drehstrom | Anschlusswert |
|---|---|---|---|
| Elektroherd | | x | 8.0 – 14.0 kW |
| Kaffeemaschine | x | | 1.0 kW |
| Wasserkocher | x | | 1.0 kW |
| Duschspeicher 30 l | | x | 6.0 kW |
| Boiler 80 l | | x | 6.0 kW |
| Durchlauferhitzer | | x | 10.0 – 30.0 kW |
| Waschmaschine | x | | 3.0 kW |
| Wäschetrockner | x | | 3.0 kW |
| Händetrockner | x | | 2.0 kW |
| Kühlschrank | x | | 0.2 kW |
| Geschirrspüler | x | | 3.5 kW |
| Heizlüfter | x | | 2.0 kW |

**Tabelle 2-7: Anschlusswerte verschiedener Beleuchtungskörper [17]**

| Beleuchtung | Anschlusswert |
|---|---|
| Glühlampe | 0.025 – 0.1 kW |
| Flutlichtlampen | 0.2 kW |
| Tiefstrahler | 1.0 kW |
| Kranleuchten | 1.0 kW |

## Beispiel zur Ermittlung des Anschlusswerts einer Baustelle

- **Zusammenstellung der eingesetzten Baumaschinen**

**Tabelle 2-8: Motorleistung diverser Baumaschinen nach [4]**

| Stück | Baumaschine | Motorleistung [kW] | |
|---|---|---|---|
| | | Einzeln | Gesamt |
| 1 | Turmkran | 45.0 | 45.0 |
| 2 | Kompressor | 40.0 | 80.0 |
| 1 | Trommelmischer | 15.0 | 15.0 |
| 1 | Förderband | 15.0 | 15.0 |
| 1 | Tischkreissäge | 4.0 | 4.0 |
| 2 | Handkreissäge | 1.7 | 3.4 |
| 1 | Aussenrüttler | 0.5 | 0.5 |
| 2 | Innenrüttler | 1.2 | 2.4 |
| | Gesamt | = | 165.3 kW |

- **Zusammenstellung der eingesetzten Elektrogeräte**

**Tabelle 2-9: Anschlusswerte diverser Elektrogeräte nach [4]**

| Stück | Elektrogerät | Anschlusswert [kW] | |
|---|---|---|---|
| | | Einzeln | Gesamt |
| 2 | Kaffeemaschine | 1.0 | 2.0 |
| 2 | Wasserkocher | 1.0 | 2.0 |
| 1 | Kühlschrank | 0.2 | 0.2 |
| 2 | Heizlüfter | 2.0 | 4.0 |
| | Gesamt | = | 8.2 kW |

# Stromversorgung

- **Zusammenstellung der eingesetzten Beleuchtung**

**Tabelle 2-10: Berechnungsbeispiel der eingesetzten Beleuchtungen [4]**

| Stück | Beleuchtung | Anschlusswert [kW] | |
|---|---|---|---|
| | | Einzeln | Gesamt |
| 20 | Flutlichtlampe | 0.2 | 4.0 |
| 4 | Tiefstrahler | 1.0 | 4.0 |
| 1 | Kranleuchte | 1.0 | 1.0 |
| 100 m² Unterkünfte; 1 Glühlampe je 5 m² | | 0.06 | 100/5 × 0.06 = 1.2 |
| | Gesamt | = | 10.2 kW |

- **Weitere Ausgangsdaten**

Motorwirkungsgrad $\eta$ $= 0.85$
Leistungsfaktor cos $\varphi$ $= 0.6 \Rightarrow \varphi = 53.1° \Rightarrow \sin\varphi = 0.8$
Gleichzeitigkeitsfaktor a $= 0.6$

- **Leistungsaufnahme der Baumaschinen**

$$P_{zu} = \frac{140.3}{0.85} = 165.06 \text{ kW}$$

- **Leistungsbereitstellung des Netzes**

Scheinleistung Baumaschinen $P_{S1} = \frac{165.06}{0.6} = 275.10$ kVA

Scheinleistung Elektrogeräte $P_{S2} = 8.2$ kVA
Scheinleistung Beleuchtung $P_{S3} = 10.2$ kVA

Gesamtscheinleistung

$$P_{Sges} = \sqrt{(275.10 \times 0.6 + 8.2 + 10.2)^2 + (275.10 \times 0.8)^2} = 286.52 \text{ kVA}$$

- **Gesamtanschlusswert**

$$P_{AW} = 286.52 \times 0.6 = 171.91 \text{ kVA}$$

## Beispiel zur Dimensionierung der elektrischen Versorgungsleitungen [17], [20]

- **Annahmen**

| | | | |
|---|---|---|---|
| Bewegliche Verteilerleitung frei in Luft verlegt | | | |
| Motorleistung des Verbrauchers (Kran) $P_K$ | = | 45 | kW |
| Wirkungsgrad des Motors $\eta$ | = | 0.80 | |
| Gleichzeitigkeitsfaktor (hoch, da Einzelgerät) a | = | 0.85 | |
| Leistungsfaktor cos $\varphi$ | = | 0.70 | |
| Leitungslänge (Verteiler – Verbraucher) $l_L$ | = | 30 | m |
| Leitfähigkeit (Kupferkabel) $\chi$ | = | 57 | $m/\Omega mm^2$ |
| Spannung U, Dreiphasenwechselstrom | = | 400 | V |
| Zulässiger Spannungsabfall zwischen Verteiler und Verbraucher $\Delta U$ | = | 2.5 | % (10V) |

- **Aufgenommene Wirkleistung**

$$P_W = \frac{45}{0.80} = 56.25 \text{ kW}$$

- **Massgebend für die Bemessung**

$$P_{AW} = 56.25 \times 0.85 = 47.81 \text{ kW}$$

- **Erforderlicher Leitungsquerschnitt gemäss dem zulässigen Spannungsabfall**

$$A_{erf} = \frac{47.81 \times 30 \times 10^3}{57 \times 10 \times 400} = 6.3 \text{ mm}^2$$

- **Erforderlicher Leitungsquerschnitt gemäss der thermischen Belastbarkeit**

$$I = \frac{47.81 \times 10^3}{\sqrt{3} \times 400 \times 0.7} = 98.58 \text{ A}$$

Gemäss Tabelle 2-4 ist für einen höchstzulässigen Nennstrom der Stromsicherung von I = 100 A ein Nennquerschnitt von $A_{erf}$ =25 $mm^2$ notwendig.

- **Gewählter Querschnitt**

vieradrige Kupferleitung mit Querschnitt 4 x 25 $mm^2$ (Dreiphasenwechselstrom)

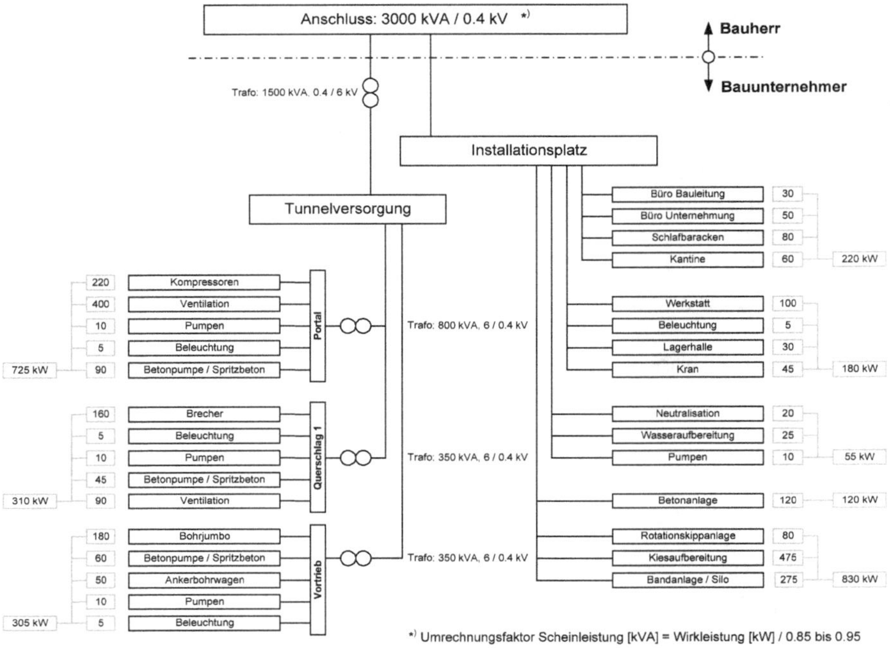


*) Umrechnungsfaktor Scheinleistung [kVA] = Wirkleistung [kW] / 0.85 bis 0.95

**Bild 2-3: Elektroinstallationsschema einer Baustelle (Tunnelbau, konventioneller Vortrieb) [2]**

## 2.4 Druckluftversorgung

Aus der allgemeinen Gasgleichung:

$$\frac{p_A \times V_A}{T_A} = \frac{p_B \times V_B}{T_B}$$

| | | |
|---|---|---|
| $p_A$ | Druck im Punkt A des Systems | [bar] |
| $V_A$ | Volumen des Gases im Punkt A | [$m^3$] |
| $T_A$ | Temperatur des Gases im Punkt A | [K] |
| $p_B$ | Druck im Punkt B des Systems | [bar] |
| $V_B$ | Volumen des Gases im Punkt B | [$m^3$] |
| $T_B$ | Temperatur des Gases im Punkt B | [K] |

lässt sich die Volumenstromgleichung für Druckluftsysteme wie folgt darstellen:

$$\frac{p_0 \times Q_{N,Saug}}{T_0} = \frac{p_K \times Q_{N,K}}{T_K} = \frac{p_V \times Q_{N,V}}{T_V}$$

| | | |
|---|---|---|
| $p_0$ | Luftdruck am Ansaugstutzen | [bar] |
| $Q_{N,Saug}$ | Ansaugleistung bei Luftdruck $p_0$ | [$m^3$/min] |
| $T_0$ | Lufttemperatur am Ansaugstutzen (Aussentemperatur) | [K] |
| $p_K$ | Abgabeluftdruck am Kompressor ins Druckleitungssystem | [bar] |
| $Q_{N,K}$ | Abgabeleistung des Kompressors bei Druck $p_K$ | [$m^3$/min] |
| $T_K$ | Drucklufttemperatur am Kompressor | [K] |
| $p_V$ | Betriebsdruck des Verbrauchers | [bar] |
| $Q_{N,V}$ | Druckluftbedarf aller Verbraucher bei Druck $p_V$ | [$m^3$/min] |
| $T_V$ | Drucklufttemperatur im Verbraucher | [K] |

Die Volumenstromgleichung lässt sich überleiten zu:

$$Q_{N,K} = Q_{N,V} \times \frac{p_V}{p_K} \times \frac{T_K}{T_V} \qquad [m^3/min]$$

mit $p_K = p_V + \Delta p$ ($\Delta p$ entspricht den Druckverlusten entlang der Leitung) und $Q_{N,V}$ (Summe des Druckluftbedarfs aller Verbraucher), hierin sind die Leistungsfaktoren $k_i$ und $\eta_G$ bereits berücksichtigt.

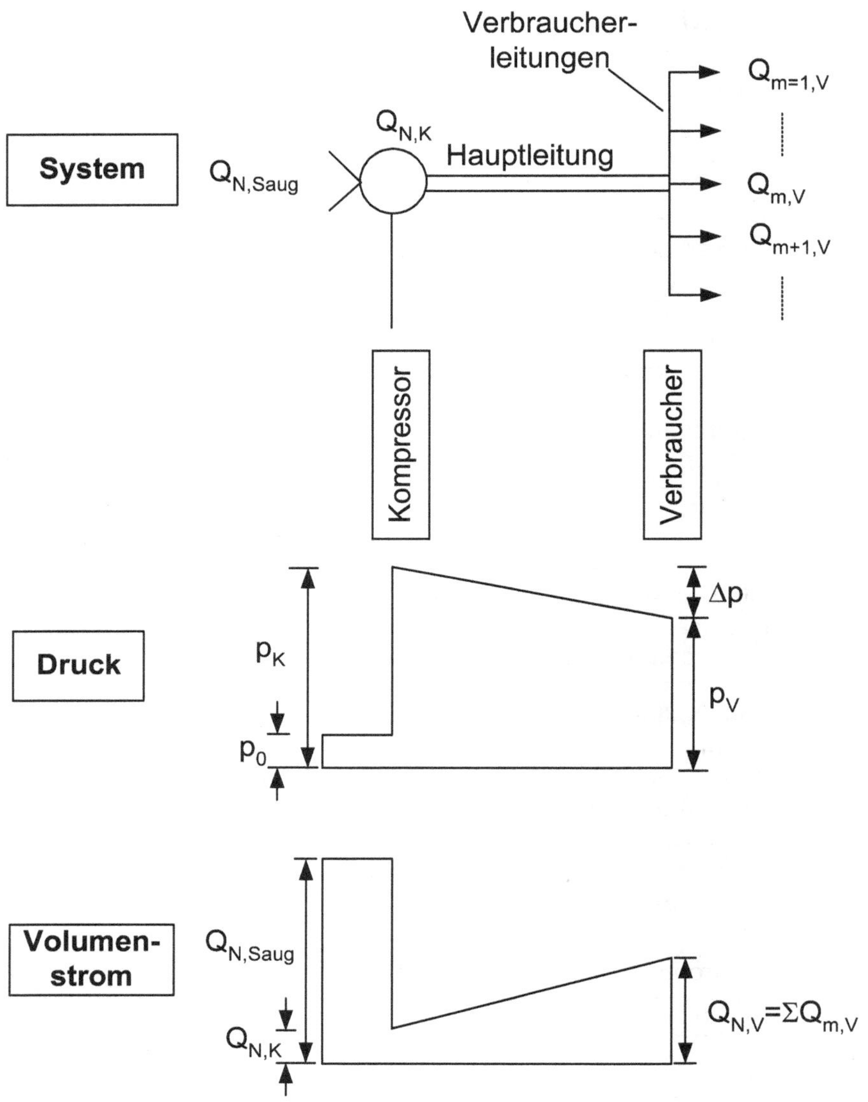


**Bild 2-4: Druckverlauf eines Druckluftsystems**

# Druckluftversorgung

Der **Druckluftbedarf $Q_{N,V}$ [m³/min]** aller Verbraucher setzt sich zusammen aus:

$$Q_{N,V} = \sum_m Q_{m,V} \times \prod_i k_i \times \eta_G \qquad [m^3/min]$$

$$k_1 = 1 \qquad [-]$$

$$k_2 = f_p \times f_v \times f_s \times f_u \qquad [-]$$

$$k_3 = 1 \qquad [-]$$

$$\eta_G = 1 \qquad [-]$$

| | | |
|---|---|---|
| $Q_{N,V}$ | Druckluftbedarf aller Verbraucher bei Druck $p_V$ | [m³/min] |
| $Q_{m,V}$ | Druckluftbedarf des Verbrauchers m bei Druck $p_V$ | [m³/min] |
| $k_1$ | nicht massgebend | [-] |
| $k_2$ | Leistungseinflussfaktor | [-] |
| $k_3$ | nicht massgebend | [-] |
| $f_p$ | Abweichungsfaktor des effektiven Arbeitsdrucks | [-] |
| $f_v$ | Faktor zur Berücksichtigung des Verschleisses von Geräten und Werkzeugen | [-] |
| $f_s$ | Gleichzeitigkeitsfaktor für Betrieb mehrerer Geräte | [-] |
| $f_u$ | Faktor zur Berücksichtigung von Verlusten durch undichte Leitungen | [-] |
| $\eta_G$ | Geräteausnutzungsgrad | [-] |

Hieraus lassen sich die Gleichungen für die **Abgabeleistung $Q_{N,K}$ [m³/min]** des Kompressors und die **Ansaugleistung (Volumenstrom) $Q_{N,Saug}$ [m³/min]** bei Luftdruck $p_0$ wie folgt darstellen:

$$Q_{N,K} = Q_{N,V} \times \frac{p_V}{p_K} \times \frac{T_K}{T_V} \qquad [m^3/min]$$

$$Q_{N,Saug} = Q_{N,V} \times \frac{p_V}{p_0} \times \frac{T_0}{T_V} \qquad [m^3/min]$$

| | | |
|---|---|---|
| $Q_{N,K}$ | Abgabeleistung des Kompressors bei Druck $p_K$ | [m³/min] |
| $p_V$ | Betriebsdruck des Verbrauchers | [bar] |
| $p_K$ | Abgabeluftdruck am Kompressor ins Druckleitungssystem | [bar] |
| $T_K$ | Drucklufttemperatur am Kompressor ins Druckleitungssystem | [K] |
| $T_V$ | Drucklufttemperatur im Verbraucher | [K] |
| $Q_{N,Saug}$ | Ansaugleistung (Volumenstrom) bei Luftdruck $p_0$ | [m³/min] |

| | | |
|---|---|---|
| $p_0$ | Luftdruck am Ansaugstutzen (atmosphärischer Druck) | [bar] |
| $T_0$ | Lufttemperatur am Ansaugstutzen (Aussentemperatur) | [K] |

In der Praxis kann vereinfachend angenommen werden, dass die Temperaturdifferenzen innerhalb des Druckluftsystems gering sind und somit die Quotienten $\frac{T_K}{T_V}$ bzw. $\frac{T_0}{T_V}$ vernachlässigt werden können.

Der **Leistungseinflussfaktor $k_2$ [-]** setzt sich aus vier Einzelkorrekturfaktoren zusammen:

### Abweichungsfaktor für effektiven Arbeitsdruck $f_p$ [-]

**Tabelle 2-11: Abweichungsfaktor $f_p$ [-]**

| Druck [bar] | $f_p$ [-] |
|---|---|
| 5 | 0.83 |
| 6 | 1.00 |
| 7 | 1.17 |

### Verlustfaktor zur Berücksichtigung des Verschleisses von Geräten und Werkzeugen $f_v$ [-]

**Tabelle 2-12: Verlustfaktor $f_v$ [-]**

| Zustand | $f_v$ [-] |
|---|---|
| gut erhalten | 1.05 |
| ältere Geräte | 1.10 |

## Gleichzeitigkeitsfaktor für den Betrieb mehrerer Geräte $f_s$ [-]

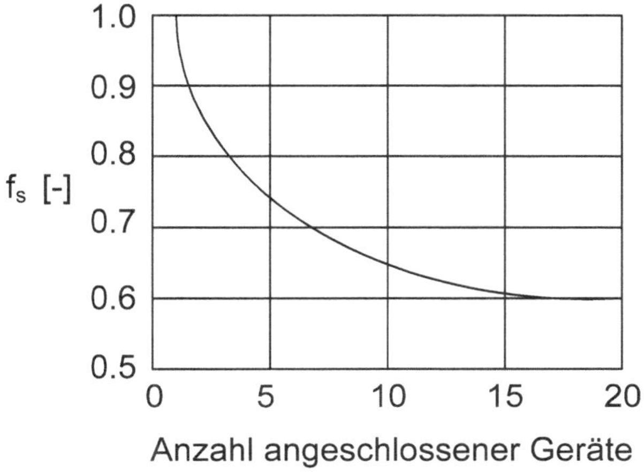


**Bild 2-5: Gleichzeitigkeitsfaktor $f_s$ [-] für Kompressoren [21]**

## Faktor zur Berücksichtigung von Verlusten durch undichte Leitungen $f_u$ [-]

**Tabelle 2-13: Verlustfaktor $f_u$ [-] - Undichtigkeiten**

| Leitungszustand | $f_u$ [-] |
|---|---|
| gut | 1.2 – 1.3 |
| schlecht | nach oben unbegrenzt |

## Druckluftbedarf $Q_{m,V}$ [m³/min] einiger Geräte

**Tabelle 2-14: Druckluftbedarf $Q_{m,V}$ [4]**

| Gerät | Gewicht [kg] | Druckluftbedarf bei 6 bar $Q_{m,V}$ [$m^3$/min] |
|---|---|---|
| Pick- und Abbauhämmer | 5 – 10 | 0.8 – 1.0 |
| | 11 – 20 | 0.8 – 1.2 |
| | 21 – 40 | 0.2 – 4.0 |
| Bohrhämmer | 15 – 25 | 0.2 – 4.0 |
| Drehschlagbohrmaschinen | 80 – 110 | 8.0 – 10.0 |
| | ca. 150 | 11.0 – 12.0 |

## Bemessung der Rohrleitung

Die **inneren Verluste $\Delta p$ [bar]** des Druckleitungssystems durch Reibung an Einbauteilen und Rohrinnenflächen

$$\Delta p = p_K - p_V \qquad \text{[bar]}$$

werden oft durch äquivalente Rohrleitungslängen ausgedrückt.

Die **Nennlänge $L_{Nenn}$ [m]** kann daher wie folgt angegeben werden:

$$L_{Nenn} = \sum_i L_i \qquad \text{[m]}$$

| | | |
|---|---|---|
| $L_{Nenn}$ | Nennlänge der Druckluftleitung | [m] |
| $L_i$ | äquivalente Rohrleitungslänge des Einbauteils i zur Berücksichtigung der Reibung | [m] |
| i | Einbauteil in Rohrleitung | [-] |

Die Nennlänge eines Druckleitungssystems setzt sich zusammen aus der wahren Länge der Rohre plus äquivalenten Rohrleitungslängen $L_i$ für druckverzehrende Einbauteile. Die Nennlänge kann auch vereinfacht als 1.5-mal wahre Länge angenommen werden. [22]

### Äquivalente Rohrleitungslänge $L_i$ [m] für einige Einbauteile:

**Tabelle 2-15: Äquivalente Rohrleitungslängen $L_i$ [m] [23]**

| Einbauteil i | äquivalente Rohrleitungslänge zur Berücksichtigung der Reibung $L_i$ [m] |
|---|---|
| Rohrleitung | tatsächliche Länge |
| Absperrventil | 16 |
| Bogen 90° | 5 |
| Bogen 30° | 3 |
| Absperrschieber | 3 |

Die Bemessung der Druckluftleitung, z.B. Hauptleitung bzw. Leitungsabschnitte j, erfolgt mittels Bild 2-6:

| | |
|---|---|
| $d = f\{Q_{N,Saug}; L_{Nenn}\}$ | [mm] |
| $d_j = f\{Q_{N,j}; L_{Nenn,j}\}$ | [mm] |

| | | |
|---|---|---|
| $d$ | Rohrleitungsdurchmesser | [mm] |
| $L_{Nenn}$ | Nennlänge der Druckluftleitung | [m] |
| $Q_{N,Saug}$ | Ansaugleistung bei Luftdruck $p_0$ | [m³/min] |
| $j$ | Rohrleitungsabschnitte | [-] |

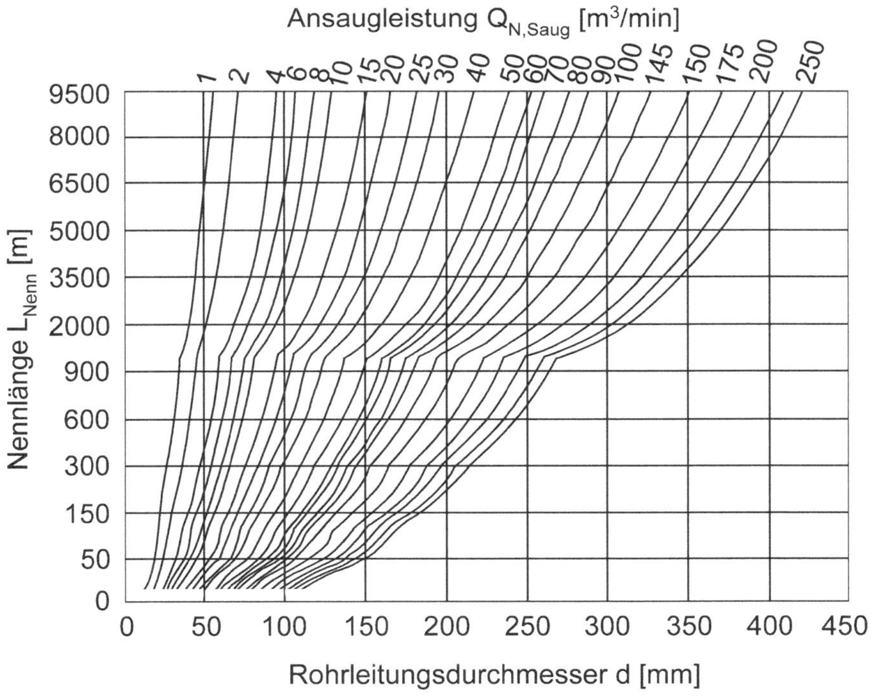


**Bild 2-6: Bemessungsdiagramm für Druckleitungen [23]**

## 2.5 Separationsanlagen

Die **maximal anfallende Separationsmenge $Q_{fest,i}$ [t/h]** bzw. **die maximal anfallende Beladung $\mu_{fest,i}$ [t/m³]** der Suspension mit Feststoffen für den definierten Korndurchmesserbereich / das Separationsintervall i ergibt sich aus:

$$Q_{fest,i} = \Delta s_i \times \rho_b \times Q_0^{max} \qquad [t/h]$$

$$\mu_{fest,i} = \Delta s_i \times \left( \frac{Q_0^{max} \times \rho_b}{Q_F} \right) \qquad [t/m^3]$$

| | | |
|---|---|---|
| $Q_{fest,i}$ | anfallende Separationsmenge für das Separationsintervall i | [t/h] |
| $\Delta s_i$ | maximal anfallende Gewichtsprozente der separierbaren Böden im Separationsintervall i | [Gew.-%] |
| $\rho_b$ | Dichte des abzubauenden Bodens (ungestört) | [t/fm³] |
| $Q_0^{max}$ | maximaler Materialanfall (Abbauleistung z.B. der TVM) | [fm³/h] |
| $\mu_{fest,i}$ | maximale Beladung der Suspension mit Feststoffen des Separationsintervalls i | [t/m³] |
| $Q_F$ | Trägermediummenge vor Aufgabe des Abbaumaterials (Fördermenge der unbeladenen Förderflüssigkeit) | [m³/h] |
| i | Separationsintervall | [-] |

Die erforderliche Separationsleistung ist abhängig von:

- der Sieblinie des abzubauenden Bodens
- der Förderleistung der Pumpeinrichtung zur Abförderung des Abbaumaterials (Aufgabemenge)
- dem Beladungsverhältnis der Suspension
- der Dichte des Bodens

## Maximal anfallende Gewichtsprozente des Bodens im Separationsintervall i $\Delta s_i$ [Gew.-%]

| | |
|---|---|
| $\Delta s_i = \max\{\Delta s_{i,j}\}$ aller j | [Gew.-%] |
| $\Delta s_{i,j} = \max\, s_{i,j} - \min\, s_{i,j}$ | [Gew.-%] |

| | | |
|---|---|---|
| $\Delta s_i$ | maximal anfallende Gewichtsprozente der separierbaren Böden im Separationsintervall i, aller betrachteten Sieblinien j | [Gew.-%] |
| $\Delta s_{i,j}$ | Gewichtsprozente der Sieblinie j im Separationsintervall i | [Gew.-%] |
| $\max s_{i,j}$ | maximaler Massenanteil der Sieblinie j im Separationsintervall i | [Gew.-%] |
| $\min s_{i,j}$ | minimaler Massenanteil der Sieblinie j im Separationsintervall i | [Gew.-%] |
| i | Separationsintervall | [-] |
| j | Sieblinie (z.B. bei in verschiedenen Abschnitten des Tunnellängsprofils auftretenden Bodenschichten) | [-] |

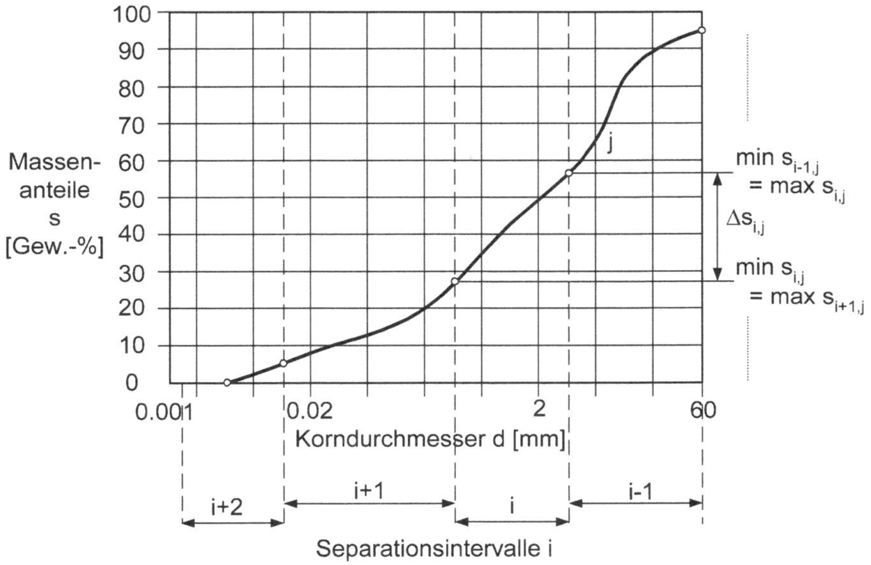


**Bild 2-7: Darstellung einer Sieblinie j zur Erklärung der verwendeten Begriffe**

## Beispiel zur Bestimmung der Gewichtsprozente $\Delta s_{i,j}$ des Separationsintervalls i des anfallenden Bodens in den Sieblinien j und den maximal anfallenden Gewichtsprozenten $\Delta s_i$ aller anfallenden Böden

Es wird eine Tunnelbaumassnahme mit idealisierten Schichtgrenzen zwischen den Böden gleicher Sieblinie betrachtet.

Für jeden Bereich der Baumassnahme lässt sich eine repräsentative Sieblinie darstellen. Die Sieblinien werden in die Separationsintervalle aufgeteilt. Aus den Schnittpunkten der Sieblinien mit den Grenzen der Separationsintervalle lassen sich die Massenanteile max $s_{i,j}$ bzw. min $s_{i,j}$ der verschiedenen Separationsintervalle und Sieblinien ablesen; hier im Beispiel dargestellt für das Separationsintervall 2 der Sieblinie C, max $s_{2,C}$ und min $s_{2,C}$.

Die Gewichtsprozente der Sieblinie j im Separationsintervall i $\Delta s_{i,j}$ ergeben sich somit aus der Differenz des maximalen und des minimalen Massenanteils der Sieblinie j im Separationsintervall i.

$\Delta s_{i,j} = \max\ s_{i,j} - \min\ s_{i,j}$ hier dargestellt für die Sieblinie C

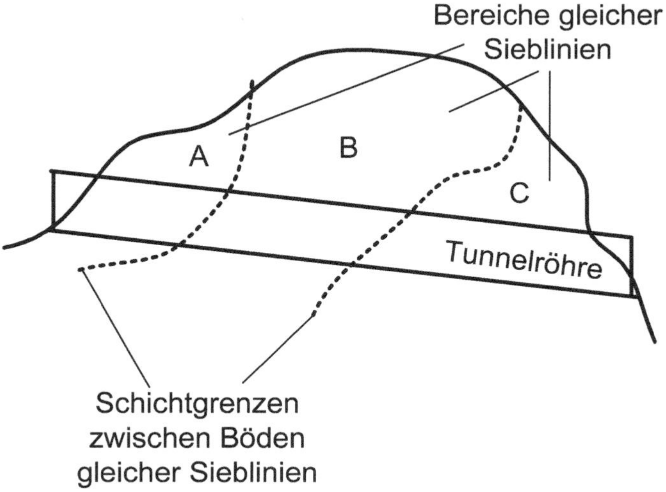


**Bild 2-8: Beispiel einer Tunnelröhre in verschiedenen Böden**

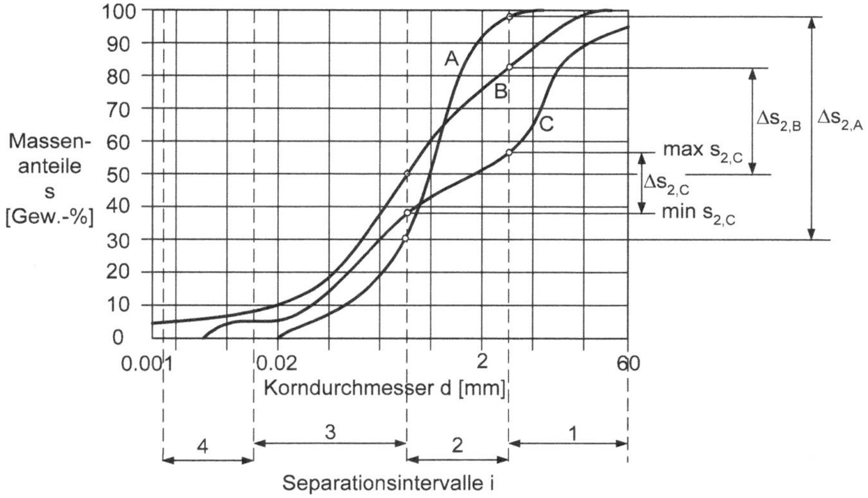


**Bild 2-9: Sieblinien der anfallenden Böden mit Bestimmung der Gewichtsprozente**

$\Delta s_{2,A} = \max s_{2,A} - \min s_{2,A} = 98 - 30 = 68$ Gew.-%

$\Delta s_{2,B} = \max s_{2,B} - \min s_{2,B} = 83 - 50 = 33$ Gew.-%

$\Delta s_{2,C} = \max s_{2,C} - \min s_{2,C} = 57 - 38 = 19$ Gew.-%

Die maximal anfallenden Gewichtsprozente des Bodens im Separationsintervall 2 (dies ist gleichbedeutend mit dem Intervall zwischen der maximalen Korngrösse von ca. 3 mm und der minimalen Korngrösse von ca. 0.1 mm), $\Delta s_2$, während der gesamten Baumassnahme ergibt sich aus dem Maximum aller zuvor bestimmten $\Delta s_{2,j}$ der anfallenden Böden der Sieblinien j:

$\Delta s_2 = \max \{\Delta s_{2,A}; \Delta s_{2,B}; \Delta s_{2,C}\} = \Delta s_{2,A} = 68$ Gew.-%

Dies bedeutet, dass im Bereich A der Baumassnahme mit dem grössten Anteil von zu separierenden Böden des Separationsintervalls 2 zu rechnen ist und daher die Aggregate für die Separationsstufe 2 (0.1 – 3 mm) der Separationsanlage für diese Mengen ausgelegt werden müssen.

Die Separationsleistung der Separationsstufe 2 (Mitteltrennung I) muss somit wie folgt dimensioniert werden:

$$Q_{fest,2} = \Delta s_{2,A} \times \rho_b \times Q_0^{max} \qquad [t/h]$$

**Definition: Beladungsverhältnis $\mu_{fest}$ [t/m$^3$]**

Das Beladungsverhältnis der Förderflüssigkeiten entspricht der Masse des geförderten Feststoffs $Q_F \times \rho_b$ [t/h] pro Volumeneinheit des Trägermediums $Q_F$ [m$^3$/h].

**Berechnung der erforderlichen Separationsleistung**

Es werden die Anteile der verschiedenen Separationsintervalle i der gesamten Sieblinie berechnet. Die Festlegung der verschiedenen Trennschnitte $d_T$ der Separationsintervalle i sollte mit den einzelnen Klassifizierungsschritten der Separationsanlage (herstellerbedingt) korrelieren. Im Allgemeinen gelten folgende Trennschnitt-Korngrössen und die sich daraus ergebenden Separationsintervalle:

**Tabelle 2-16: Einteilung möglicher Separationsintervalle nach [24]**

| Klassifizierung | Trennschnitt $d_T$ [mm] | Separations-intervalle i [-] | Spannweite Separationsintervall [mm] |
|---|---|---|---|
| Grobtrennung | > 3 | 1 | > 3 |
| Mitteltrennung I | > 0.1 | 2 | 3 – 0.1 |
| Mitteltrennung II | > 0.03 | 3 | 0.1 – 0.03 |
| Feintrennung | > 0.005 | 4 | 0.03 – 0.005 |

**Dimensionierung**

Die einzelnen Anlageelemente der jeweiligen Separationsstufen werden nach den anfallenden Feststoffmengen je Separationsstufe i bemessen. Die Grösse und Anzahl der Anlageelemente je Separationsstufe ergibt sich aus dem Vergleich der erforderlichen Leistung (anfallende Menge $Q_{fest,i}$) mit den entsprechenden Leistungsangaben $Q_{fest,i,Gerät}^{zul}$ der Hersteller:

$Q_{fest,i} < Q_{fest,i,Gerät}^{zul}$ für alle i-Separationsstufen

Ferner muss für das Gesamtsystem gelten:

$\rho_b \times Q_0^{max} \leq \sum Q_{fest,i,Gerät}^{zul}$ Maximaler Feststoffdurchsatz des Separationssystems, bestehend aus den Separationsleistungen der einzelnen Anlageelemente der Separationsstufen

Manche Hersteller geben auch die **maximale Beladung $\mu_{fest,i,Gerät}^{zul}$ [t/m$^3$] der einzelnen Anlageelemente der Separationsstufen** für die Dimensionierung an. Für alle Anlageelemente und somit Separationsintervalle muss gelten:

$\mu_{fest,i} < \mu_{fest,i,Gerät}^{zul}$ für alle i-Separationsstufen

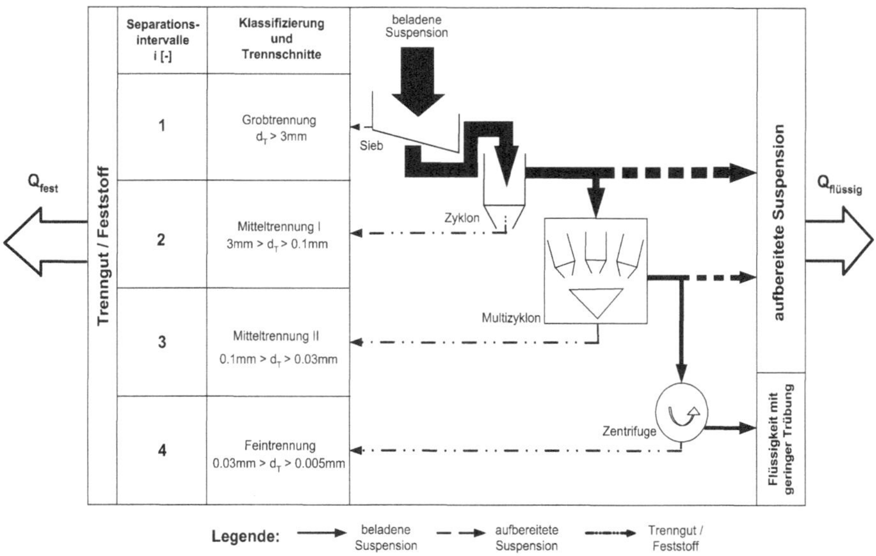


**Bild 2-10: Schematische Darstellung einer vierstufigen Separationsanlage**

# 3 Erdbaugeräte

Hydraulikbagger

Radlader

Kettenlader (Laderaupe)

Planiergeräte:

- Rad- und Raupenplaniergeräte
- Scraper
- Grader

Verdichtungsgeräte

## 3.1 Hydraulikbagger

### Nutzleistung $Q_N$ [$fm^3/h$] eines Hydraulikbaggers

| | |
|---|---|
| $Q_N = \frac{V_{SAE}}{t_S} \times 3600 \times k_1 \times k_2 \times k_3 \times \eta_G$ | [$fm^3/h$] |
| $k_1 = \alpha \times \varphi$ | [-] |
| $k_2 = f_1 \times f_2 \times f_3 \times f_4 \times f_5$ | [-] |
| $k_3 = \eta_1 \times \eta_2$ | [-] |

| | | |
|---|---|---|
| $Q_N$ | Nutzleistung | [$fm^3/h$] |
| $V_{SAE}$ | Nenninhalt des Grabgefässes gemäss SAE | [$m^3$] |
| $t_S$ | Spielzeit | [s] |
| $\alpha$ | Lösefaktor | [$fm^3/lm^3$] |
| $\varphi$ | Füllfaktor | [-] |
| $\eta_1$ | Bedienungsfaktor | [-] |
| $\eta_2$ | Betriebsbedingungen | [-] |
| $f_1$ | Einfluss Grabentiefe bzw. Abbauhöhe | [-] |
| $f_2$ | Schwenkwinkeleinflussfaktor | [-] |
| $f_3$ | Entleerungsgenauigkeitsfaktor | [-] |
| $f_4$ | Schneiden-/Zahnzustandsfaktor | [-] |
| $f_5$ | Verfügbarkeits-/Gerätezustandsfaktor | [-] |
| $k_1$ | Ladefaktor | [-] |
| $k_2$ | Leistungseinflussfaktor | [-] |
| $k_3$ | Betriebsbeiwert | [-] |
| $\eta_G$ | Geräteausnutzungsgrad | [-] |

# Hydraulikbagger

Für den Hydraulikbagger steht neben dem Tieflöffel, dem Hochlöffel bzw. der Ladeschaufel und dem Greifer eine Vielzahl weiterer Arbeitseinrichtungen zur Verfügung.

Bei Grabungsarbeiten unterhalb der Aufstandsfläche des Baggers, z.B. bei Gräben, finden vor allem der Tieflöffel und der Teleskopgreifer Anwendung. Der Bagger arbeitet dann mit seinem kinematischen Ausleger von oben und bewegt sich rückwärts. Steht er hingegen vor einer abzugrabenden Böschung auf der Aushubsohle, so kommen entweder der Hochlöffel, die Ladeschaufel oder auch die Klappschaufel zum Einsatz. Der Bagger arbeitet dabei mit seinem kinematischen Ausleger stets von unten nach oben sowie vom Gerät weg und bewegt sich im Verlauf des Arbeitsfortschrittes vorwärts.

### Spielzeit $t_S$ [s]

Die Spielzeit setzt sich zusammen aus dem Füllen des Löffels, dem Heben und Schwenken zum Entladeort, dem Entleeren des Löffels und dem Rückschwenken und Senken zum Beladeort. Um hier eine Vereinheitlichung der Zeiten zu erhalten, wird die Spielzeit unter gewissen optimalen technischen Normbedingungen gemessen: ungestörter Einsatz, Entladen auf Halde, Schwenkwinkel 90°, pausenlose Arbeit, eingearbeiteter Baggerführer, günstige Abbauhöhe [5], [6]. Ausserdem ist die Spielzeit von der zu grabenden und ladenden Bodenart abhängig, so dass der Vorgang des Füllens des Löffels beträchtlichen Zeitschwankungen unterworfen ist.

Teilzeiten im Arbeitsspiel eines Baggers:

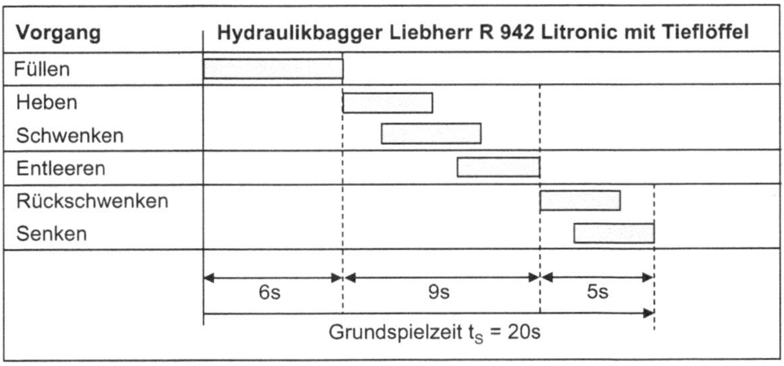


**Bild 3-1: Spielzeit $t_S$ eines Hydraulikbaggers Liebherr R 942 Litronic mit Tieflöffel nach [5] unter optimalen technischen Bedingungen**

## Systemgerechter Hydraulikbaggereinsatz

Der systemgerechte Einsatz von Hydraulikbaggern setzt folgende Randbedingungen voraus:

- günstige Anschnitthöhe $h_{gün}$ (Grabentiefe/Abbauhöhe zu Stiellänge)
- kleinstmöglicher Schwenkwinkel < 90°
- Fördermittel soll in der Regel auf der Baggersohle stehen
- Abstimmung der Fördermittelgrösse auf die Grabgefässgrösse
- Schnittaufteilung (optimale Bestreichfläche des Löffels) ohne ungünstige Restschnitte und mit guter Möglichkeit des Abtransports
- Minimierung der Baggerfortbewegung (Standortwechsel)
- Rundfahrbetrieb der Transportfahrzeuge, kontinuierliches Baggern
- Maximalleistungen bei Baggern werden erfahrungsgemäss erzielt, wenn der Schnitt (Bestreichfläche des Löffels) mit 75 % der konstruktiv möglichen Daten [6] angelegt und somit die optimale Schnitthöhe erreicht wird.

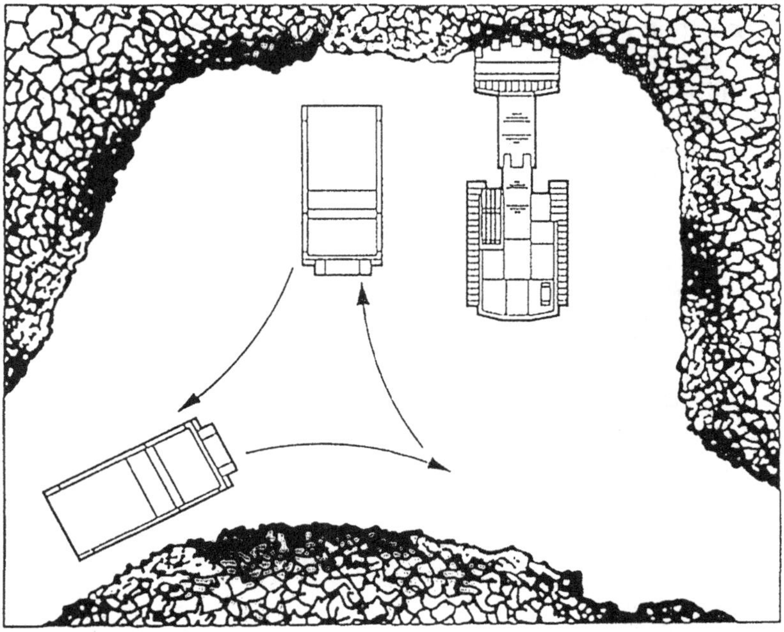

**Bild 3-2: Optimaler Einsatz Bagger – LKW [6]**

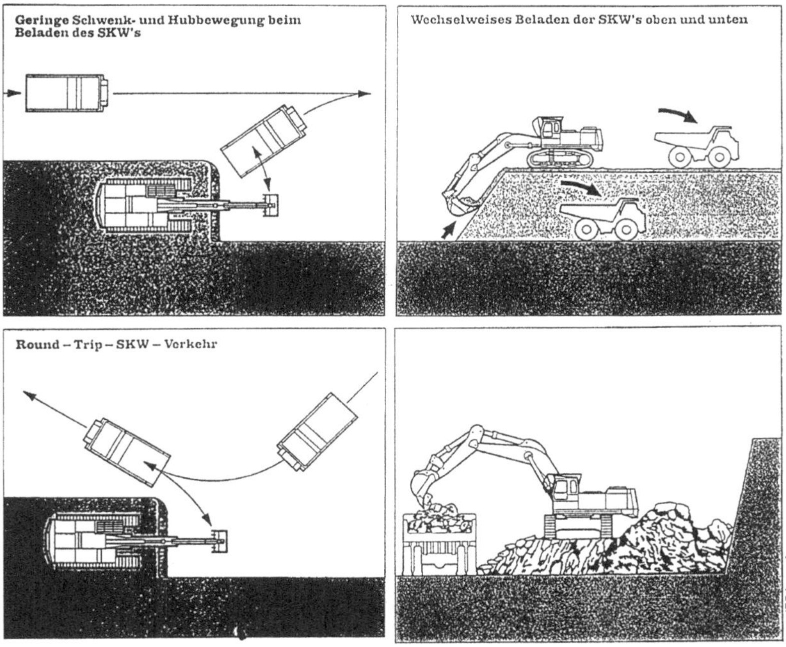


**Bild 3-3: Ideale Tieflöffeleinsätze [6]**

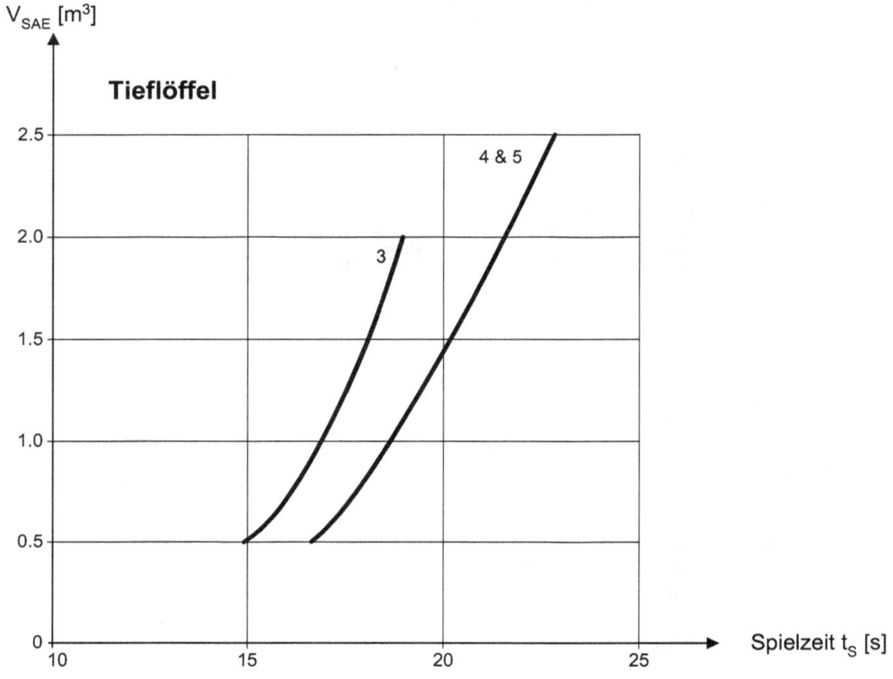


3 Leicht lösbare Bodenarten
4 Mittelschwer lösbare Bodenarten
5 Schwer lösbare Bodenarten

**Bild 3-4: Spielzeit $t_S$ [s] von Baggern mit Tieflöffel in verschiedenen Bodenarten in Anlehnung an die DIN 18300 nach [25], [26]**

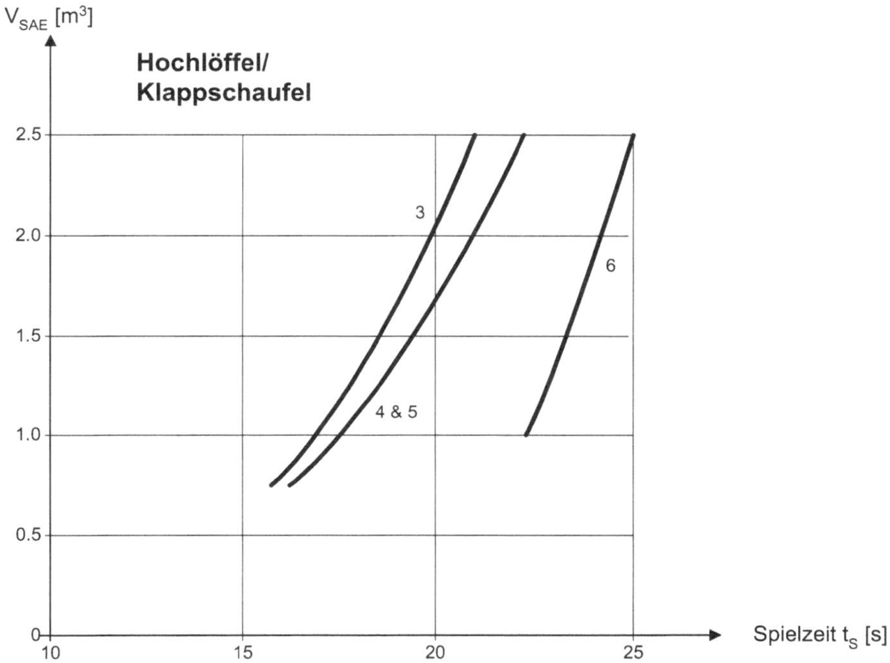


3 Leicht lösbare Bodenarten
4 Mittelschwer lösbare Bodenarten
5 Schwer lösbare Bodenarten
6 Leicht lösbarer Fels und vergleichbare Bodenarten

**Bild 3-5: Spielzeit $t_S$ [s] von Baggern mit Hochlöffel/Klappschaufel in verschiedenen Bodenarten in Anlehnung an die DIN 18300 nach [25], [26]**

## 3.2 Radlader

**Nutzleistung $Q_N$ [fm³/h] eines Radladers**

| | |
|---|---|
| $Q_N = \frac{V_{SAE}}{t_S} \times 3600 \times k_1 \times k_2 \times k_3 \times \eta_G$ | [fm³/h] |
| $k_1 = \alpha \times \varphi$ | [-] |
| $k_2 = f_2 \times f_3 \times f_4 \times f_5$ | [-] |
| $k_3 = \eta_1 \times \eta_2$ | [-] |

| | | |
|---|---|---|
| $Q_N$ | Nutzleistung | [fm³/h] |
| $V_{SAE}$ | Nenninhalt des Ladegefässes gemäss SAE | [m³] |
| $t_S$ | Spielzeit | [s] |
| $\alpha$ | Lösefaktor | [fm³/lm³] |
| $\varphi$ | Füllfaktor | [-] |
| $\eta_1$ | Bedienungsfaktor | [-] |
| $\eta_2$ | Betriebsbedingungen | [-] |
| $f_2$ | Fahrwegfaktor | [-] |
| $f_3$ | Entleerungsgenauigkeitsfaktor | [-] |
| $f_4$ | Schneiden-/Zahnzustandsfaktor | [-] |
| $f_5$ | Verfügbarkeits-/Gerätezustandsfaktor | [-] |
| $k_1$ | Ladefaktor | [-] |
| $k_2$ | Leistungseinflussfaktor | [-] |
| $k_3$ | Betriebsbeiwert | [-] |
| $\eta_G$ | Geräteausnutzungsgrad | [-] |

# Radlader

**Spielzeit $t_S$ [s]**

$$t_S = t_{S0} + t_F + \Delta t \qquad [s]$$

Die Spielzeit des Radladers [6], [7] kann unterteilt werden in:

- **$t_{S0}$** **Grundspielzeit**: Beinhaltet Laden, Auskippen, vier Fahrtrichtungswechsel und die kleinstmögliche Fahrstrecke. Die Grundspielzeit kann je nach Grösse des Radladers mit Knicklenkung zwischen 27 und 33 Sekunden angenommen werden (Bild 8-7).
- **$t_F$** **Fahrzeit**: Beinhaltet die für die Fahrstrecke benötigte Zeit bei Hin- und Rückfahrt ausserhalb des in Bild 8-7 dargestellten Manöverbereichs. In den Handbüchern von Liebherr [6] und Caterpillar [7] sind zu den einzelnen Radladertypen Diagramme der Fahrzeit der Hin- und Rückfahrt vorhanden.
- **$\Delta t$** **Änderung der Spielzeit**: Entsteht durch Abweichungen von den Normbedingungen der Grundspielzeit gemäss Tabelle 3-1.

# Radlader

**Tabelle 3-1: Änderung der Spielzeit Δt [s] eines Radladers nach [7]**

| | | | $\Delta t$ [s] | |
|---|---|---|---|---|
| **Gerät** | | | | |
| | mit Materialumschlagausrüstung | | - 3.0 | |
| **Material** | | | | |
| | gemischt | | + 1.2 | |
| | < 3 mm | | + 1.2 | |
| | 3 mm – 20 mm | | - 1.2 | |
| | 20 mm – 150 mm | | 0.0 | |
| | > 150 mm | | + 1.8 | und mehr |
| | gewachsene Wand oder gebrochenes Gestein | | + 2.4 | und mehr |
| **Haufwerk** | | | | |
| | mit Förderband oder Dozer auf min. 3 m angehäuft | | 0.0 | und mehr |
| | mit Förderband oder Dozer auf max. 3 m angehäuft | | + 0.6 | und mehr |
| | mit LKW geschüttet | | + 1.2 | und mehr |
| **Verschiedenes** | | | | |
| | LKW und Lader im gleichen Besitz | bis zu | - 2.4 | |
| | LKW im Fremdbesitz | bis zu | + 2.4 | |
| | ständiger Betrieb | bis zu | - 2.4 | |
| | zeitweiliger Betrieb | bis zu | + 2.4 | |
| | kleine Abladefläche | bis zu | + 2.4 | |
| | besondere Sorgfalt beim Abladen | bis zu | + 3.0 | |

## 3.3 Kettenlader (Laderaupe)

### Nutzleistung $Q_N$ [fm³/h] eines Kettenladers

| | |
|---|---|
| $Q_N = \frac{V_{SAE}}{t_S} \times 3600 \times k_1 \times k_2 \times k_3 \times \eta_G$ | [fm³/h] |
| $k_1 = \alpha \times \varphi$ | [-] |
| $k_2 = f_2 \times f_3 \times f_4 \times f_5$ | [-] |
| $k_3 = \eta_1 \times \eta_2$ | [-] |

| | | |
|---|---|---|
| $Q_N$ | Nutzleistung | [fm³/h] |
| $V_{SAE}$ | Nenninhalt des Ladegefässes gemäss SAE | [m³] |
| $t_S$ | Spielzeit | [s] |
| $\alpha$ | Lösefaktor | [fm³/lm³] |
| $\varphi$ | Füllfaktor | [-] |
| $\eta_1$ | Bedienungsfaktor | [-] |
| $\eta_2$ | Betriebsbedingungen | [-] |
| $f_2$ | Fahrwegfaktor | [-] |
| $f_3$ | Entleerungsgenauigkeitsfaktor | [-] |
| $f_4$ | Schneiden-/Zahnzustandsfaktor | [-] |
| $f_5$ | Verfügbarkeits-/Gerätezustandsfaktor | [-] |
| $k_1$ | Ladefaktor | [-] |
| $k_2$ | Leistungseinflussfaktor | [-] |
| $k_3$ | Betriebsbeiwert | [-] |
| $\eta_G$ | Geräteausnutzungsgrad | [-] |

# Kettenlader (Laderaupe)

### Spielzeit $t_S$ [s]

| | |
|---|---|
| $t_S = t_L + t_M + t_F + t_E + \Delta t$ | [s] |

Die Spielzeit des Kettenladers [6], [7] kann unterteilt werden in:

- **$t_L$** **Ladezeit:** Ist abhängig von der Art des Bodens.
- **$t_M$** **Manövrierzeit**: Umfasst die Basisfahrzeit mit vier Richtungsänderungen und die Wendezeit.
- **$t_F$** **Fahrzeit**: Beinhaltet die für die Fahrstrecke benötigte Zeit bei Hin- und Rückfahrt.
- **$t_E$** **Entladezeit:** Wird von der Grösse der Entladestelle bestimmt.
- **$\Delta t$** **Änderung der Spielzeit**

**Tabelle 3-2: Ladezeit $t_L$ [s] nach [7]**

| Material | $t_L$ [s] |
|---|---|
| gleichmässige Gesteinsmischung | 1.8 – 3.0 |
| feuchte, ungleichmässige Gesteinsmischung | 1.8 – 3.6 |
| feuchter Lehm | 2.4 – 4.2 |
| Erde, Steine, Wurzeln | 2.4 – 12.0 |
| stark bindige Materialien | 6.0 – 12.0 |
| zementgebundenes Material, gebrochener Fels | 3.0 – 12.0 |

### Manövrierzeit $t_M$ [s]

Die Manovrierzeit beträgt bei voller Motorleistung und einem guten Fahrer 12 Sekunden.

### Fahrzeit $t_F$ [s]

Die Handbücher von Liebherr [6] und Caterpillar [7] enthalten Diagramme der Fahrzeit der Hin- und Rückfahrt zu den einzelnen Kettenladertypen.

# Kettenlader (Laderaupe)

### Entladezeit $t_E$ [s]

Die Entladezeit beträgt zwischen 0 und 6 Sekunden. Typische Werte für die Entladezeiten beim Beladen von LKWs liegen bei 2.5 bis 4.0 Sekunden.

**Tabelle 3-3: Änderung der Spielzeit $\Delta t$ [s] nach [7] - Kettenlader**

| Material | | $\Delta t$ [s] |
|---|---|---|
| gemischt | | + 1.2 |
| < 3 mm | | + 1.2 |
| 3 mm – 20 mm | | - 1.2 |
| 20 mm – 150 mm | | 0.0 |
| > 150 mm | | + 2.0 und mehr |
| gewachsene Wand oder gebrochenes Gestein | | + 2.5 und mehr |
| **Haufwerk** | | |
| mit Förderband oder Dozer auf min. 3 m angehäuft | | 0.0 |
| mit Förderband oder Dozer auf max. 3 m angehäuft | | + 0.6 |
| mit LKW geschüttet | | + 1.2 |
| **Verschiedenes** | | |
| LKW und Lader im gleichen Besitz | bis zu | - 2.5 |
| LKW im Fremdbesitz | bis zu | + 2.5 |
| ständiger Betrieb | bis zu | - 2.5 |
| zeitweiliger Betrieb | bis zu | + 2.5 |
| kleine Abladefläche | bis zu | + 2.5 |
| besondere Sorgfalt beim Abladen | bis zu | + 3.0 |

## 3.4 Planiergeräte
## Rad- und Raupenplaniergeräte, Scraper, Grader

### Berechnungsalternative A

**Grundschubleistung $\tilde{Q}_0$ [lm³/h]**

$$\tilde{Q}_0(w) = \frac{V_{P100}}{t_U} \times 60 \times \varphi \times f_w(w) \qquad [lm^3/h]$$

mit:

$$V_{P100} = (0.5 \div 0.8) \times h^2 \times b \qquad [lm^3]$$

| | | |
|---|---|---|
| $\tilde{Q}_0(w)$ | Grundschubleistung entfernungsabhängig, loses Material (Bild 3-6) | [lm³/h] |

**Nutzleistung (Dauerleistung) $\tilde{Q}_{PN}$ [lm³/h] bezogen auf die Verteilung von losem Schüttmaterial:**

$$\tilde{Q}_{PN}(w) = \frac{V_{P100}}{t_U} \times 60 \times \varphi \times k_2(w) \times k_3 \times \eta_G \qquad [lm^3/h]$$

$$\tilde{Q}_{PN}(w) = \frac{V_{P100}}{t_U} \times 60 \times \varphi \times f_w(w) \times f_{1P} \times f_{2P} \times f_3(\beta) \times f_4 \times f_5 \times k_3 \times \eta_G \qquad [lm^3/h]$$

mit:

$$k_2 = \prod_{i=1}^{5} f_i = f_{1P} \times f_{2P} \times f_3(\beta) \times f_4 \times f_5 \qquad [-]$$

$$k_2(w) = \prod_{i=1}^{5} f_i \times f_w(w) = k_2 \times f_w(w) \qquad [-]$$

$$k_3 = \prod_{i=1}^{2} \eta_i \cong 0.7 \qquad [-]$$

folgt:

$$\tilde{Q}_{PN}(w) = \tilde{Q}_0(w) \times \prod_{i=1}^{5} f_i \times \prod_{i=1}^{2} \eta_i \times \eta_G \qquad [lm^3/h]$$

$$\tilde{Q}_{PN}(w) = \tilde{Q}_0(w) \times k_2 \times k_3 \times \eta_G \qquad [lm^3/h]$$

| | | |
|---|---|---|
| $\tilde{Q}_{PN}$ | Nutzleistung loses Material | $[lm^3/h]$ |
| $\tilde{Q}_0(w)$ | Grundschubleistung entfernungsabhängig, loses Material (Bild 3-6) | $[lm^3/h]$ |
| $V_{P100}$ | Schildschubkapazität | $[lm^3]$ |
| $t_U$ | Umlaufzeit | [min] |
| $\varphi$ | Füllungsgrad des Schildes | [-] |
| $k_2(w)$ | Leistungseinflussfaktor | [-] |
| $k_3$ | Betriebsbeiwert | [-] |
| $\eta_G$ | Geräteausnutzungsgrad | [-] |
| b | Breite des Schildes | [m] |
| h | Höhe des Schildes | [m] |
| w | Förderstrecke | [m] |
| $f_{1P}$ | Schubbahnenfaktor (Schiebefaktor) | [-] |
| $f_{2P}$ | Schildarteinflussfaktor (Schildeinrichtung) | [-] |
| $f_3(\beta)$ | Steigungsfaktor | [-] |
| $f_4$ | Schneiden-/Zahnzustandsfaktor | [-] |
| $f_5$ | Verfügbarkeits-/Gerätezustandsfaktor | [-] |
| $f_w(w)$ | entfernungsabhängiger Leistungsfaktor | [-] |
| $\eta_1$ | Bedienungsfaktor 0.75 – 1.00 | [-] |
| $\eta_2$ | Betriebsbedingungen | [-] |

**Nutzleistung (Dauerleistung) $Q_{PN}$ [$fm^3/h$] bezogen auf Festmaterial:**

$$Q_{PN}(w) = \frac{V_{P100}}{t_U} \times 60 \times \varphi \times \alpha \times k_2(w) \times k_3 \times \eta_G \qquad [fm^3/h]$$

$$Q_{PN}(w) = \tilde{Q}_0(w) \times \alpha \times k_2 \times k_3 \times \eta_G \qquad [fm^3/h]$$

| | | |
|---|---|---|
| $\alpha$ | Lösefaktor des zu lösenden Materials | $[fm^3/lm^3]$ |

**Umlaufzeit $t_U$ [min]**

$$t_U = t_H + t_R \qquad \text{[min]}$$

$$t_H = \frac{l_H}{v_H}; \qquad t_R = \frac{l_R}{v_R} \qquad \text{[min]}$$

| | | |
|---|---|---|
| $Q_{PN}(w)$ | Nutzleistung (Dauerleistung) bezogen auf Festmaterial | [fm³/h] |
| $t_H$ | Hinfahrzeit unter Last, Verteilen des von den LKW abgeladenen Materials | [min] |
| $t_R$ | Rückfahrzeit | [min] |
| $l_H$ | Schub-/Fahrentfernung | [m] |
| $v_H$ | Schub-/Fahrgeschwindigkeit | [m/min] |
| $l_R$ | Strecke der Rückfahrt | [m] |
| $v_R$ | Fahrgeschwindigkeit auf der Rückfahrt | [m/min] |

**Grundschubleistung $\tilde{Q}_0(w)$ [lm³/h]**

Die Handbücher von Liebherr [6] und Caterpillar [7] enthalten Diagramme der maximalen Schubleistung (Einheit: Kubikmeter loses Material pro Stunde). Sie basieren auf folgenden Normbedingungen:

- 100 % Nutzung des Geräts
- keine Steigung
- Die Planierraupe schneidet 15 m weit an und schiebt die Schildfüllung zur Entleerung über eine steil abfallende Wand
- spezifisches Schüttgewicht 1400 kg/lm³
- Zugkraftkoeffizient 0.5 und grösser
- hydraulisch betätigte Planiereinrichtungen

Für die Berechnung der Leistung in Festkubikmeter muss die maximale Schubleistung mit dem Lösefaktor multipliziert werden.

Um die maximale Schubleistung zu erhalten, benötigt man für die Diagramme die durchschnittliche Länge der Abschubstrecke und den Modelltyp der Planierraupe (Leistung) mit dem entsprechenden Schild.

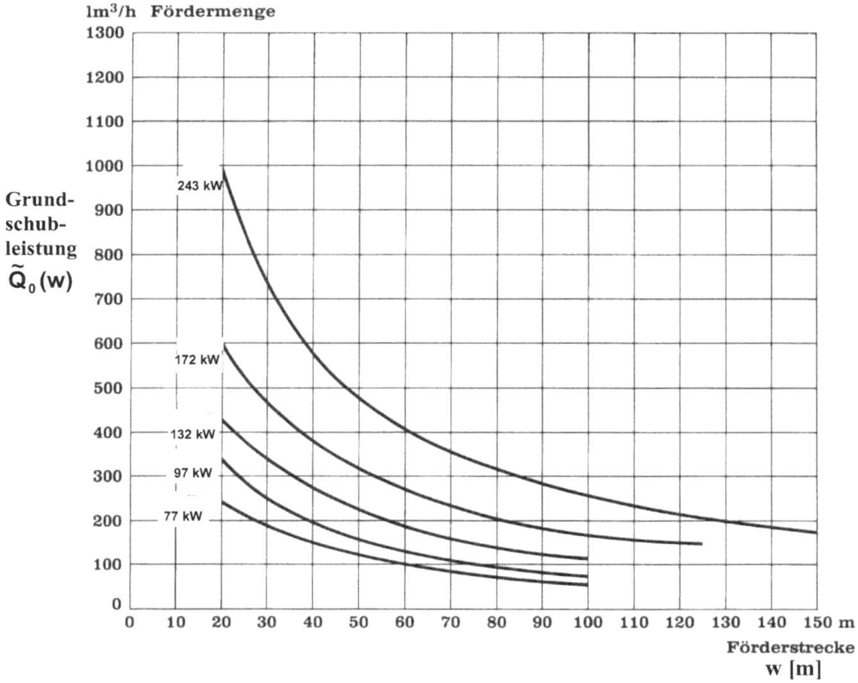


**Bild 3-6: Schubleistung $\tilde{Q}_0(w)$ [lm³/h] von Planierraupen [6]**

Bild 3-6 zeigt die Grundschubleistung $\tilde{Q}_0(w)$ von Planierraupen mit Brustschild in Abhängigkeit von der Förderstrecke w [m] ohne die Anschnittstrecke (ca. 15 m).

**Tabelle 3-4: Faktoren im Erdbau nach [6]**

| | |
|---|---|
| **Füllfaktor** | **$\varphi$ [-]** |
| loses Haufwerk | 1.2 |
| schwer zu lösen, gefroren | |
| mit Kippzylinder | 0.8 |
| ohne Kippzylinder | 0.7 |
| schwer zu schieben (trocken, nicht bindig) | 0.6 – 0.8 |
| sehr bindiges Material | 0.6 – 0.8 |
| Fels, gerissen oder gesprengt | 0.6 – 0.8 |
| **Bedienungsfaktor** | **$\eta_1$ [-]** |
| geübt | 1.0 |
| durchschnittlich | 0.80 |
| mässig | 0.65 |
| **Betriebsbedingungen** | **$\eta_2$ [-]** |
| Staub, Regen, Schnee, Nebel oder Dunkelheit | 0.8 |
| **Schubbahnfaktor** | **$f_{1P}$ [-]** |
| in Bahnen | 1.2 |
| **Schildarteinflussfaktor** | **$f_{2P}$ [-]** |
| U-Schild | 1.2 |
| Brustschild | 1.0 |
| Schwenkschild | 0.5 – 0.75 |
| **Steigungsfaktor** | **$f_3(\beta)$ [-]** |
| siehe nachfolgendes Diagramm | |

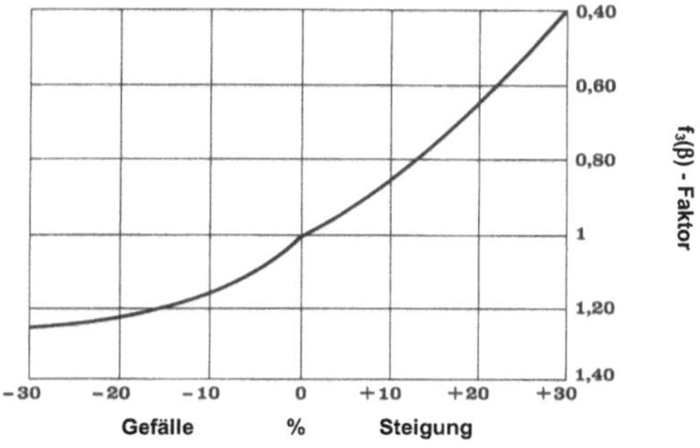


**Bild 3-7: Steigungsfaktor $f_3(\beta)$ [6]**

# Planiergeräte

## Erforderliche Anzahl von Planierraupen $n_{Planierraupen}$ [-]

$$n_{Planierraupen} \geq \frac{Q_{TNerf-AT}}{Q_{PN}} \quad [-]$$

$Q_{TNerf\text{-}AT}$ Transportfahrzeugleistung pro Arbeitstag

## Gesamtleistung der eingesetzten Planierraupen $\sum Q_{PN}$ [lm³/h]

$$\sum Q_{PN} = n_{Planierraupen} \times Q_{PN} \geq Q_{TNerf-AT} \quad [\text{lm}^3/\text{h}]$$

Achtung: Die Gesamtleistung entweder auf festes oder auf loses Material beziehen.

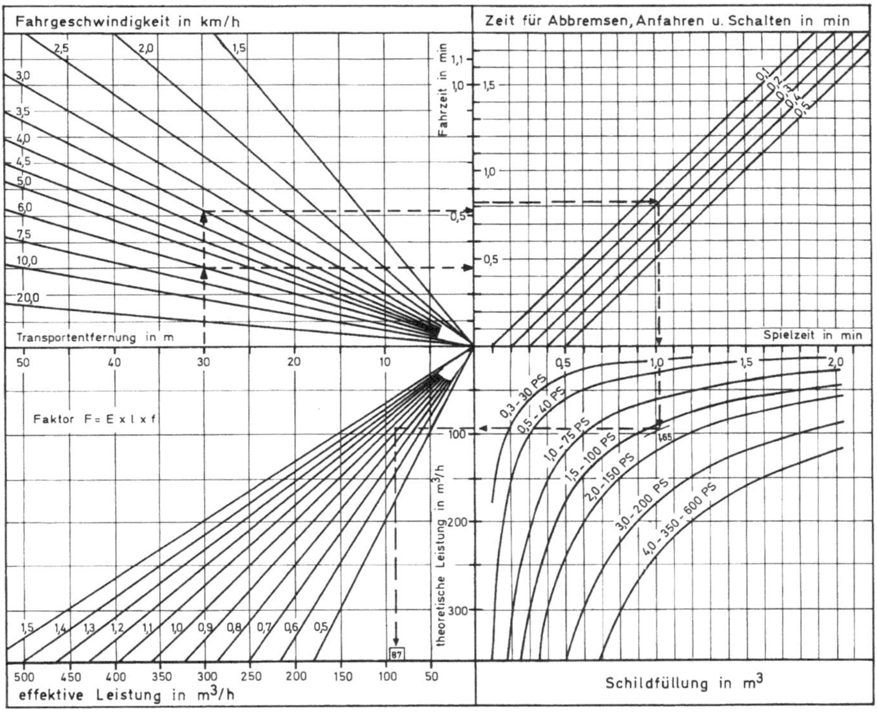


**Bild 3-8: Leistungsdiagramm $\tilde{Q}_0$ (w; v; P; $V_{P100}$) [lm³/h] für Schubraupen im Entfernungsbereich bis 50 m [27]**

## Rippereinsatz von Planierraupen mit Heckaufreisser

### Nutzleistung $Q_N$ [fm³/h] von Planierraupen mit Heckaufreisser

| | |
|---|---|
| $Q_N = Q_0 \times k_2 \times k_3 \times \eta_G$ | [fm³/h] |
| $k_2 = f_1 \times f_4 \times f_5$ | [-] |
| $k_3 = \eta_1 \times \eta_2$ | [-] |

### Nutzleistung $\tilde{Q}_N$ [lm³/h] von Planierraupen mit Heckaufreisser

$$\tilde{Q}_N = Q_0 \times \frac{1}{\alpha} \times k_2 \times k_3 \times \eta_G \quad [\text{lm}^3/\text{h}]$$

| | | |
|---|---|---|
| $Q_N$ | Nutzleistung | [fm³/h] |
| $\tilde{Q}_N$ | Nutzleistung | [lm³/h] |
| $Q_0$ | maximale Grundreissleistung | [fm³/h] |
| $\alpha$ | Lösefaktor | [fm³/lm³] |
| $f_1$ | Eindringtiefenverhältnis (praktische zu theoretischer Reisstiefe) | [-] |
| $f_2$, $f_3$ | nicht massgebend | |
| $f_4$ | Reisszahnzustandsfaktor | [-] |
| $f_5$ | Verfügbarkeits-/Gerätezustandsfaktor | [-] |
| $k_2$ | Leistungseinflussfaktor | [-] |
| $k_3$ | Betriebsbeiwert | [-] |
| $\eta_1$ | Bedienungsfaktor | [-] |
| $\eta_2$ | Betriebsbedingungen | [-] |
| $\eta_G$ | Geräteausnutzungsgrad | [-] |
| $v$ | Reissgeschwindigkeit | [m/h] |
| $b$ | theoretische Reissbreite bei einem Durchgang | [m] |
| $d$ | theoretische Reisstiefe | [m] |
| $b_P$ | praktische Reissbreite | [m] |
| $d_P$ | praktische Reisstiefe | [m] |

$$v = \frac{Q_N}{b_P \times d_P} \quad [\text{m/h}]$$

$$f_1 = \frac{b_P \times d_P}{b \times d} < 1 \quad [-]$$

Zum Reissen von klüftigem, bankigem Fels eignet sich der Einsatz von schweren Raupengeräten. Diese Geräte müssen ausreichend Eigengewicht und Zugkraft aufweisen, um die Reisskraft aufzubringen. Folgende Gesteine eignen sich besonders zum Rippern:

- stark geologisch vorfraktionierte Gesteine
- bankige Kalke
- Sandstein, Mergel, kalkige Mergel
- Schiefer

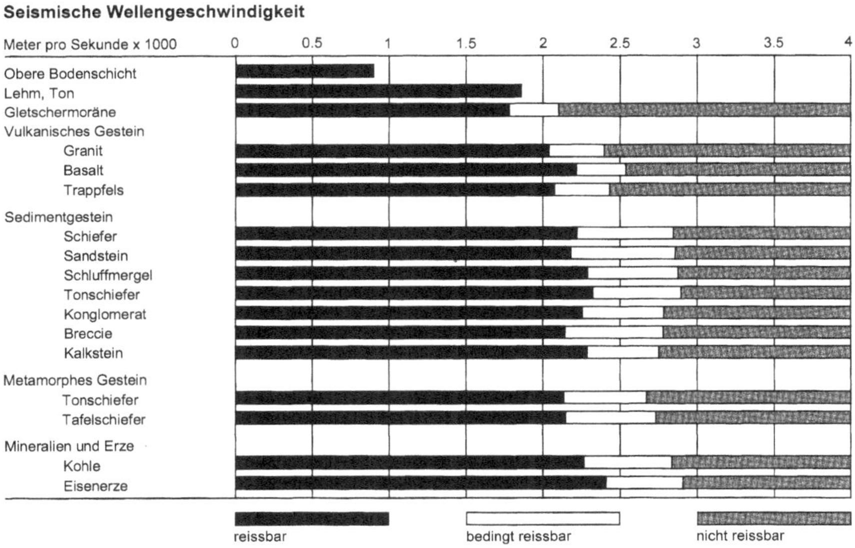


**Bild 3-9: Klassifizierung der Reissbarkeit des Gesteins nach seismischer Wellengeschwindigkeit (Planierraupe mit 433 kW) [6]**

Die Reissbarkeit des Gesteins wird meist durch die physikalische Grösse der seismischen Geschwindigkeit klassifiziert [6]. Allgemein kann man feststellen, dass die Grenze der wirtschaftlichen Abbaubarkeit durch die Rippertechnik bei 1500 – 1800 m/s liegt. Dabei sind folgende Bedingungen zu beachten:

- Die Eindringtiefe des Reisszahns ist der Schlüssel zum Reisserfolg.
- Niedrige seismische Geschwindigkeiten deuten auf gute Reissbarkeit hin.
- Bei festem und hartem Material kann Vorsprengen die Reissbarkeit verbessern.

Das Rippern ist eine Kunst und keine exakte Wissenschaft. Daher ist exemplarisch die nachfolgend angegebene Leistungskurve für eine Liebherr PR 751 [6] mit 4.8 – 5.5 t und 240 kW gültig. Dieses Reissleistungsdiagramm gilt unter folgenden Voraussetzungen:

- Einzahnaufreisser
- 100 % Effektivität (60 min Reissen)
- seismische Geschwindigkeit ca. 1500 m/s, zwischen 1500 und 1800 m/s um 25 % abmindern
- ideal > stark geschiefertes Material
- erschwert > bankig

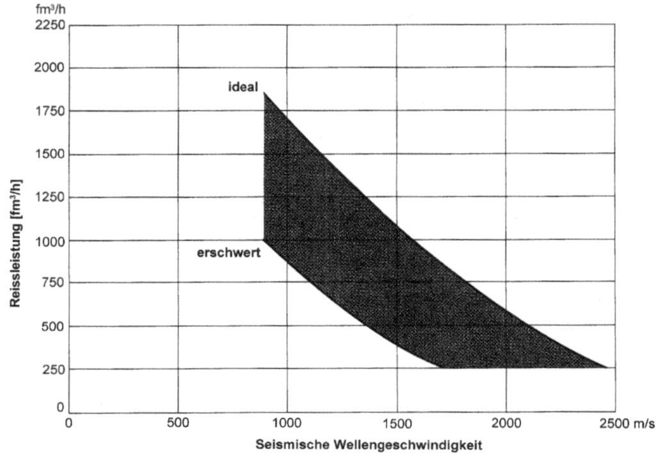


**Bild 3-10: Grundreissleistung $Q_0$ [fm$^3$/h] einer Raupe mit 240 kW Leistung [6]**

# Planiergeräte

## Scraper (Flachbagger)

### Nutz-/Dauerleistung $Q_{SN}$ [fm³/h]

$$Q_{SN} = \frac{V_{SAE}}{t_U} \times 60 \times \prod_{i=1}^{3} k_i \times \eta_G \qquad [fm^3/h]$$

| | | |
|---|---|---|
| $Q_{SN}$ | Nutz-/Dauerleistung | [fm³/h] |
| $V_{SAE}$ | Fördergefässinhalt gemaess SAE | [m³] |
| $t_U$ | Umlaufzeit | [min] |
| $k_i$ | Einflussfaktoren | [-] |
| $\eta_G$ | Geräteausnutzungsgrad | [-] |

### Ladefaktor $k_1$ [-]

$$k_1 = \alpha \times \varphi \qquad [-]$$

| | | |
|---|---|---|
| $\alpha$ | Lösefaktor | [fm³/lm³] |
| $\varphi$ | Füllfaktor | [-] |

### Leistungseinflussfaktor $k_2$ [-]

$$k_2 = \prod_{i=1}^{5} f_i \quad \text{mit} \Rightarrow (f_2; f_3) = 1 \wedge (f_1; f_4; f_5) \leq 1 \qquad [-]$$

| | | |
|---|---|---|
| $f_1$ | Schürftiefeneinfluss | [-] |
| $f_2$ | nicht massgebend | [-] |
| $f_3$ | nicht massgebend | [-] |
| $f_4$ | Schneiden-/Zahnzustandsfaktor | [-] |
| $f_5$ | Verfügbarkeits-/Gerätezustandsfaktor | [-] |

### Betriebsbeiwert $k_3$ [-]

$$k_3 = \prod_{i=1}^{2} \eta_i \qquad [-]$$

| | | |
|---|---|---|
| $\eta_1$ | Bedienungsfaktor | [-] |
| $\eta_2$ | Betriebsbedingungen | [-] |

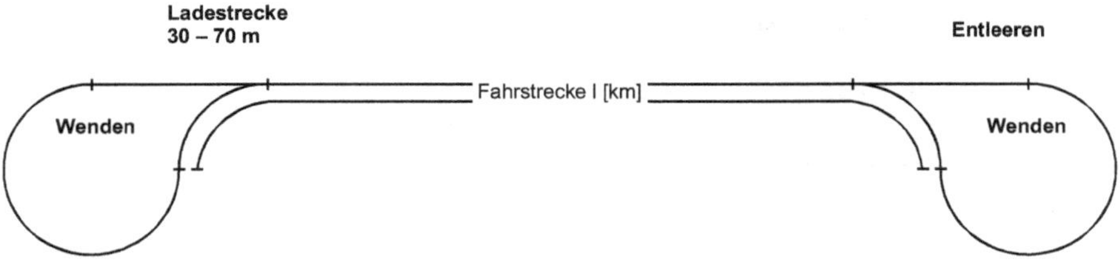


**Bild 3-11: Fahrstrecke [3]**

### Umlaufzeit $t_U$ [min]

| | |
|---|---|
| $t_U = t_L + t_E + 2 \times t_W + t_{H,voll} + t_{R,leer}$ | [min] |
| $t_U = t_L + t_E + 2 \times t_W + \sum \frac{60 \times l_i}{1000 \times v_{voll,i}} + \sum \frac{60 \times l_i}{1000 \times v_{leer,i}}$ | [min] |

| | | |
|---|---|---|
| $t_U$ | Umlaufzeit | [min] |
| $t_L$ | Beladezeit | [min] |
| $t_E$ | Entleerungszeit | [min] |
| $t_W$ | Wendezeit | [min] |
| $t_{H,voll}$, $t_{R,leer}$ | Hinfahr-/Rückfahrzeit | [min] |
| $l_i$ | Fahrstrecke i | [m] |
| $v_{voll,i}$ | Fahrgeschwindigkeit unter Last (voll) | [km/h] |
| $v_{leer,i}$ | Fahrgeschwindigkeit leer | [km/h] |

## Berechnungsalternative B

**Nutz- bzw. Dauerleistung von Scrapern $Q_{SN}$ [fm³/h] und Rad- und Raupenplaniergeräten $Q_{PIN}$ [fm³/h]:**

Scraper: $$Q_{SN} = \overline{V}_{S,0} \times \varphi_S \times \frac{\overline{Q}_{10}(w)}{10} \times k_2 \times k_S \times \eta_G \quad [fm^3/h]$$

Rad- u. Raupenplaniergeräte: $$Q_{PiN} = \overline{V}_{P,0} \times \varphi_P \times \overline{Q}_1(w) \times k_2 \times k_{P\text{-}i} \times \eta_G \quad [fm^3/h]$$

mit: $$\overline{V}_{S,0} = V_{S,0} \times \alpha \,;\; \overline{V}_{P,0} = 0.8 \times b \times h^2 \times \alpha$$

| | | |
|---|---|---|
| $Q_{SN}$ | Nutz-/Dauerleistung Scraper | [fm³/h] |
| $Q_{PiN}$ | Nutz-/Dauerleistung Rad- u. Raupenplaniergeräte | [fm³/h] |
| $\overline{Q}_{10}(w)$ | Scraper-Einheitsgrundförderleistung (10 m³-Gefäss) in Abhängigkeit von der Förderweite w | [fm³/h] |
| $\overline{Q}_1(w)$ | Rad-/Planiergerät-Einheitsgrundförderleistung (1 m³-Gefäss) in Abhängigkeit von der Förderweite w | [fm³/h] |
| $\overline{V}_{S,0}$ | Scraper-Fördergefässinhalt, gestrichen voll | [fm³] |
| $V_{S,0}$ | Nenninhalt der Scrapermulde gemäss SAE | [lm³] |
| $\overline{V}_{P,0}$ | Planierschildinhalt | [fm³] |
| $k_S$; $k_{P\text{-}i}$ | Betriebsbeiwert $k_3$ | [-] |
| $k_2$ | Leistungseinflussfaktor | [-] |
| $\alpha$ | Lösefaktor | [fm³/lm³] |
| $\varphi_i$ | Gerätefüllungsgrad | [-] |
| s | Scraper | [-] |
| p | Planiergerät | [-] |
| i | Rad- bzw. Raupenplaniergerät | [-] |
| $\eta_G$ | Geräteausnutzungsgrad | [-] |

# Planiergeräte

Die Leistungslinien im nachstehenden Förderleistungsdiagramm sind aus Praxiserfahrungen mit folgenden Annahmen (für ideale Fördergefässinhalte von $\overline{V}_{S,0} = 10$ fm$^3$ gestrichen voll bzw. $\overline{V}_{P,0} = 1$ fm$^3$) zusammengestellt:

- Auflockerungsgrad $\delta_A = 1$ bzw. Lösefaktor $\alpha = 1$
- Gesamtabminderungsfaktor $k = 1$
- Gerätefüllungsgrad $\varphi = 1$

## Leistungseinflussfaktor $k_2$ [-]

$$k_2 = f_4 \times f_5 \qquad [-]$$

| | | |
|---|---|---|
| $f_4$ | Schneiden-/Zahnzustandsfaktor | [-] |
| $f_5$ | Verfügbarkeits-/Gerätezustandsfaktor | [-] |

## Betriebsbeiwert $k_3$ [-]

$$k_3 = \prod_{j=1}^{2} \eta_j = \eta_1 \times \eta_2 = k_S \text{ bzw. } k_{P\text{-}i} \qquad [-]$$

$$i = [\, i \mid i = \text{Radgerät}, \; i = \text{Raupengerät} \,]$$

| | | |
|---|---|---|
| $\eta_1$ | Bedienungsfaktor | [-] |
| $\eta_2$ | Betriebsbedingungen | [-] |

**Tabelle 3-5: Diverse Betriebsbeiwerte**

| | | | | | | |
|---|---|---|---|---|---|---|
| Scraper | $k_S$ | = | 0.6 – 0.9 | $\varphi_S$ | = | 0.7 – 1.1 |
| Radplaniergeräte | $k_{P\text{-}Rad}$ | = | 0.45 – 0.8 | $\varphi_P$ | = | 0.5 – 0.9 |
| Raupenplaniergeräte | $k_{P\text{-}Raup}$ | = | 0.6 – 0.8 | | | |

**Förderleistungsdiagramm für Scraper, Rad- und Raupenplaniergeräte**

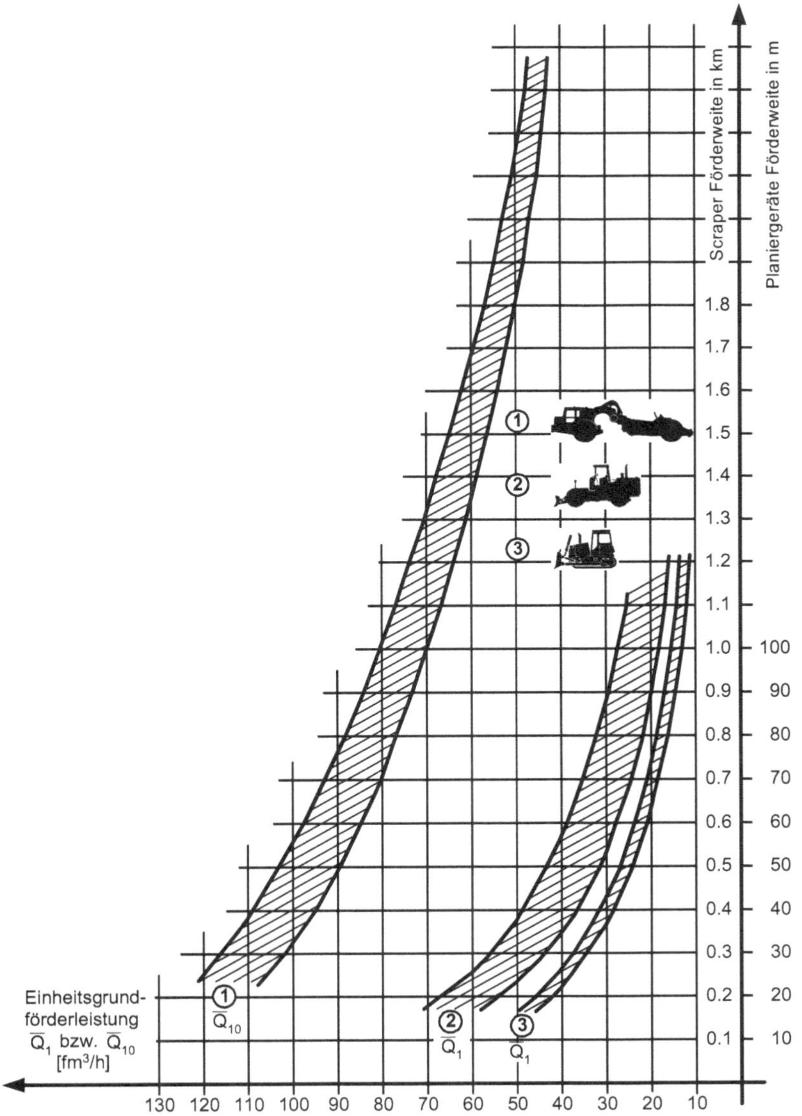


**Bild 3-12: Förderleistungsdiagramm für Scraper, Rad- und Raupenplaniergeräte [3]**

## Grader

Die Arbeitsleistung eines Graders hängt stark von den Einsatzbedingungen ab:

**Tabelle 3-6: Leistung eines Caterpillar Graders 140H mit 138 kW Leistung nach [7]**

| Art der Arbeit | Arbeitsleistung $Q_N$ [m²/h] |
|---|---|
| Feinplanieren auf Kippe | 8'000 |
| Schwerplanieren | 18'000 |
| Instandhalten von Baustrassen | 30'000 |
| Instandhalten von Erd- und Förderwegen | 30'000 |
| Böschungsarbeiten | 6'000 |
| Anlegen/Räumen von Gräben | 9'000 |
| Aufreissen | 5'000 |
| Verteilen von Schüttgut | 12'000 |
| Schneeräumung | 50'000 |

## 3.5 Verdichtungsgeräte

**Nutzleistung $Q_N$ [vm³/h] eines Verdichtungsgeräts**

| | |
|---|---|
| $Q_N = \frac{v \times b \times d}{n} \times k_1 \times k_2 \times k_3 \times \eta_G$ | [vm³/h] |
| $k_1 = 1$ | [-] |
| $k_2 = f_5$ | [-] |
| $k_3 = \eta_1 \times \eta_2$ | [-] |

| | | |
|---|---|---|
| $Q_N$ | Nutzleistung (bezogen auf verdichteten Zustand) | [vm³/h] |
| $v$ | Geschwindigkeit des Geräts | [m/h] |
| $b$ | wirksame Breite | [m] |
| $d$ | Schütthöhe, verdichtet | [m] |
| $n$ | Zahl der Übergänge | [-] |
| $k_1$ | nicht massgebend | [-] |
| $k_2$ | Leistungseinflussfaktor | [-] |
| $k_3$ | Betriebsbeiwert | [-] |
| $\eta_1$ | Bedienungsfaktor | [-] |
| $\eta_2$ | Betriebsbedingungen | [-] |
| $f_1$; $f_2$; $f_3$; $f_4$ | nicht massgebend | [-] |
| $f_5$ | Verfügbarkeits-/Gerätezustandsfaktor | [-] |
| $\eta_G$ | Geräteausnutzungsgrad | [-] |

Die **Höhe des verdichteten Bodens d [m]** ergibt sich aus folgender Beziehung:

| | |
|---|---|
| $d = \tilde{d} \times \delta_V$ | [m] |

| | | |
|---|---|---|
| $\tilde{d}$ | Schütthöhe, unverdichtet | [m] |
| $\delta_v$ | Verdichtungsfaktor $< 1$ | [vm³/lm³] |

Unter Verdichtung versteht man die bleibende Verminderung des Porenanteils bzw. die bleibende Erhöhung der Trockendichte eines Bodens. Bei nichtbindigen Böden besitzen der Ungleichförmigkeitsgrad und die Kornrauhigkeit den grössten Einfluss auf die Verdichtbarkeit. Die Verdichtung gemischtkörniger Böden mit höherem Feinanteil hängt in erster Linie vom Wassergehalt und dem Sättigungsgrad ab [28].

In Tabelle 3-7 sind Anhaltswerte für den Verdichtungsfaktor $\delta_v$ dargestellt. Bei der Anwendung dieser Werte ist zu berücksichtigen, dass es sich um Näherungswerte handelt, die lediglich einer überschlägigen Berechnung dienen können. Für eine genaue Leistungsberechnung der Bodenverdichtung ist die genaue Kenntnis der Bodenzusammensetzung und der wichtigsten Parameter wie z.B. Trockenrohdichte, Wassergehalt und Verdichtungslinie unerlässlich.

**Tabelle 3-7: Anhaltswerte für den Verdichtungsfaktor $\delta_v$ nach [29]**

| Boden- und Fels-klasse nach DIN 18300 | | Boden | Verdichtungs-faktor $\delta_v$ [fm³/lm³] Mittelwert | Verdichtungsfaktor $\delta_v$ [fm³/lm³] Bandbreite 0.6 – 1.0 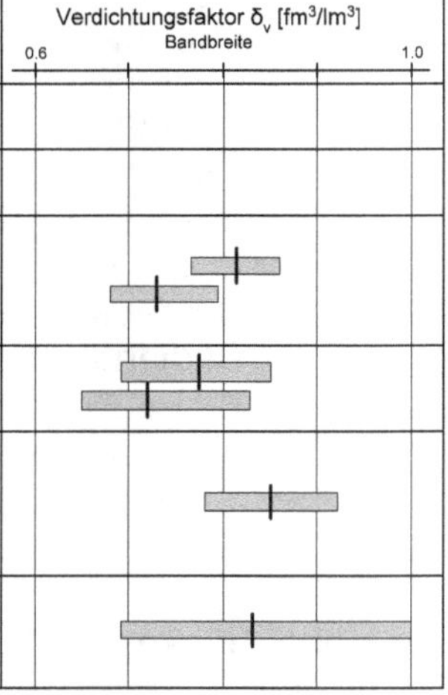 |
|---|---|---|---|---|
| 1 | Oberboden | —— | —— | |
| 2 | Fliessende Böden | —— | —— | |
| 3 | Leicht lösbare Böden | Kies<br>Kiessand | 0.82<br>0.73 | |
| 4/5 | Mittelschwer lösbare Böden | Ton<br>Lehm / Sand | 0.77<br>0.72 | |
| 6 | Leicht lösbarer Fels und vergleichbare Bodenarten | Ton-, Mergelstein | 0.85 | |
| 7 | Schwer lösbarer Fels | Kalk-, Sandstein / Granit | 0.83 | |

Die Eignung der Verdichtungsgeräte ist je nach Baustellenart und -bedingungen sehr verschieden. Die Tabellen 3-8 bis 3-12 geben einen Überblick.

| Geräteart | | Baustellenbedingungen: Damm und Einschnitt – Arbeitsfläche eng (E) | Damm und Einschnitt – Arbeitsfläche frei (E) | Bauwerks-hinterfüllung (E) | Leitungs-gräben (E) |
|---|---|---|---|---|---|
| **statisch** | | | | | |
| Glattmantelwalze | | + | + | | |
| Schaffusswalze | | + | + + | | |
| Gummiradwalze | selbstfahrend | + + | + + | | |
| | gezogen | + + | + + | | |
| Gürtelradwalze | | + + | + + | | |
| Gitterradwalze | | + | + + | | |
| **dynamisch** | | | | | |
| Fallplatte | | + + | + | | |
| Explosionsstampfer | | + + | + | + | + |
| Schnellschlagstampfer | | + | | + + | + + |
| Anhängevibrationswalze | leicht < 50 kN | + | + + | | |
| | mittel | | + + | | |
| | schwer > 80 kN | | + + | | |
| Doppelvibrationswalze | leicht < 25 kN | + + | + | + | + |
| | schwer > 25 kN | + + | + + | + | |
| Vibrationstandemwalze | leicht < 50 kN | + + | + | | |
| | schwer > 50 kN | + + | + + | | |
| Vibrationsschaffusswalze | | + | + + | | |
| Rüttelplatten | leicht < 25 kN | + + | + | + + | + + |
| | schwer > 25 kN | + + | + + | + | + |

Legende:

E Eignung
+ + empfohlen
+ meist geeignet

**Tabelle 3-8: Einsatzmöglichkeit von Verdichtungsgeräten nach [28]**

- Geschwindigkeit v [m/h]

  Arbeitsgeschwindigkeit nach Herstellerangaben, im Allgemeinen beträgt sie zwischen 2000 und 6000 m/h [7].

- Wirksame Breite b [m]

  Die wirksame Breite des Verdichtungsgeräts entspricht höchstens der 0.8fachen Breite der effektiven Grösse. Zum Berechnen der effektiven Breite muss die Breite der Einbaubahn im Verhältnis zur Rollbreite berücksichtigt werden [7].

  Beispiel: Eine Vibrationswalze mit einer Walzkörperbreite von 1.98 m benötigt 2 Rollbreiten, um eine 3.6 m breite Spur zu verdichten. Die wirksame Breite beträgt also 1.8 m. Eine Walze mit 1.4 m Walzkörperbreite muss 3 Übergänge durchführen, um die 3.6 m breite Spur zu verdichten. Ihre wirksame Breite beträgt daher 1.2 m.

- Schütthöhe $\tilde{d}$ [m]
  siehe Tabellen 3-9 bis 3-12.

- Zahl der Übergänge n [-]
  siehe Tabellen 3-9 bis 3-12.

| Geräteart | | Lockergestein – grobkörnig, nicht bindig: E | $\tilde{d}$ [cm] | n [-] |
|---|---|---|---|---|
| **statisch** | | | | |
| Glattmantelwalze | | + | 10 – 20 | 4 – 8 |
| Schaffusswalze | | | | |
| Gummiradwalze | selbstfahrend | + + | 20 – 30 | 6 – 10 |
| | gezogen | + + | 30 – 50 | 6 – 10 |
| Gürtelradwalze | | | | |
| Gitterradwalze | | | | |
| **dynamisch** | | | | |
| Fallplatte | | | | |
| Explosionsstampfer | | + | 20 – 50 | 3 – 5 |
| Schnellschlagstampfer | | + | 20 – 40 | 2 – 4 |
| Anhängevibrationswalze | leicht < 50 kN | + + | 30 – 50 | 3 – 5 |
| | mittel | + + | 40 – 60 | 3 – 5 |
| | schwer > 80 kN | + + | 50 – 80 | 3 – 5 |
| Doppelvibrationswalze | leicht < 25 kN | + + | 20 – 40 | 4 – 6 |
| | schwer > 25 kN | + + | 30 – 50 | 4 – 6 |
| Vibrationstandemwalze | leicht < 50 kN | + + | 20 – 40 | 4 – 6 |
| | schwer > 50 kN | + + | 30 – 50 | 4 – 6 |
| Vibrationsschaffusswalze | | + | 30 – 50 | 3 – 5 |
| Rüttelplatten | leicht < 25 kN | + + | 20 – 40 | 5 – 8 |
| | schwer > 25 kN | + + | 30 – 60 | 4 – 6 |

Legende:
- E – Eignung
- $\tilde{d}$ – Schütthöhe
- n – Anz. Übergänge
- + + – empfohlen
- + – meist geeignet

**Tabelle 3-9: Eignung von Verdichtungsmitteln in grobkörnigem, nicht bindigem Lockergestein nach [28]**

| Geräteart | | | Lockergestein: feinkörnig (bindig), bindige Sande | | |
|---|---|---|---|---|---|
| | | | E | $\tilde{d}$ [cm] | n [-] |
| **statisch** | | | | | |
| Glattmantelwalze | | | + | 10 – 20 | 4 – 8 |
| Schaffusswalze | | | + + | 20 – 30 | 8 – 12 |
| Gummiradwalze | sebstfahrend | | + + | 20 – 30 | 6 – 10 |
| | gezogen | | + + | 30 – 50 | 6 – 10 |
| Gürtelradwalze | | | + + | 20 – 30 | 6 – 8 |
| Gitterradwalze | | | + | 20 – 30 | 6 – 10 |
| **dynamisch** | | | | | |
| Fallplatte | | | + | 50 – 70 | 4 |
| Explosionsstampfer | | | + + | 20 – 40 | 3 – 5 |
| Schnellschlagstampfer | | | + | 10 – 20 | 2 – 4 |
| Anhängevibrationswalze | leicht | < 50 kN | | | |
| | mittel | | + | 20 – 30 | 3 – 4 |
| | schwer | > 80 kN | + | 30 – 40 | 3 – 4 |
| Doppelvibrationswalze | leicht | < 25 kN | + | 10 – 20 | 5 – 8 |
| | schwer | > 25 kN | + | 10 – 30 | 5 – 8 |
| Vibrationstandemwalze | leicht | < 50 kN | | | |
| | schwer | > 50 kN | | | |
| Vibrationsschaffusswalze | | | + + | 20 – 40 | 6 – 10 |
| Rüttelplatten | leicht | < 25 kN | | | |
| | schwer | > 25 kN | | | |

Legende:

E Eignung
$\tilde{d}$ Schütthöhe
n Anz. Übergänge

+ + empfohlen
\+ meist geeignet

**Tabelle 3-10: Eignung von Verdichtungsmitteln in feinkörnigem, bindigem Lockergestein nach [28]**

| Geräteart | | Lockergestein – gemischtkörnig (bindig, schwach steinig): E | d̃ [cm] | n [-] |
|---|---|---|---|---|
| **statisch** | | | | |
| Glattmantelwalze | | + | 10 – 20 | 4 – 8 |
| Schaffusswalze | | + | 20 – 30 | 8 – 12 |
| Gummiradwalze | selbstfahrend | + | 20 – 30 | 6 – 10 |
| | gezogen | + + | 30 – 40 | 6 – 10 |
| Gürtelradwalze | | + + | 20 – 30 | 6 – 8 |
| Gitterradwalze | | + + | 20 – 30 | 6 – 10 |
| **dynamisch** | | | | |
| Fallplatte | | + + | 50 – 70 | 4 |
| Explosionsstampfer | | + | 20 – 50 | 3 – 5 |
| Schnellschlagstampfer | | + | 20 – 30 | 2 – 4 |
| Anhängevibrationswalze | leicht < 50 kN | + | 20 – 40 | 3 – 5 |
| | mittel | + + | 30 – 50 | 3 – 5 |
| | schwer > 80 kN | + + | 40 – 60 | 3 – 5 |
| Doppelvibrationswalze | leicht < 25 kN | + | 20 – 30 | 5 – 8 |
| | schwer > 25 kN | + + | 20 – 40 | 5 – 8 |
| Vibrationstandemwalze | leicht < 50 kN | | | |
| | schwer > 50 kN | + | 20 – 40 | 5 – 8 |
| Vibrationsschaffusswalze | | + + | 20 – 40 | 6 – 10 |
| Rüttelplatten | leicht < 25 kN | + | 10 – 20 | 5 – 8 |
| | schwer > 25 kN | + | 20 – 40 | 4 – 6 |

Legende:

| | | | |
|---|---|---|---|
| E | Eignung | | |
| d̃ | Schütthöhe | + + | empfohlen |
| n | Anz. Übergänge | + | meist geeignet |

**Tabelle 3-11:** **Eignung von Verdichtungsmitteln in gemischtkörngem, bindigem Lockergestein nach [28]**

| Geräteart | | Fels: Steine und Blöcke bis 400 mm, nicht bindig — E | $\tilde{d}$ [cm] | n [-] |
|---|---|---|---|---|
| **statisch** | | | | |
| Glattmantelwalze | | | | |
| Schaffusswalze | | + | 20 – 30 | 8 – 12 |
| Gummiradwalze | selbstfahrend | | | |
| | gezogen | | | |
| Gürtelradwalze | | | | |
| Gitterradwalze | | + | 30 – 40 | 8 – 12 |
| **dynamisch** | | | | |
| Fallplatte | | + + | 50 – 80 | 4 |
| Explosionsstampfer | | + | 30 – 50 | 3 – 5 |
| Schnellschlagstampfer | | | | |
| Anhängevibrationswalze | leicht < 50 kN | | | |
| | mittel | + | 40 – 60 | 4 – 6 |
| | schwer > 80 kN | + + | 50 – 100 | 4 – 6 |
| Doppelvibrationswalze | leicht < 25 kN | | | |
| | schwer > 25 kN | + | 30 – 50 | 5 – 8 |
| Vibrationstandemwalze | leicht < 50 kN | | | |
| | schwer > 50 kN | | | |
| Vibrationsschaffusswalze | | + + | 30 – 50 | 6 – 10 |
| Rüttelplatten | leicht < 25 kN | | | |
| | schwer > 25 kN | + | 30 – 50 | 4 – 6 |

Legende:

| | | | |
|---|---|---|---|
| E | Eignung | | |
| $\tilde{d}$ | Schütthöhe | + + | empfohlen |
| n | Anz. Übergänge | + | meist geeignet |

**Tabelle 3-12: Eignung von Verdichtungsmitteln in nicht bindigem Fels nach [28]**

# 4 Transportgeräte

Lastkraftwagen, Schwerlastkraftwagen, Dumper
Gleisförderung
Bandförderung
Flüssigkeitsförderung
Schneckenförderung

## 4.1 LKW, SKW, Dumper

**Nutzleistung $Q_N$ [$fm^3/h$] eines Einzelfahrzeugs**

| | |
|---|---|
| $Q_N = \frac{V_{FSAE}}{t_U} \times 60 \times k_1 \times k_2 \times k_3 \times \eta_G$ | [$fm^3/h$] |
| $k_1 = \alpha \times \varphi$ | [-] |
| $k_2 = f_3 \times f_5$ | [-] |
| $k_3 = \eta_1 \times \eta_2$ | [-] |

| | | |
|---|---|---|
| $Q_N$ | Nutzleistung des Einzelfahrzeugs | [$fm^3/h$] |
| $V_{FSAE}$ | Muldeninhalt des Fahrzeugs gemäss SAE | [$m^3$] |
| | $V_{FSAE,1}$ für Benutzung von öffentlichen Strassen | |
| | $V_{FSAE,2}$ für reinen Baustellenverkehr | |
| $t_U$ | Umlaufzeit | [min] |
| $\alpha$ | Lösefaktor | [$fm^3/lm^3$] |
| $\varphi$ | Füllfaktor | [-] |
| $\eta_1$ | Bedienungsfaktor | [-] |
| $\eta_2$ | Betriebsbedingungen | [-] |
| $f_1$; $f_2$ | nicht massgebend | |
| $f_3$ | Entleerungsgenauigkeitsfaktor | [-] |
| | Kippe = 1; Bahnwaggon = 0.8 | |
| $f_4$ | nicht massgebend | |
| $f_5$ | Verfügbarkeits-/Gerätezustandsfaktor | [-] |
| $k_1$ | Ladefaktor | [-] |
| $k_2$ | Leistungseinflussfaktor | [-] |
| $k_3$ | Betriebsbeiwert | [-] |
| $\eta_G$ | Geräteausnutzungsgrad | [-] |

### Kontrolle: Muldeninhalt des Fahrzeugs $V_{FSAE}$ [m³]

Das maximal mögliche bzw. zulässige Ladevolumen darf die zulässige Nutzlast nicht überschreiten:

$$V_{FSAE} \times \varphi \leq \frac{G_N}{\rho_S} \qquad [m^3]$$

| | | |
|---|---|---|
| $V_{FSAE}$ | Muldeninhalt des Fahrzeugs gemäss SAE | [m³] |
| $\varphi$ | Füllfaktor | [-] |
| $\rho_S$ | Schüttdichte | [t/m³] |
| $G_N$ | zulässige Nutzlast | [t] |

### Theoretische Umlaufzeit $t_U$ [min]

Die theoretische Umlaufzeit eines Transportgeräts setzt sich zusammen aus der Beladezeit $t_L$, der Fahrzeit voll $t_{Fv}$, der Entladezeit $t_E$, der Fahrzeit leer $t_{Fl}$ und der Wartezeit $t_W$ beim Füllen bzw. der Wagenwechselzeit $t_{WZ}$ am Ladegerät [5], [14].

$$t_U = t_L + t_{Fv} + t_E + t_{Fl} + t_W + t_{WZ} \qquad [min]$$

| | | | |
|---|---|---|---|
| $t_U$ | Umlaufzeit des Fahrzeugs | (theoretisch/ kurzzeitig) | [min] |
| $t_L$ | Beladezeit | (theoretisch/ kurzzeitig) | [min] |
| $t_{Fv}$ | Fahrzeit voll | | [min] |
| $t_E$ | Entladezeit | | [min] |
| $t_{Fl}$ | Fahrzeit leer | | [min] |
| $t_W$ | Wartezeiten beim Be- und Entladen | | [min] |
| $t_{WZ}$ | Wagenwechselzeit | | [min] |

# LKW, SKW, Dumper

## Theoretische Beladezeit $t_L$ [min]

Zur Bestimmung der theoretischen **Beladezeit $t_L$ [min]** gilt allgemein:

$$t_L = \frac{V_{FSAE} \times \varphi_T}{V_{SAE} \times \varphi_L} \times \frac{t_S}{60} \qquad \text{[min]}$$

| | | | |
|---|---|---|---|
| $t_L$ | Beladezeit | (theoretisch/ kurzzeitig) | [min] |
| $V_{FSAE}$ | Muldeninhalt des Fahrzeugs gemäss SAE | | [m$^3$] |
| $\varphi_T$ | Füllfaktor Transportgerät | | [-] |
| $V_{SAE}$ | Nenninhalt des Grabgefässes gemäss SAE | | [m$^3$] |
| $\varphi_L$ | Füllfaktor Ladegerät | | [-] |
| $t_S$ | Spielzeit des Ladegeräts | | [s] |

In dieser Formel zur Berechnung der theortischen Beladezeit ist jedoch nicht berücksichtigt, dass das Ladegerät während der Wagenwechselzeit die Zeit für einen weiteren Grabvorgang nutzen und dass das gefüllte Grabgefäss geleert werden kann, sobald das leere Fahrzeug bereitsteht. Somit ist bei der Berechnung der theoretischen Beladezeit eine Spielzeit weniger einzusetzen ($t_{WZ} \approx t_S$).

$$t_L = \left(\frac{V_{FSAE} \times \varphi_T}{V_{SAE} \times \varphi_L} - 1\right) \times \frac{t_S}{60} = (m - 1) \times \frac{t_S}{60} \qquad \text{[min]}$$

| | | |
|---|---|---|
| m | Anzahl Schaufelfüllungen pro Fahrzeug | [-] |

## Fahrzeit voll $t_{Fv}$ / Fahrzeit leer $t_{Fl}$ [min]

Bei der Berechnung der Fahrzeiten der Transportgeräte unterscheidet man zwischen den normalen LKW, die auch für den Strassenverkehr zugelassen sind, und den Dumpern sowie den sogenannten SKW (Schwerlastkraftwagen) mit meist wesentlich höherem Gesamtgewicht, die nur im nichtöffentlichen Baustellenbereich eingesetzt werden dürfen.

Die Strecke vom Belade- zum Entladeort muss in Teilstrecken mit verschiedenen Fahrbedingungen unterteilt werden.

$$t_F = t_{Fv} + t_{Fl} = \sum \frac{60 \times l_{i,v}}{1000 \times v_{i,v}} + \sum \frac{60 \times l_{i,l}}{1000 \times v_{i,l}} \qquad \text{[min]}$$

| | | |
|---|---|---|
| $t_F$ | Fahrzeit | [min] |
| $t_{Fv}$ | Fahrzeit voll | [min] |
| $t_{Fl}$ | Fahrzeit leer | [min] |
| $l_{i,v}$ | Teilstrecke i bei vollem Transportfahrzeug | [m] |
| $l_{i,l}$ | Teilstrecke i bei leerem Transportfahrzeug | [m] |
| $v_{i,v}$ | Durchschnittsgeschwindigkeit des vollen Transportfahrzeugs auf der Teilstrecke i | [km/h] |
| $v_{i,l}$ | Durchschnittsgeschwindigkeit des leeren Transportfahrzeugs auf der Teilstrecke i | [km/h] |

## Lastkraftwagen LKW

Bei den Lastkraftwagen können folgende Durchschnittsgeschwindigkeiten $v_i$ angenommen werden:

**Tabelle 4-1: Durchschnittsgeschwindigkeiten $v_i$ [km/h] für LKW auf verschiedenen Untergründen**

| Untergrund | $v_i$ [km/h] |
|---|---|
| Auf Humusböden im Feld und Aushub | 5 |
| Auf nicht befestigten Transportpisten und auf der Deponie | 10 – 15 |
| Auf befestigten Transportpisten | 15 – 30 |
| Auf öffentlichen Strassen (abhängig von Verkehrsaufkommen, Ortschaften, Überland usw.) | 40 – 60 |

Bei Lastkraftwagen findet bei der Anwendung der Durchschnittsgeschwindigkeit keine Unterscheidung zwischen leerem und beladenem Zustand statt.

# LKW, SKW, Dumper

## Schwerlastkraftwagen SKW

Schwerlastkraftwagen sind zur optimalen Ausnutzung der Motorleistung mit Drehmomentwandlern ausgerüstet. Die Umwandlung des Drehmoments erfolgt gemäss der jeweiligen Belastung. Der Motor läuft somit immer im günstigsten Leistungsbereich, da der Drehmomentwandler den Kraftbedarf selbsttätig steuert.

Mittels Nomogrammen aus den Herstellerprospekten [7] kann die maximale Fahrgeschwindigkeit ermittelt werden. Diese Diagramme verlangen jedoch als Inputdaten die Steigung, den Rollwiderstand, die Länge der Fahrstrecke und den Fahrzeugtyp.

Der Rollwiderstandsbeiwert $w_R$ (Tabelle 8-13) resultiert aus der Reibung zwischen Reifen und Fahrbahn. Er wird zur Steigung addiert, und mittels des Bruttogewichts (beladen oder leer) des Schwerlastkraftwagens wird die Felgenzugkraft ermittelt. Somit kann aus der Zugkraftkurve die maximale Geschwindigkeit herausgelesen werden. Da sich jedoch beim Anfahren und Bremsen die Geschwindigkeit reduziert, muss ein Geschwindigkeitskorrekturfaktor $k_G$ [-] berücksichtigt werden.

## Durchschnittsgeschwindigkeit $v_i$ [km/h] des leeren/vollen SKW

$$v_i = v_{i,max} \times k_G \qquad \text{[km/h]}$$

| | | |
|---|---|---|
| $v_i$ | Durchschnittsgeschwindigkeit des leeren/vollen SKW | [km/h] |
| $v_{i,max}$ | Maximale Geschwindigkeit des leeren/vollen Transportfahrzeugs (z.B. [7]) | [km/h] |
| $k_G$ | Geschwindigkeitskorrekturfaktor (Tabelle 4-2) | [-] |

**Tabelle 4-2: Geschwindigkeitskorrekturfaktor $k_G$ [5]**

| Streckenabschnittslänge $l_i$ [m] | Geschwindigkeitskorrekturfaktor $k_G$[-] | |
|---|---|---|
| | stehender Start | fliegender Start |
| 0 – 100 | 0.20 – 0.50 | 0.50 |
| 100 – 250 | 0.30 – 0.60 | 0.60 – 0.75 |
| 250 – 500 | 0.50 – 0.65 | 0.70 – 0.80 |
| 500 – 800 | 0.60 – 0.70 | 0.75 – 0.80 |
| 800 – 1200 | 0.65 – 0.75 | 0.80 – 0.85 |
| 1200 und mehr | 0.70 – 0.85 | 0.80 – 0.90 |

### Entladezeit $t_E$ [min]

| | |
|---|---|
| Bodenschütter | 0.3 |
| Hinterkipper | 1.0 |

### Wagenwechselzeit $t_{WZ}$ [min]

| | |
|---|---|
| Vorstossen, Kreisverkehr | 0 |
| Rückstossen | 0.4 – 0.6 |

### Anzahl der erforderlichen Fahrzeuge n [-]

Die Anzahl der erforderlichen Fahrzeuge lässt sich aus der Umlaufzeit $t_U$ des Fahrzeugs, der Wagenfolgezeit $t_f$ und dem Ladevolumen $V_{FSAE}$ der LKW/SKW bestimmen. Zur Bestimmung der passenden Umlaufzeit ist die Betrachtung der möglichen Transportketten, die im Folgenden erläutert sind, erforderlich.

### Theoretische Wagenfolgezeit $t_f$ [min]

Die theortische Wagenfolgezeit ist die Verweilzeit des Fahrzeugs am Beladeort. Sie beinhaltet die Beladezeit und die Wagenwechselzeit (zeitlicher Abstand der Transportfahrzeuge am Ladegerät).

$$t_f = t_L + t_{WZ} = (m - 1) \times \frac{t_S}{60} + t_{WZ} \qquad \text{[min]}$$

| | | | |
|---|---|---|---|
| $t_f$ | Wagenfolgezeit | (theoretisch/ kurzzeitig) | [min] |
| $t_L$ | Beladezeit | (theoretisch/ kurzzeitig) | [min] |
| $t_{WZ}$ | Wagenwechselzeit | | [min] |
| m | Anzahl Schaufelfüllungen pro Fahrzeug | | [-] |
| $t_S$ | Spielzeit des Ladegeräts | | [s] |

# LKW, SKW, Dumper

## Transportketten im Erdbau

Fall 1: Beim Kreisverkehr mit $t_{wz} \leq t_s$ gilt:

$$t_f = \frac{m \times t_S}{60} \qquad [\text{min}]$$

Fall 2: Beim Rückstossverkehr mit $t_{wz} > t_s$ gilt:

$$t_f = \frac{m \times t_S}{60} + \Delta t \qquad [\text{min}]$$

$$\Delta t = \frac{-t_S}{60} + t_{WZ} \sim 0.5 - 1.0\,\text{min} \qquad [\text{min}]$$

somit gilt für die theoretische Wagenfolgezeit $t_f$:

$$t_f = \left\{ t_f \middle| t_f = \frac{m \times t_S}{60} \Rightarrow t_{WZ} \leq \frac{t_S}{60} \vee t_f = \frac{m \times t_S}{60} + \Delta t \Rightarrow t_{WZ} > \frac{t_S}{60} \right\} \qquad [\text{min}]$$

| | | |
|---|---|---|
| $\Delta t$ | Differenz aus Wagenwechselzeit $t_{WZ}$ und Spielzeit $t_S$<br>$\Delta t = t_{WZ} - t_S/60$ mit $t_{WZ} > t_S$ | [min] |

### Theoretische Gesamtnutzleistung $Q_{TNeff}$ [fm³/h] der Transportkette

$$Q_{TNeff} = \frac{V_{FSAE}}{t_f} \times 60 \times \prod_{i=1}^{3} k_i \times \eta_G \qquad [\text{fm}^3/\text{h}]$$

Transportfahrzeugleistung bei einer Fahrzeugfolgezeit $t_f$ mit n eingesetzten Transportfahrzeugen pro Ladegerät

### Anzahl der Fahrten aller Transportfahrzeuge $n_{Fahrten}$ [-]

$$n_{Fahrten} = \frac{V}{V_{FSAE} \times \alpha \times \varphi} \qquad [-]$$

| | | |
|---|---|---|
| $n_{Fahrten}$ | Anzahl der Fahrten aller Transportfahrzeuge | [-] |
| V | Gesamtaushubvolumen | [fm³] |
| $V_{FSAE}$ | Muldeninhalt des Fahrzeugs gemäss SAE | [m³] |
| $\alpha$ | Lösefaktor | [fm³/lm³] |
| $\varphi$ | Füllfaktor | [-] |

## Transportketten im Erdbau – Nutzleistung (Langzeitleistung)

Totaler Leistungsreduktionskoeffizient (Langzeitleistung):

$$\eta^{L}_{Total} = (k_2 \times k_3 \times \eta_G)_L$$

$$\eta^{T}_{Total} = (k_2 \times k_3 \times \eta_G)_T$$

| | | |
|---|---|---|
| $\eta^{L}_{Total}$ | Totaler Leistungsreduktionskoeffizient Ladegerät | [-] |
| $\eta^{T}_{Total}$ | Totaler Leistungsreduktionskoeffizient Transportgerät | [-] |
| $k_{2,L}$ | Leistungseinflussfaktor Ladegerät | [-] |
| $k_{3,L}$ | Betriebsbeiwert Ladegerät | [-] |
| $\eta_{G,L}$ | Geräteausnutzungsgrad Ladegerät | [-] |
| $k_{2,T}$ | Leistungseinflussfaktor Transportgerät | [-] |
| $k_{3,T}$ | Betriebsbeiwert Transportgerät | [-] |
| $\eta_{G,T}$ | Geräteausnutzungsgrad Transportgerät | [-] |
| L | Ladegerät | [-] |
| T | Transportgerät | [-] |

### Nutzbare Fahrzeugladezeit $t_{L,N}$ und Fahrzeugfolgezeit $t_{f,N}$ [min]

Fall 1: $t_{WZ} \leq t_S$, Kreisverkehr

$$t_{L,N} = \left(\frac{V_{FSAE} \times \varphi_T}{V_{SAE} \times \varphi_L} - 1\right) \times \frac{t_S}{60} \times \frac{1}{\eta^{L}_{Total}} = (m - 1) \times \frac{t_S}{60} \times \frac{1}{\eta^{L}_{Total}} \quad \text{[min]}$$

$$t_{f,N} = \left(\frac{m \times t_S}{60} - \frac{t_S}{60}\right) \times \frac{1}{\eta^{L}_{Total}} + t_{WZ} \quad \text{[min]}$$

$$\Delta t_N = \frac{-t_S}{60} \times \frac{1}{\eta^{L}_{Total}} + t_{WZ} \approx 0 \quad \text{[min]}$$

Daraus folgt:

$$t_{f,N} = \frac{m \times t_S}{60} \times \frac{1}{\eta^{L}_{Total}} \quad \text{[min]}$$

| | | | |
|---|---|---|---|
| $t_{L,N}$ | Beladezeit | (Langzeitleistung) | [min] |
| $V_{FSAE}$ | Muldeninhalt des Fahrzeugs gemäss SAE | | [$m^3$] |
| $\varphi_T$ | Füllfaktor Transportgerät | | [-] |
| $V_{SAE}$ | Nenninhalt des Grabgefässes gemäss SAE | | [$m^3$] |
| $\varphi_L$ | Füllfaktor Ladegerät | | [-] |
| m | Anzahl Schaufelfüllungen pro Fahrzeug | | [-] |
| $t_{f,N}$ | Wagenfolgezeit | (Langzeitleistung) | [min] |
| $t_S$ | Spielzeit des Ladegeräts | | [s] |
| $t_{WZ}$ | Wagenwechselzeit | (Langzeitleistung) | [min] |
| $\Delta t_N$ | Differenz aus Wagenwechselzeit $t_{WZ}$ und Spielzeit $t_S$ | (Langzeitleistung) | [min] |

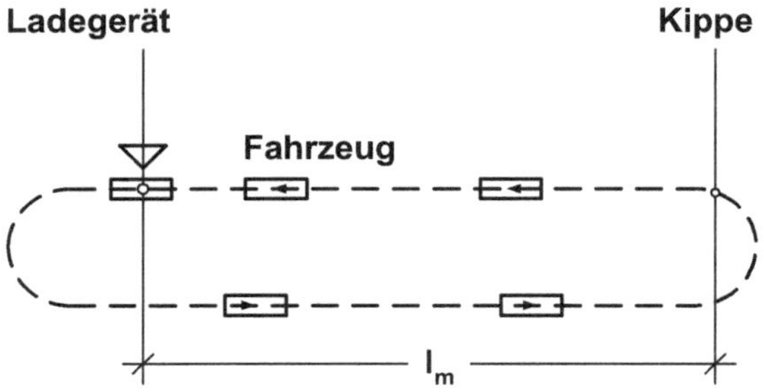


**Bild 4-1: Idealfall einer Transportkette – Kreisverkehr [5]**

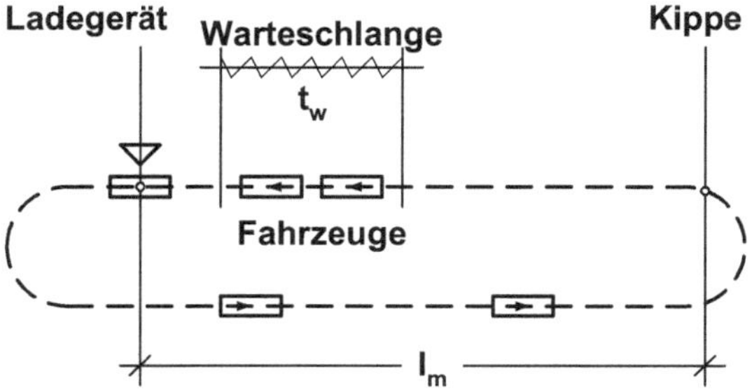


**Bild 4-2: Realfall instationärer Zustand mit Warteschlange – Kreisverkehr [5]**

Fall 2: $t_{wz} > t_s$, Rückstossverkehr

$$t_{L,N} = \frac{(m-1) \times t_S}{60} \times \frac{1}{\eta^L_{Total}} \quad [min]$$

$$t_{f,N} = \left(\frac{m \times t_S - t_S}{60}\right) \times \frac{1}{\eta^L_{Total}} + t_{WZ} \quad [min]$$

$$\Delta t_N = \frac{-t_S}{60} \times \frac{1}{\eta^L_{Total}} + t_{WZ} \quad [min]$$

Daraus folgt

$$t_{f,N} = \frac{m \times t_S}{60} \times \frac{1}{\eta^L_{Total}} + \Delta t \quad [min]$$

$\Delta t = 0.5 - 1$ min

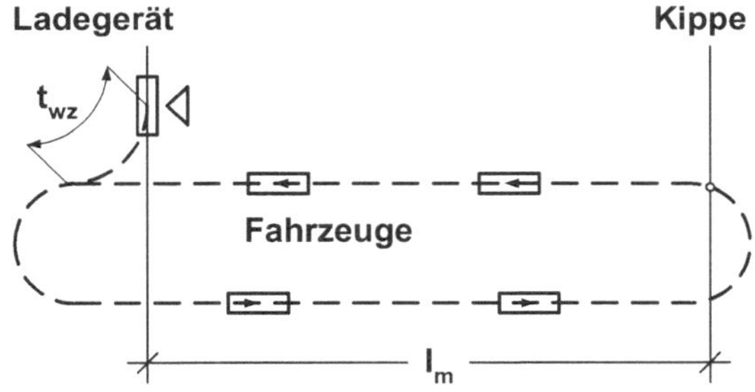


**Bild 4-3: Idealfall einer Transportkette – Rückstossverkehr**

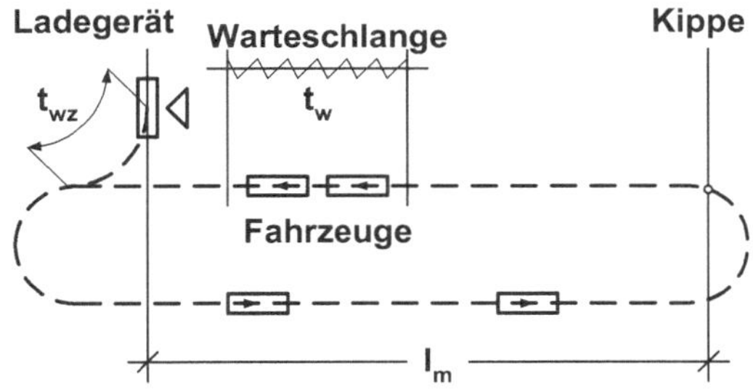


**Bild 4-4: Realfall instationärer Zustand mit Warteschlange – Rückstossverkehr**

**Zusammengefasst** gilt (alle Zeiten vereinheitlicht, z.B. auf Minuten):

$$t_{f,N} = \left\{ t_{f,N} \middle| \begin{array}{ll} t_{f,N} = \dfrac{m \times t_S}{60} \times \dfrac{1}{\eta^L_{Total}} & \Rightarrow t_{WZ} \leq \dfrac{t_S}{60} \times \dfrac{1}{\eta^L_{Total}} \\ \vee & \\ t_{f,N} = \dfrac{m \times t_S}{60} \times \dfrac{1}{\eta^L_{Total}} + \Delta t & \Rightarrow t_{WZ} > \dfrac{t_S}{60} \times \dfrac{1}{\eta^L_{Total}} \end{array} \right\} \quad \text{[min]}$$

Damit eine optimale Abstimmung und Auslastung zwischen Lade- und Transportfahrzeug erreicht wird, sollte die Fahrzeugwechselzeit

$$t_{WZ} \leq t_S/60 \times \frac{1}{\eta^L_{Total}}$$

sein. Die Wartezeit $t_W$ sollte möglichst gegen null gehen, ist aber praktisch nicht vermeidbar. Die Wartezeit geht in die Umlaufzeit der einzelnen Fahrzeuge ein.

**Umlaufzeit $t_{U,N}$ [min]**

$$t_{U,N} = \frac{t_L}{\eta^L_{Total}} + \left(t_W + t_{WZ} + \frac{60}{1000} \times \sum_i \left(\frac{l_i}{v_{voll_i}} + \frac{l_i}{v_{leer_i}}\right) + t_E\right) \frac{1}{\eta^T_{Total}} \quad \text{[min]}$$

Wird $(t_W) = 0$, so gilt:

$$t_{U,N} = \frac{t_f}{\eta^L_{Total}} + \left(\frac{60}{1000} \times \sum_i \left(\frac{l_i}{v_{voll_i}} + \frac{l_i}{v_{leer_i}}\right) + t_E\right) \frac{1}{\eta^T_{Total}} \quad \text{[min]}$$

| | | | |
|---|---|---|---|
| $t_{U,N}$ | Umlaufzeit des Fahrzeugs | (Langzeitleistung) | [min] |
| $t_f$ | Wagenfolgezeit | (theoretisch) | [min] |
| $v_{ji}$ | Geschwindigkeit mit j = { j \| j = voll; j = leer} im Streckenabschnitt i | | [km/h] |
| $l_i$ | Streckenabschnitt i | | [m] |
| $t_E$ | Entladezeit | (theoretisch) | [min] |

**Mindestanzahl der Transportfahrzeuge n [-] pro Ladegerät**

Für die Berechnung der Mindestanzahl der Transportfahrzeuge pro Ladegerät bieten sich zwei Berechnungsmethoden an. Methode 1 setzt die effektiven Leistungen ins Verhältnis, Methode 2 setzt die Umlaufzeit zur Wagenfolgezeit ins Verhältnis.

Methode 1: Mindestanzahl Transportgeräte für Langzeitleistung:

$$n = \frac{Q_{L,N}}{Q_{T,N}} \qquad [-]$$

| | | | |
|---|---|---|---|
| $n$ | Anzahl der erforderlichen Transportgeräte | | [-] |
| $Q_{L,N}$ | Nutzleistung Ladegerät | (Langzeitleistung) | [fm³/h] |
| $Q_{T,N}$ | Nutzleistung Transportgerät | (Langzeitleistung) | [fm³/h] |
| $L$ | Ladegerät | | [-] |
| $T$ | Transportgerät | | [-] |

Methode 2: Mindestanzahl Transportgeräte für Langzeitleistung:

Anzahl der Ladeschaufeln pro Transportgerät:

$$m = \frac{V^T_{FSAE,2} \times \varphi_{T,2}}{V^L_{SAE} \times \varphi_L} \vee \frac{V^T_{FSAE,1} \times \varphi_{T,1}}{V^L_{SAE} \times \varphi_L} \qquad [-]$$

| | | |
|---|---|---|
| $m$ | Anzahl der Ladeschaufeln pro Transportgerät | [-] |
| $\varphi_{T,1}$ | Füllfaktor Strasse | [-] |
| $\varphi_{T,2}$ | Füllfaktor Baustelle | [-] |

Reale durchschnittliche Fahrzeugfolgezeit bzw. Ladezeit pro Transportgerät (Langzeitleistung):

$$t_{f,N} = \left\{ t_{f,N} \left| \begin{array}{l} t_{f,N} = \dfrac{t_f}{\eta^L_{Total}} = m \times t_{S,N} = m \times \dfrac{t_S}{\eta^L_{Total}} = m \times \dfrac{t_S}{(k_2 \times k_3 \times \eta_G)_L} \\ \vee \\ t_{f,N} = m \times \dfrac{t_S}{\eta^L_{Total}} + \dfrac{\Delta t}{\eta^T_{Total}} = m \times \dfrac{t_S}{(k_2 \times k_3 \times \eta_G)_L} + \dfrac{\Delta t}{(k_2 \times k_3 \times \eta_G)_T} \end{array} \right. \right\}$$

[min]

# LKW, SKW, Dumper

Reale durchschnittliche Umlaufzeit (Langzeitleistung):

$$t_{U,N} = \frac{t_f}{\eta^L_{Total}} + (t_{FV} + t_E + t_{FL} + t_{WZ})\frac{1}{\eta^T_{Total}} \qquad [\text{min}]$$

| | | |
|---|---|---|
| $\eta^L_{Total}$ | Totaler Leistungsreduktionskoeffizient Ladegerät | [-] |
| $\eta^T_{Total}$ | Totaler Leistungsreduktionskoeffizient Transportgerät | [-] |
| $k_{2,L}$ | Leistungseinflussfaktor Ladegerät | [-] |
| $k_{3,L}$ | Betriebsbeiwert Ladegerät | [-] |
| $\eta_{G,L}$ | Geräteausnutzungsgrad Ladegerät | [-] |
| $k_{2,T}$ | Leistungseinflussfaktor Transportgerät | [-] |
| $k_{3,T}$ | Betriebsbeiwert Transportgerät | [-] |
| $\eta_{G,T}$ | Geräteausnutzungsgrad Transportgerät | [-] |
| L | Ladegerät | [-] |
| T | Transportgerät | [-] |

Mindestanzahl Transportgeräte pro Ladegerät (Langzeitdurchschnitt):

$$n = \frac{t_{U,N}}{t_{f,N}} = 1 + \frac{\eta^L_{Total}(t_{FV} + t_E + t_{FL} + t_{WZ})}{\eta^T_{Total} \times t_f} \qquad [-]$$

| | | | |
|---|---|---|---|
| n | Anzahl Fahrzeuge pro Ladegerät | | [-] |
| $t_{U,N}$ | Umlaufzeit des Fahrzeugs | (Langzeitleistung) | [min] |
| $t_{f,N}$ | Wagenfolgezeit | (Langzeitleistung) | [min] |
| $t_f$ | Wagenfolgezeit | (theoretisch) | [min] |
| $t_{Fv}$ | Fahrzeit voll | | [min] |
| $t_E$ | Entladezeit | | [min] |
| $t_{Fl}$ | Fahrzeit leer | | [min] |
| $t_{WZ}$ | Wagenwechselzeit | | [min] |

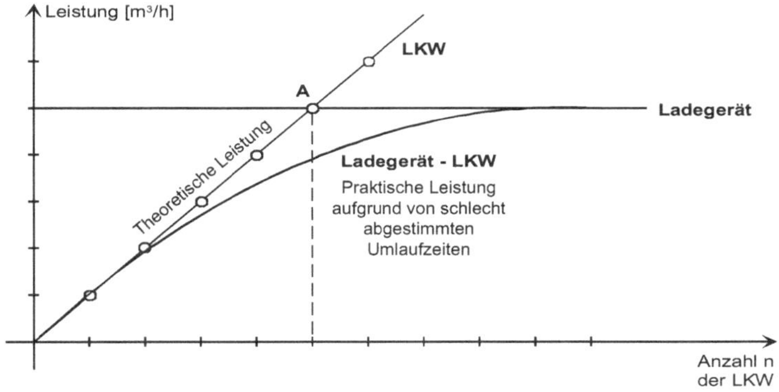


**Bild 4-5: Leistung beim Ladegerät – LKW-System [30]**

**Planierraupen-Gesamtleistung** $\sum_i Q_{P,N,i}$ **[lm³/h]** zur Einebnung des Materials auf Einbaustrecke oder Kippe:

$$\sum_i Q_{P,N,i} \geq \frac{Q_{T,N}}{\alpha} \times n \times n_L \qquad [lm^3/h]$$

| | | | |
|---|---|---|---|
| $Q_{P,N}$ | Nutzleistung Planiergerät | (Langzeitleistung) | [lm³/h] |
| i | Anzahl Planiergeräte | | [-] |
| $Q_{T,N}$ | Nutzleistung Transportgerät | (Langzeitleistung) | [fm³/h] |
| $\alpha$ | Lösefaktor | | [fm³/lm³] |
| n | Anzahl Transportgeräte pro Ladegerät | | [-] |
| $n_L$ | Anzahl Ladegeräte | | [-] |

**Anzahl der Planierraupen** $n_{Planierraupen}$ **[-]**

$$n_{Planierraupen} \geq \frac{Q_{T,N}}{\alpha \times Q_{P,N}} \times n \times n_L \qquad [-]$$

| | | |
|---|---|---|
| $n_{Planierraupen}$ | Anzahl der Planierraupen | [-] |

## Die Prozesskettenleistung von Ladegerät-Transportgerät-Planierraupen-Betrieb:

$$Q_{Proz,N} = \left\{ \begin{array}{l} Q_{Proz,N} \middle| Q_{Proz,N} = Q_{L,N} \times n_L \geq Q_{erf,N} \\ \wedge\, Q_{Proz,N} \leq Q_{T,N} \times n \times n_L \\ \wedge\, Q_{Proz,N} \leq \sum Q_{P,N,i} \times \alpha \end{array} \right\} \qquad [fm^3/h]$$

$$Q_{erf,N} \leq Q_{Proz,N} = Q_{L,N} \times n_L \leq Q_{T,N} \times n \times n_L \leq \Sigma Q_{P,N,i} \times \alpha$$

$$Q_{L,N} \leq Q_{T,N} \times n$$

| | | | |
|---|---|---|---|
| $Q_{L,N}$ | Nutzleistung Ladegerät | (Langzeitleistung) | [$fm^3/h$] |
| $Q_{erf,N}$ | Erforderliche Nutzleistung | | [$fm^3/h$] |
| $Q_{Proz,N}$ | Nutzleistung Prozesskette | (Langzeitleistung) | [$fm^3/h$] |
| $Q_{T,N}$ | Nutzleistung Transportgerät | (Langzeitleistung) | [$fm^3/h$] |
| $Q_{P,N}$ | Nutzleistung Planiergerät | (Langzeitleistung) | [$lm^3/h$] |
| $n$ | Anzahl Transportgeräte pro Ladegerät | | [-] |
| $n_L$ | Anzahl Ladegeräte | | [-] |

Leitgerät $\equiv$ Ladegerät $\equiv Q_{min} = Q_{L,N}$

## Überschlägige Ermittlung der Antriebsleistung der Transportgeräte

### Fahrbedingung für motorgetriebene Transportfahrzeuge

### Übertragbare Zugkraft $Z_R$ [kN] [3]

| | |
|---|---|
| $Z_R \leq \mu \times G_R$ | [kN] |

| | | |
|---|---|---|
| $Z_R$ | übertragbare Zugkraft | [kN] |
| $\mu$ | Bodenkraftschlussbeiwert | [-] |
| $G_R$ | Reibungsgewichtkraft auf Antriebsachse<br>$G_R = 9.81 \times m_{L+EG\ Antriebsachse}$ | [kN] |
| $m_{L+EG\ Antriebsachse}$ | Last (L) und Eigenmasse (EG) auf der Antriebsachse | [t] |

### Motorzugkraft $Z_M$ [kN] [3]

| | |
|---|---|
| $Z_M = P_M / c = P_M \times 3.6 / v$ | [kN] |

| | | |
|---|---|---|
| $Z_M$ | Motorzugkraft | [kN] |
| $P_M$ | Leistung des Motors | [kW] |
| v | Geschwindigkeit | [km/h] |
| c | Geschwindigkeit | [m/s] |

Umrechnungsfaktoren:

1 kW = 100 kpm/s
1 kp = 1/100 kN
km/h = 1/3.6 m/s

### Hakenzugkraft $Z_H$ [kN] [3]

| | |
|---|---|
| $Z_H = Z_M \times \eta_{ges}$ | [kN] |
| $Z_H \approx P_M \times 3.6 / v \times \eta_{ges}$ | [kN] |

| | | |
|---|---|---|
| $Z_H$ | Hakenzugkraft bzw. effektive Zugkraft zwischen Rad und Fahrbahn | [kN] |
| $\eta_{ges}$ | mechanischer Nutzungsgrad ≈ 0.85 | [-] |

### Fahrwiderstände $W_i$ [kN] [3]

### Gesamtwiderstand W [kN]

$$W = W_R + W_S \quad \text{[kN]}$$

| | | |
|---|---|---|
| $W$ | Gesamtwiderstand (äusserer) | [kN] |
| $W_R$ | Bahn-/Reibungswiderstand | [kN] |
| $W_S$ | Steigungswiderstand | [kN] |

### Bahnwiderstand $W_R$ [kN]

$$W_R = w_r \times m_T \times g \quad \text{[kN]}$$

| | | |
|---|---|---|
| $w_r$ | Rollwiderstandsbeiwert | [-] |
| $m_T$ | Gesamtmasse des Fahrzeugs ($m = m_L + m_{EG}$) | [t] |
| $g$ | Erdbeschleunigung: 9.81 | [m/s$^2$] |

### Steigungswiderstand $W_S$ [kN]

$$W_S = w_s \times m_T \times g \quad \text{[kN]}$$

| | | |
|---|---|---|
| $w_s$ | % Steigung | [-] |
| | für 1.0 % Steigung: $W_S \approx 0.01 \times m \times g$ | [kN] |

(Schürfwiderstände bei Schürffahrzeugen sind gesondert zu berücksichtigen.)

### Berechnung der Anzugskraft

Die Anzugskraft des Transportgeräts muss das Fahrzeug von der Geschwindigkeit null auf die Geschwindigkeit v innerhalb der Strecke s beschleunigen. Die Anzugskraft muss zu den Widerstandskräften addiert werden, damit das Transportfahrzeug auch auf der Steigung anfahren kann.

# LKW, SKW, Dumper

## End- bzw. Streckengeschwindigkeit v [m/s]

$$v = a \times t$$

$$v = \sqrt{2 \times a \times l_a} \qquad [m/s]$$

## Erforderliche Beschleunigung a [m/s²]

$$a = \frac{v^2}{2 \times l_a} \qquad [m/s^2]$$

## Anzugskraft zur Beschleunigung des Transportfahrzeugs $Z_A$ [kN]

$$Z_A \geq (m_L + m_{EG}) \times a \qquad [kN]$$

$$Z_A \geq (m_L + m_{EG}) \times \frac{v^2}{2 \times l_a} \qquad [kN]$$

| | | |
|---|---|---|
| $Z_A$ | Anzugskraft zur Beschleunigung des Transportfahrzeugs | [kN] |
| $m_L$ | Lademasse | [t] |
| $m_{EG}$ | Eigenmasse des Fahrzeugs | [t] |
| v | Streckengeschwindigkeit | [m/s] |
| $l_a$ | Beschleunigungsstrecke | [m] |
| a | Beschleunigung | [m/s²] |
| t | Beschleunigungszeit bis zur Geschwindigkeit v | [s] |

## Erforderliche Zugkraft $Z_{erf}$ [kN]

$$Z_{erf} = W + Z_A \qquad [kN]$$

## Fahrbedingungen

$$Z_R \geq Z_H \geq Z_{erf} \qquad [kN]$$

$$Z_H = Z_M \times \eta_{ges} \geq Z_{erf} = W + Z_A \qquad [kN]$$

Fahrzeugwahl ($P_M$; $m^{LKW}_{L+EG\ Antriebsachse}$; $m^{LKW}_{EG}$; $m^{LKW}_{L}$ )

**Daraus lässt sich folgern:**

**Erforderliche Motorleistung $P_M$ [kW]**

$P_{M,\,erf} = (W + Z_A) \times v / \eta_{ges}$ [kW]

mit v in [m/s],

ferner gilt 1 m/s = 3.6 km/h und $1\ \frac{kN \times m}{s} = 1\ kW$

**Erforderliche Gewichtskraft $G_R$ [kN] auf die Antriebsachse (einschliesslich Ladung)**

$G_R \geq Z_{erf} / \mu$ [kN]

**Technisch mögliche/tatsächlich erreichbare Geschwindigkeit v [km/h]**

$v_{mögl} = P_M \times \eta_{ges} \times 3.6 / (G \times (w_r + w_s))$ [km/h]

$v_{tat} = \kappa_1 \times v_{mögl}$ [km/h]

| | | |
|---|---|---|
| $\kappa_1$ | Geschwindigkeitsbeiwert [6], [7] | [-] |
| G | Gesamtgewicht des Fahrzeuges | [kN] |

**Fahrbedingungsbeiwerte**

**Tabelle 4-3: Bodenkraftschlussbeiwert $\mu$ [3]**

| Bodenart: | Bodenkraftschlussbeiwert $\mu$ [-] Luftreifen |
|---|---|
| Feld, trockener Boden | 0.90 |
| trockener Asphalt, festgewalzter Schotter | 0.80 |
| trockener Lehm und Ton, sonstiger Boden | 0.70 |
| feuchter Lehm und Ton, loser Boden | 0.50 |
| feuchter Asphalt, loser Feinsand | 0.40 |
| lockerer Grobkies | 0.30 |

**Tabelle 4-4: Geschwindigkeitsbeiwert $\kappa_1$ [-] [3]**

| Länge der einfachen Fahrstrecke l [m] | Geschwindigkeitsbeiwert $\kappa_1$ [-] |
|---|---|
| 150 | 0.50 |
| 300 | 0.60 |
| 600 | 0.70 |
| 900 | 0.75 |
| 1200 | 0.85 |
| >1200 | 0.90 |

**Tabelle 4-5: Rollwiderstandsbeiwert $w_r$ [-] [3]**

| Bodenart: | Rollwiderstandsbeiwert $w_r$ [-] Luftreifen |
|---|---|
| rauher, trockener Boden | 0.020 |
| unbefestigte, durchfeuchtete Wege | 0.075 |
| halbfeste Erdwege | 0.050 |
| loser Sand und Kies | 0.100 |
| schlammige Fahrbahn, frisch aufgeschüttetes Gelände | 0.100 |

## 4.2 Gleisförderung

Die Berechnung der Gleisförderung [2], [14], [31] teilt sich in neun Abschnitte auf:

1. Transportabschnitte
2. Transportleistung des Zugs
3. Fahrwiderstände
4. Lokberechnung
5. Zugkraftkontrolle
6. Ermittlung der Bremsneigung
7. Ermittlung der Bremsausrüstung
8. Fahrzeitberechnung
9. Gleis

### 1. Transportabschnitte

Die gesamte Transportstrecke wird in Abschnitte gleicher Fahrbedingungen unterteilt:

| | | |
|---|---|---|
| – Beladestelle | $l_B$ | [m] |
| – Teilstrecken i bei vollem Transportfahrzeug | $l_{iv}$ | [m] |
| – Entladestelle | $l_E$ | [m] |
| – Teilstrecken i bei leerem Transportfahrzeug | $l_{il}$ | [m] |

Bei einspurigem Betrieb sollten entsprechend den Zugfolgen und der Zugdichte Ausweichstellen vorgesehen werden.

### 2. Transportleistung des Zugs [14]

**Wahl der Spurweite:**

**Tabelle 4-6: Auswahlkriterien der Spurweite [14]**

| | | Schmalspur | | Normalspur |
|---|---|---|---|---|
| | | leicht | schwer | |
| | | 600 mm | 900 mm | 1435 mm |
| Wageninhalt | [$m^3$] | 0.75 – 2.00 | 2.00 – 5.00 | 15 – 100 |
| Motorleistung der Lok | [PS] | 40 – 90 | 90 – 250 | 100 – 2000 |
| Fahrgeschwindigkeit | [km/h] | 0 – 20 | 0 – 30 | 0 – 60 |

# Gleisförderung

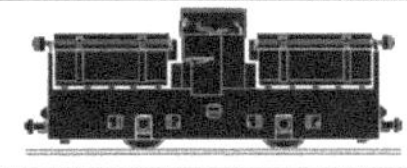

## Wagengrösse [14]

Massgebend dafür ist im Wesentlichen der Beladevorgang:

- chargenweises Laden mit Löffel oder Schaufel
- optimal wäre $\frac{\text{Ladegefässvolumen}}{\text{Wageninhalt}} = \frac{V_{SAE}}{V_{W100}} = \frac{1}{4}$ bis $\frac{1}{6}$
- kontinuierliches Beladen des ganzen Zugs, wobei auf verdeckte Wagenübergänge und langsames Nachrücken des Zugs zu achten ist

## Wagenzahl des Zugs

Ausgangslage
- gewünschte Nutzförderleistung $Q_N$ [fm$^3$/h]
- Volumen eines Hubs der TBM $V_{Hub}$ [fm$^3$]

Ermittlung der **Nutzladung eines Wagens $V_W$ [fm$^3$]**

$$V_W = V_{W100} \times \alpha \times \varphi \qquad [\text{fm}^3]$$

| | | |
|---|---|---|
| $V_W$ | Nutzladung eines Wagens | [fm$^3$] |
| $V_{W100}$ | Nenninhalt des Wagens | [m$^3$] |
| $\alpha$ | Lösefaktor | [fm$^3$/lm$^3$] |
| $\varphi$ | Füllfaktor | [-] |

## Nutzladung des gesamten Zugs $V_{Zug}$ [fm$^3$]

$$V_{Zug} = n \times V_W \qquad [\text{fm}^3]$$

| | | |
|---|---|---|
| $V_{Zug}$ | Nutzladung des gesamten Zugs | [fm$^3$] |
| n | Anzahl der Wagen | [-] |
| $V_W$ | Nutzladung eines Wagens | [fm$^3$] |

Beispiel:
Die gesamte Nutzladung des Zugs sollte das Ausbruchmaterial eines ganzen TBM-Hubs aufnehmen können:

$$V_{Hub} = V_{Zug} \qquad [\text{fm}^3]$$

### Wagenmasse des gesamten Zugs $m_W$ [t]

Enthält die Förderstrecke Neigungen, so sollten zumindest der erste und der letzte Wagen mit einer Bremseinrichtung ausgerüstet sein. Dies wirkt sich auf die Masse des Gesamtzugs aus.

$$m_W = (n-2) \times m'_W + 2 \times m'_{Wb} + n \times V_{W100} \times \varphi \times \rho_S \qquad [t]$$

| | | |
|---|---|---|
| $m_W$ | Gesamtwagenmasse des Zugs | [t] |
| $n$ | Anzahl der Wagen | [-] |
| $m'_W$ | Masse des Wagens ohne Bremse | [t] |
| $m'_{Wb}$ | Masse des Wagens mit Bremse | [t] |
| $V_{W100}$ | Nenninhalt eines Wagens | [$m^3$] |
| $\varphi$ | Füllfaktor | [-] |
| $\rho_S$ | Schüttdichte | [$t/m^3$] |

## 3. Fahrwiderstände [14]

$$w_m = w_r + w_k \pm w_s \qquad [-]$$

| | | |
|---|---|---|
| $w_m$ | Gesamtfahrwiderstandsbeiwert | [-] |
| $w_r$ | Rollwiderstandsbeiwert | [-] |
| $w_k$ | Kurvenwiderstandsbeiwert | [-] |
| $w_s$ | Steigwiderstandsbeiwert | [-] |

### Steigwiderstandsbeiwert $w_s$ [-]

Die vorhandene Steigung [%] entspricht dem Steigwiderstandsbeiwert $w_s$ [-], z.B. 3 % Steigung entsprechen $w_s = 0.03$.

### Gesamtfahrwiderstand der Wagen $W_{m(W)}$ [kN]

| | |
|---|---|
| $W_{m(W)} = w_{m(W)} \times m_W \times g$ | [kN] |
| $w_{m(W)} = w_{r(W)} + w_{k(W)} + w_s$ | [-] |

| | | |
|---|---|---|
| $W_{m(W)}$ | Gesamtfahrwiderstand der Wagen | [kN] |
| $w_{m(W)}$ | Gesamtfahrwiderstandsbeiwert | [-] |
| $w_{r(W)}$ | Rollwiderstandsbeiwert der Wagen | [-] |
| $w_{k(W)}$ | Kurvenwiderstandsbeiwert der Wagen | [-] |
| $m_W$ | Gesamtwagenmasse des Zugs | [t] |
| $g$ | Erdbeschleunigung: 9.81 | [m/s²] |

Die Widerstandsbeiwerte beinhalten die gesamten Bewegungswiderstände des Rad-Schiene-Systems (Reibung Rad-Schiene und Rad-Achse).

## 4. Lokberechnung [14]

### Erforderliche Reibungszugkraft der Lok $Z_{RL}$ [kN]

$$Z_{RL} \geq W_{m(W)} + W_{m(L)} \quad \text{[kN]}$$

| | | |
|---|---|---|
| $Z_{RL}$ | erforderliche Reibungszugkraft der Lok | [kN] |
| $W_{m(W)}$ | Gesamtfahrwiderstand der Wagen | [kN] |
| $W_{m(L)}$ | Fahrwiderstand der Lok | [kN] |

Um jedoch den Fahrwiderstand der Lok ermitteln zu können, wird das Lokgewicht benötigt; deshalb wird in die Rechnung eingesetzt:

$$W_{m(W)} \approx W_{m(L)} \quad \text{[kN]}$$

$$Z_{RL} \geq 2 \times W_{m(L)}$$

Damit lässt sich die erforderliche **Reibungsgewichtskraft der Lok $G_{RL}$ [kN]** ermitteln:

$$G_{RL} \geq \frac{Z_{RL}}{\mu} \geq \frac{2 \times W_{m(L)}}{\mu} \quad \text{[kN]}$$

| | | |
|---|---|---|
| $G_{RL}$ | Reibungsgewichtskraft der Lok auf den Antriebsrädern | [kN] |
| $\mu$ | Kraftschlussbeiwert Rad-Schiene | [-] |

**Übertragbare Zugkraft der Lok auf die Schienen:**

$$Z_{RL} = G_{RL} \times \mu = m_L \times g \times \mu \qquad [kN]$$

$m_L$ Masse der Lok (alle Räder = Antriebsräder) [t]

**Fahrwiderstand der Lok $W_{m(L)}$ [kN]**

$$W_{m(L)} = G_{RL} \times w_{m(L)} = G_{RL} \times (w_{r(L)} + w_{k(L)} + w_s) \qquad [kN]$$

| | | |
|---|---|---|
| $W_{m(L)}$ | Fahrwiderstand der Lok | [kN] |
| $w_{m(L)}$ | Gesamtfahrwiderstandsbeiwert der Lok | [-] |
| $w_{r(L)}$ | Rollwiderstandsbeiwert der Lok | [-] |
| $w_{k(L)}$ | Kurvenwiderstandsbeiwert der Lok | [-] |
| $G_{RL}$ | Reibungsgewichtskraft der Lok auf den Antriebsrädern | [kN] |

Die Widerstandsbeiwerte beinhalten die gesamten Bewegungswiderstände des Rad-Schiene-Systems (Reibung Rad-Schiene und Rad-Achse). Die entsprechenden Widerstandsbeiwerte müssen bei den Rollmaterialherstellern angefragt werden.

Kraftschlussbeiwert Rad-Schiene $\mu$ [-]

- nass 0.050 – 0.100
- trocken 0.100 – 0.150
- Sand gestreut 0.200 – 0.250

Danach kann ein zweckmässiger Loktyp gewählt werden:

- Motorleistung $P_{mo}$ [PS bzw. kW]
- Lokgewichtskraft/Lokmasse $G_L$ [kN] / $m_L$ [t]
- Reibungsgewichtskraft $G_{RL}$ [kN]
- Maschinenzugkraft $Z_M$ [kN]

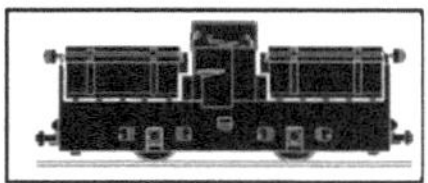

## 5. Zugkraftkontrolle

Ermittlung des **Fahrwiderstands der Lok $W_{m(L)}$ [kN]** [14]

| | |
|---|---|
| $W_{m(L)} = w_{m(L)} \times m_L \times g$ | [kN] |
| mit $m_L \times g \geq G_{RL}$ | [kN] |

| | | |
|---|---|---|
| $W_{m(L)}$ | Fahrwiderstand der Lok | [kN] |
| $w_{m(L)}$ | Gesamtfahrwiderstandsbeiwert der Lok | [-] |
| $m_L$ | Masse der Lok | [t] |

Das Lokgewicht ist dann grösser als das Reibungsgewicht der Antriebsräder, wenn nicht alle Räder gleichzeitig Antriebsräder sind.

**Gesamtfahrwiderstand des Zugs $W_m$ [kN]** [14]

| | |
|---|---|
| $W_m = W_{m(L)} + W_{m(W)}$ | [kN] |

Somit ist der erforderliche Zugkraftanteil der Lok $Z_R$ zur Überwindung der Reibung:

| | |
|---|---|
| $Z_R \geq W_m$ | [kN] |

**Erforderliche Anzugskraft des Zugs $Z_A$ [kN]**

| | |
|---|---|
| $Z_A \geq \left(m_L + \sum m_{wi}\right) \times a$ | [kN] |
| mit $a = \dfrac{v^2}{2 \times l_a}$ | [m/s²] |

| | | |
|---|---|---|
| $m_L$ | Masse der Lok | [t] |
| $m_{wi}$ | Gesamtmasse des Wagens i (Eigenmasse und Lademasse) | [t] |
| $v$ | Streckengeschwindigkeit | [m/s] |
| $l_a$ | Beschleunigungsstrecke | [m] |
| $a$ | Beschleunigung | [m/s²] |

Näherungsweise kann zur Bestimmung der erforderlichen Anzugskraft $Z_A$ folgende auf Erfahrung beruhende Beziehung verwendet werden [14]:

$$Z_A \leq 0.75 \times Z_{RL} \quad \text{[kN]}$$

Mit dieser Anzugskraft $Z_A$ ist ein kraftschlüssiges Anfahren der Lok auf einer geraden Rampe mit 1 ‰ Steigung noch möglich.

### Erforderliche Gesamtzugkraft der Lok $Z_L$ [kN]

$$Z_L = Z_R + Z_A \qquad \text{[kN]}$$

Achtung: Zur Ermittlung der Gesamtzugkraft der Lok $Z_L$ die obere Grenze der Gesamtwiderstände einsetzen.

### Antriebskraft der Lok $Z_{Antrieb}$ [kN] auf der Schiene

$$Z_{Antrieb} = \frac{P_M \times 3.6}{v} \times \eta_{Ges} \qquad \text{[kN]}$$

| | | |
|---|---|---|
| $Z_{Antrieb}$ | Antriebskraft der Lok, umgesetzt auf die Schiene | [kN] |
| $P_M$ | Motorleistung | [kW] |
| v | Streckengeschwindigkeit | [km/h] |
| $\eta_{Ges}$ | Mechanischer Nutzungsgrad Motor-Schiene ≈ 0.85 | [m/s$^2$] |

Die **erforderliche Masse der Lok $m_L$ [t]** zum Anfahren und zur Überwindung der Reibung ergibt sich aus:

$$m_L \geq \frac{Z_L}{\mu \times g} \qquad \text{[t]}$$

| | | |
|---|---|---|
| $\mu$ | Kraftschlussbeiwert Rad-Schiene | [-] |

Bedingung zur Lokauswahl:

$$Z_{RL} > Z_{Antrieb} > Z_L \qquad \text{[kN]}$$

Lokauswahl mit ($P_M$; $m_L$)

Falls diese Forderungen nicht erfüllt sind, muss

a) eine schwerere Lok
b) eine kleinere Wagenzahl
c) ein grösserer Kurvenradius
d) eine flachere Steigung

gewählt werden.

## 6. Ermittlung der Bremsneigung [14]

Die günstigste Neigung für Talfahrt ergibt sich aus dem Beharrungszustand bei gleichförmiger Bewegung, d.h. wenn

- Zugkraft = 0
- Bremskraft = 0

Allgemein gilt für die günstigste Neigung, die so genannte Bremsneigung:

$$i_{br} = w_{r(W)} + w_{k(W)} \quad [-]$$

| | | |
|---|---|---|
| $i_{br}$ | Bremsneigung | [-] |
| $w_{r(W)}$ | Rollwiderstandsbeiwert der Wagen *) | [-] |
| $w_{k(W)}$ | Kurvenwiderstandsbeiwert der Wagen *) | [-] |

Diese Bremsneigung ist bei der Trassierung einer Strecke möglichst zu berücksichtigen. Es ist fahrdynamisch am günstigsten, die erforderlichen Gleisrampen mit "Bremsneigung" anzulegen.

*) Achtung: Zur Ermittlung von Bremsneigung und Bremskraft die untere Grenze der Gesamtwiderstände einsetzen.

## 7. Ermittlung der Bremsausrüstung

### Erforderliche Bremskraft $B_{r-erf}$ [kN] des Zugs

$$B_{r-erf} = B_b + B_i \quad [kN]$$

| | | |
|---|---|---|
| $B_b$ | Verzögerungskraft, um den Zug von der Fahrgeschwindigkeit v innerhalb der Strecke $l_b$ in der Horizontalen zu stoppen | [kN] |
| $B_i$ | überschüssige Gefällekraft | [kN] |

# Gleisförderung

$$B_b = (m_L + m_W) \times b = (m_L + m_W) \times \frac{v^2}{2 \times l_b} \qquad [kN]$$

$$B_i = g \times (m_L \times (i - w_{r,L}) + m_W \times (i - w_{r,W})) \qquad [kN]$$

| | | |
|---|---|---|
| $m_L$ | Masse der Lok | [t] |
| $m_W$ | Gesamtwagenmasse des Zugs | [t] |
| $i$ | maximales Gefälle | [-] |
| $w_{r,L}$ | Rollwiderstandsbeiwert der Lok (beim Bremsen untere Grenze) | [-] |
| $w_{r,W}$ | Rollwiderstandsbeiwert der Wagen (beim Bremsen untere Grenze) | [-] |
| $b$ | Bremsverzögerung | [m/s²] |
| $v$ | Fahrgeschwindigkeit | [m/s] |
| $l_b$ | Bremsstrecke | [m] |
| $g$ | Erdbeschleunigung: 9.81 | [m/s²] |

**Mögliche Bremskraft $B_{r-möglich}$ [kN] des Zugs**

$$B_{r-möglich} = g \times (m_L + r \times m_{wtb}) \times \mu \qquad [kN]$$

| | | |
|---|---|---|
| $r$ | Anzahl der Wagen mit Bremse | [-] |
| $m_{wtb}$ | Gesamtmasse des Wagens mit Bremse (Eigenmasse und Lademasse) | [t] |
| $\mu$ | Bremskraftschlussbeiwert Rad-Schiene | [-] |

Die **erforderliche Anzahl r [-] von Wagen mit Bremse** ergibt sich aus:

$$B_{r-möglich} \geq B_{r-erf}$$

$$r \geq \frac{1}{g \times m_{wtb}} \left[ \frac{(m_L + m_W)\left(\frac{v^2}{2 \times l_b} + i \times g\right) - (m_L \times w_{r,L} + m_W \times w_{r,W})g}{\mu} - m_L \times g \right]$$

Gültigkeitsbereich

$$r = \left\{ \begin{array}{l} r \mid r = a; a \in R^+ \wedge n_i < a < n_{i+1} \Rightarrow r = n_{i+1}; \\ \quad a \in R^- \Rightarrow r = 0; a \in N \wedge a = n_i \Rightarrow r = n_i \end{array} \right\}$$

## 8. Fahrzeitberechnung [14]

### Gesamtfahrzeit T [min]

$$T = \frac{L \times 60}{v} + \Delta t_a + \Delta t_b \qquad [\text{min}]$$

| | | |
|---|---|---|
| $T$ | Gesamtfahrzeit | [min] |
| $L$ | Länge der Transportstrecke | [km] |
| $v$ | mittlere Streckengeschwindigkeit | [km/h] |
| $\Delta t_a$ | Anfahrzeitzuschlag | [min] |
| $\Delta t_b$ | Bremszeitzuschlag | [min] |

**mit**

$$\text{Geschwindigkeit } v = \frac{P_M \times \eta_{Ges}}{G_{RL} \times \mu} \times 3.6 \qquad [\text{km/h}]$$

| | | |
|---|---|---|
| $v$ | Fahrgeschwindigkeit | [km/h] |
| $P_M$ | Motorleistung | [kW] |
| $G_{RL}$ | Reibungsgewichtskraft der Lok (alle Räder = Antriebsräder) | [kN] |
| $\mu$ | Kraftschlussbeiwert Rad-Schiene | [-] |

$$\text{Anfahrzeitzuschlag } \Delta t_a = \frac{v}{3.6 \times 60 \times a_a} \qquad [\text{min}]$$

| | | |
|---|---|---|
| $\Delta t_a$ | Anfahrzeitzuschlag | [min] |
| $v$ | Geschwindigkeit, auf die der Zug beschleunigt wird | [km/h] |
| $a_a$ | Anfahrbeschleunigung | [m/s$^2$] |

$$\text{Anfahrbeschleunigung } a_a \approx \frac{Z_{Antrieb} - W_m}{m} \qquad [\text{m/s}^2]$$

| | | |
|---|---|---|
| $Z_{Antrieb}$ | Anfahrzugkraft/Antriebskraft der Lok | [kN] |
| $W_m$ | Gesamtfahrwiderstand | [kN] |
| $m$ | Masse des Zugs | [t] |

$$\text{Bremszeitzuschlag } \Delta t_b = \frac{2 \times l_b}{v} = \frac{v}{3{,}6 \times 60 \times a_b} \qquad [\text{min}]$$

| | | |
|---|---|---|
| $\Delta t_b$ | Bremszeitzuschlag | [min] |
| $l_b$ | Bremsstrecke | [m] |
| $v$ | Geschwindigkeit, bei der der Zug abgebremst wird | [km/h] |
| $a_b$ | Bremsverzögerung | [m/s$^2$] |

## 9. Gleis

### Dimensionierung der Schienen

Zur baubetrieblichen Vordimensionierung der Schienen, bei gewähltem Schwellenabstand, können aufgrund des für die Schienen zugelassenen Achsendrucks und der Spurweite die Schienenprofile gewählt werden.

**Tabelle 4-7: Daten verschiedener Profile [14], [32]**

| Profil nach DIN 5901 | Masse [kg/m] | Spurweite [mm] | Zulässiger Achsdruck in [kN] bei Schwellenabstand [cm] | | | |
|---|---|---|---|---|---|---|
| | | | 60 | 70 | 80 | 100 |
| S 10 | 10.0 | 600 | 42.18 | 36.30 | 31.39 | 25.51 |
| S 14 | 14.0 | 600 – 750 | 63.77 | 54.94 | 48.07 | 38.26 |
| S 20 | 19.8 | 750 – 900 | 115.76 | 99.08 | 86.33 | 69.65 |
| S 33 | 33.47 | 900 – 1435 | – | 228.57 | 200.12 | 159.90 |
| S 41 R 10 | 41.38 | 900 – 1435 | – | 286.45 | 247.21 | 201.11 |
| S 49 | 49.43 | 900 – 1435 | – | 351.20 | 308.03 | 245.25 |

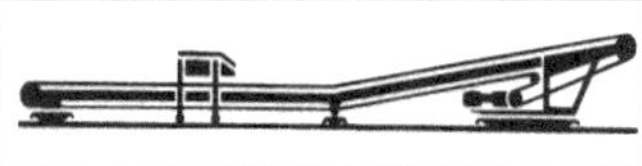

## 4.3 Bandförderung

### Nutzleistung $Q_N$ [lm³/h]

$$Q_N = A_F \times v \times 3600 \times f_\beta \times f_\varphi \times f_5 \times \eta_G \qquad [lm^3/h]$$

mit $Q_0 = A_F \times v \times 3600 \qquad [lm^3/h]$

$f_2 = f_\beta \times f_\varphi \times f_5 \qquad [-]$

wird

$$Q_N = Q_0 \times f_2 \times \eta_G \qquad [lm^3/h]$$

| | | |
|---|---|---|
| $Q_N$ | Nutzleistung (loses Material) | [lm³/h] |
| $Q_0$ | Grundförderleistung (loses Material) | [lm³/h] |
| $A_F$ | theoretischer Füllquerschnitt des Förderbands | [m²] |
| v | Fördergeschwindigkeit | [m/s] |
| $f_\beta$ | Korrekturfaktor für die Bandneigung | [-] |
| $f_\varphi$ | Korrekturfaktor für die Ungleichförmigkeit der Beschickung (= 0.5 – 1.0, abhängig vom Ladegerät) | [-] |
| $f_5$ | Gerätezustandsfaktor | [-] |
| $\eta_G$ | Geräteausnutzungsfaktor | [-] |

**Tabelle 4-8: Bandsteigungsbereich φ [°] [14]:**

| | Steigung φ [°] |
|---|---|
| Feinkörniges Gut | 25 |
| Grobkörniges Gut | 18 |
| Rolliges Gut | 14 |
| Steilförderband | < 40 |

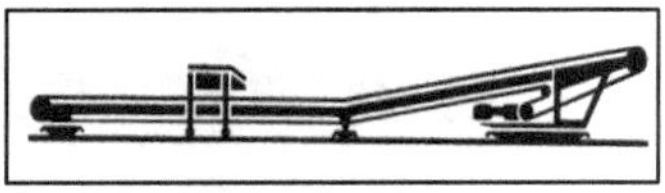

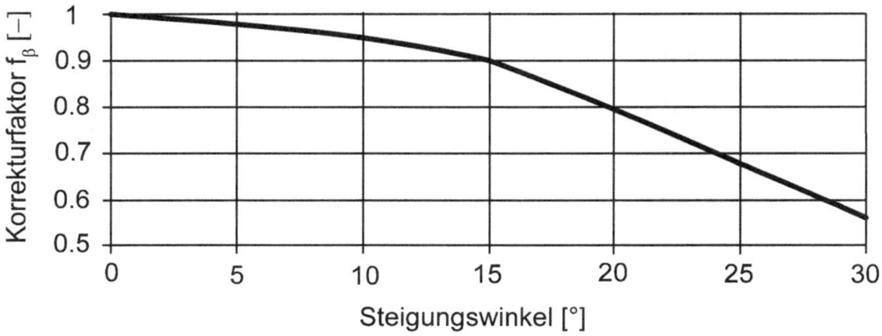


**Bild 4-6: Korrekturfaktor $f_\beta$ – Einfluss des Steigungswinkels auf den Fördergutstrom [14]**

**Tabelle 4-9: Optimale Bandbreite b zur maximalen Korngrösse [14]**

| Bandbreite b [mm] | maximale Korngrössen bei Einzelkomponenten [mm] | maximale Korngrössen bei Gemisch [mm] |
|---|---|---|
| 400 | 100 | 180 |
| 500 | 120 | 200 |
| 650 | 160 | 260 |
| 800 | 200 | 300 |
| 1000 | 250 | 380 |
| 1200 | 300 | 450 |

**Tabelle 4-10: Bandgeschwindigkeit v [14]**

| | v [m/s] |
|---|---|
| Stückgut | 1.0 – 2.0 |
| Schüttgut | 1.5 – 6.0 |
| Staubgut | < 7.0 |
| Spitzengeschwindigkeit für Laden von erdfeuchtem, feinkörnigem Boden | 8.0 – 12.0 |

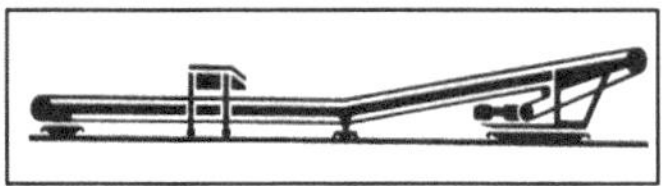

### Tabelle 4-11 Theoretischer Füllquerschnitt $A_F$ des Förderbandes [14], [33]

Theoretische Füllquerschnitte für dreiteilig gemuldete Bänder [$m^2$]

| Bandbreite B [mm] | Schütt-winkel | Muldungswinkel 20° | 25° | 30° | 35° | 45° |
|---|---|---|---|---|---|---|
| 500 | 10° | 0.0167 | 0.0188 | 0.0205 | 0.0220 | 0.0244 |
| | 15° | 0.0200 | 0.0221 | 0.0237 | 0.0250 | 0.0268 |
| | 20° | 0.0238 | 0.0256 | 0.0270 | 0.0282 | 0.0298 |
| 650 | 10° | 0.0300 | 0.0336 | 0.0336 | 0.0394 | 0.0441 |
| | 15° | 0.0360 | 0.0398 | 0.0424 | 0.0447 | 0.0487 |
| | 20° | 0.0425 | 0.0460 | 0.0485 | 0.0505 | 0.0540 |
| 800 | 10° | 0.0470 | 0.0525 | 0.0575 | 0.0620 | 0.0685 |
| | 15° | 0.0570 | 0.0623 | 0.0665 | 0.0700 | 0.0756 |
| | 20° | 0.0665 | 0.0720 | 0.0760 | 0.0790 | 0.0837 |
| 1000 | 10° | 0.0750 | 0.0850 | 0.0925 | 0.0990 | 0.1095 |
| | 15° | 0.0910 | 0.1000 | 0.1070 | 0.1130 | 0.1210 |
| | 20° | 0.1070 | 0.1160 | 0.1220 | 0.1270 | 0.1340 |
| 1200 | 10° | 0.1110 | 0.1240 | 0.1360 | 0.1460 | 0.1620 |
| | 15° | 0.1325 | 0.1470 | 0.1570 | 0.1660 | 0.1780 |
| | 20° | 0.1570 | 0.1700 | 0.1790 | 0.1870 | 0.1970 |
| 1400 | 10° | 0.1530 | 0.1720 | 0.1870 | 0.2010 | 0.2220 |
| | 15° | 0.1840 | 0.2020 | 0.2160 | 0.2280 | 0.2450 |
| | 20° | 0.2170 | 0.2340 | 0.2470 | 0.2580 | 0.2710 |
| 1600 | 10° | 0.2020 | 0.2260 | 0.2470 | 0.2650 | 0.2950 |
| | 15° | 0.2430 | 0.2680 | 0.2860 | 0.3020 | 0.3260 |
| | 20° | 0.2870 | 0.3140 | 0.3260 | 0.3400 | 0.3610 |

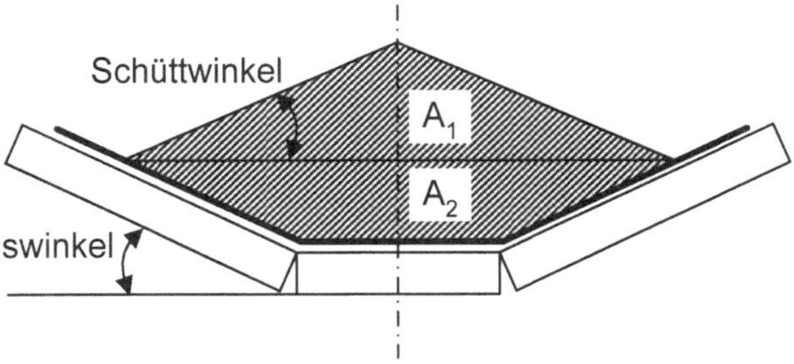


$$A_F = A_1 + A_2$$

# Bandförderung

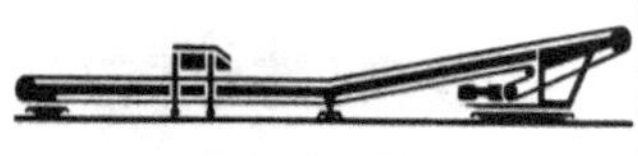

## Antriebsleistung eines Bandes

### Grundförderleistung des Bandes $\overline{Q}_0$ [t/h]

Gesamtkraft des Bandes $F_B$ [kN]

| | |
|---|---|
| $F_B = (F_R + F_V + F_A) \times \gamma$ | [kN] |
| $F_R = [(2 \times m_G + m_L) \times \cos\beta + \overline{m}_R] \times g \times \eta_B \times L$ | [kN] |
| $F_V = \pm(m_L + 2 \times m_G) \times g \times H$ | [kN] |
| $H = L \times \sin\beta$ | [m] |
| $F_A = (2 \times m_G + m_L + \overline{m}_R) \times a_{a/b} \times L$ | [kN] |
| $a_{a/b} = \dfrac{v}{t_{ab}} = \dfrac{v^2}{2 \times l_{a/b}}$ | [m/s²] |
| $\overline{m}_R = \dfrac{m_{Ro}}{l_o} + \dfrac{m_{Ru}}{l_u}$ | [t/m] |
| $\overline{Q}_0 = Q_0 \times \rho_F$ | [t/h] |
| $m_L = \dfrac{\overline{Q}_0}{3600 \times v}$ | [t] |

| | | |
|---|---|---|
| $F_R$ | Reibungskraft des Bandes | [kN] |
| $F_V$ | Steigungs-/Neigungskraft des Bandes | [kN] |
| $F_A$ | Beschleunigungs-/Bremskraft des Bandes | [kN] |
| $m_{Go} = m_G$ | Masse des oberen Bandes | [t/m] |
| $m_{Gu} = m_G$ | Masse des unteren Bandes | [t/m] |
| $\overline{m}_R$ | Masse der Laufrollen | [t/m] |
| $m_L$ | Masse des Förderguts | [t/m] |
| | | |
| $m_{Ro}$ | Masse einer Laufrolle oben | [t] |
| $m_{Ru}$ | Masse einer Laufrolle unten | [t] |
| $l_o$ | Abstand der Laufrollen oben | [m] |
| $l_u$ | Abstand der Laufrollen unten | [m] |
| $\eta_B$ | Bandreibung an Rollen sowie Antriebs- und Umlenktrommel | [-] |
| $\beta$ | Neigung des Bandes | [°] |
| L | Gesamtlänge des Bandes | [m] |
| H | maximale Höhendifferenz des Bandes | [m] |

# Bandförderung

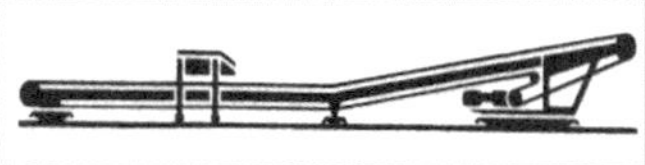

| | | |
|---|---|---|
| $\gamma$ | Sicherheitsfaktor (ca. 30 % ≙ 1.3) | [-] |
| $Q_0$ | Grundförderleistung des Bandes | [lm³/h] |
| $\overline{Q}_0$ | Grundförderlastleistung des Bandes | [t/h] |
| $v$ | Bandgeschwindigkeit | [m/s] |
| $a_{a/b}$ | Beschleunigung bzw. Verzögerung des Bandes | [m/s²] |
| $l_{a/b}$ | Beschleunigungs- bzw. Bremsstrecke des Bandes | [m] |
| $t_{a/b}$ | Beschleunigungs- bzw. Bremszeit | [s] |
| $\rho_F$ | Dichte des losen Fördergutes | [t/lm³] |

Die **Antriebsleistung $P_A$ [kW]** beträgt

$$P_A = F_B \times v \qquad \text{[kW]}$$

**Motorleistung $P_M$ [kW]**

$$P_M = \frac{P_A}{\eta_M} \qquad \text{[kW]}$$

$\eta_M$ Wirkungsgrad 0.8 bis 0.9 [-]

## 4.4 Flüssigkeitsförderung

Bernoullische Gleichung für stationäre Bewegung mit Verlust in Rohrleitungen

| | |
|---|---|
| $\frac{p_1}{\rho \times g} + \frac{v_1^2}{2 \times g} + z_1 = \frac{p_2}{\rho \times g} + \frac{v_2^2}{2 \times g} + z_2 + h_V$ | [m] |
| $v_i = \frac{Q}{3600 \times A_i}$ | [m/s] |
| $Re_j = \frac{v_j \times d_j}{\nu}$ | [-] |
| $\lambda_j = \left[ -2 \times \log \left[ 2.7 \times \frac{(\log Re_j)^{1.2}}{Re_j} + \frac{1}{3.71} \times \frac{k_j}{d_j} \right] \right]^{-2}$ | [-] |
| $h_{V,j} = \lambda_j \times \frac{l_j}{d_j} \times \frac{v_j^2}{2 \times g}$ | [m] |
| $h_{Vö,k} = \zeta_k \times \frac{v_k^2}{2 \times g}$ | [m] |
| $h_V = \left( \sum_j h_{V,j} + \sum_k h_{Vö,k} \right) \times \eta_{visko}$ | [m] |

| | | |
|---|---|---|
| $\frac{p_i}{\rho \times g}$ | Druckhöhe am Punkt i der Rohrleitung | [m] |
| $\frac{v_i^2}{2 \times g}$ | Geschwindigkeitshöhe am Punkt i der Rohrleitung | [m] |
| $p_i$ | Druck am Punkt i in der Rohrleitung | [kPa] |
| g | Erdbeschleunigung | [m/s$^2$] |
| $\rho$ | Rohdichte der Flüssigkeit | [t/m$^3$] |
| $z_i$ | geodätische Höhe des Punktes i der Rohrleitung | [m] |
| $h_V$ | Gesamtverlusthöhe zwischen Punkt 1 und 2 der Rohrleitung | [m] |
| $v_i$ | Fliessgeschwindigkeit im gefüllten Rohrquerschnitt am Punkt i | [m/s] |

# Flüssigkeitsförderung

| | | |
|---|---|---|
| $Q$ | Fördermenge ($Q_{FF}$ bei Feststoff-Flüssigkeitsförderung, $Q_F$ bei Flüssigkeitsförderung) | [$m^3/h$] |
| $A_i$ | Querschnittsfläche des durchflossenen Rohrquerschnitts am Punkt i | [$m^2$] |
| $Re_j$ | Reynoldszahl im Abschnitt j der Rohrleitung | [-] |
| $d_j$ | Durchmesser der Rohrleitung im Abschnitt j | [m] |
| $\nu$ | kinematische Viskosität der Flüssigkeit | [$m^2/s$] |
| $\lambda_j$ | Widerstandsbeiwert im Abschnitt j der Rohrleitung | [-] |
| $k_j$ | Rauhigkeitswert der Rohrleitung im Abschnitt j | [mm] |
| $h_{V,j}$ | Reibungsverlusthöhe im Abschnitt j mit gleicher Beschaffenheit der Rohrleitung | [m] |
| $l_j$ | Länge des Abschnitts j der Rohrleitung | [m] |
| $v_j$ | Fliessgeschwindigkeit im Abschnitt j der Rohrleitung | [m/s] |
| $h_{Vö,k}$ | Verlusthöhe durch örtliche Einbauten an Punkten k der Rohrleitung | [m] |
| $\zeta_k$ | Verlustbeiwert für Einbauten, Querschnittsänderungen an den Punkten k der Rohrleitung | [-] |
| $v_k$ | Fliessgeschwindigkeit direkt hinter den Einbauten an den Punkten k der Rohrleitung | [m/s] |
| $\eta_{visko}$ | Viskositätsfaktor (Wasser: $\eta_{visko}^{W} = 1.0$; Bentonit: $\eta_{visko}^{B} = 1.1$) | [-] |
| i, j, k | Orts- bzw. Abschnittsbezeichnungen entlang der Rohrleitung | [-] |

## Bestimmung des Widerstandbeiwerts $\lambda_j$ über einen bestimmten Rohrabschnitt j

Die Rohrleitung wird in Teile gleicher Beschaffenheit eingeteilt. Zu beachten sind die absolute Rauheit des Rohres $k_j$ sowie der Durchmesser $d_j$. Durch Bestimmung von $Re_j$ und des Verhältnisses $k_j / d_j$ kann $\lambda_j$ für die Rohrleitungsabschnitte j aus Bild 4-7 entnommen werden. Dies geschieht durch das geradlinige Verbinden der Werte $Re_j$ und $k_j / d_j$ im Diagramm. $\lambda_j$ kann als Schnittpunkt der Linie $Re_j$-$k_j / d_j$ mit dem Graphen $\lambda$ abgelesen werden.

**Tabelle 4-12: Kinematische Viskosität $\nu$ [$m^2/s$] von Wasser nach [35]**

| Temperatur [°C] | Kinematische Viskosität $\nu$ [$m^2/s$] |
|---|---|
| 0 | $1.78 \times 10^{-6}$ |
| 10 | $1.30 \times 10^{-6}$ |
| 20 | $1.00 \times 10^{-6}$ |
| 30 | $8.06 \times 10^{-7}$ |
| 40 | $6.57 \times 10^{-7}$ |
| 50 | $5.50 \times 10^{-7}$ |
| 60 | $4.78 \times 10^{-7}$ |
| 100 | $2.94 \times 10^{-7}$ |

**Tabelle 4-13: Rauhigkeitswerte k [mm] für Rohre [36]**

| Rohrwerkstoff | Zustand der Rohrwand | Rauhigkeitswert k [mm] |
|---|---|---|
| gezogenen Rohre aus Kupfer und Messing, Kunststoffen, Glas | technisch glatt | 0.0013 – 0.0015 |
| Gummidruckschlauch | glatt | 0.0016 |
| nahtlose Stahlrohre | neu, Walzhaut | 0.02 – 0.06 |
| | neu, gebeizt | 0.03 – 0.04 |
| | neu, verzinkt | 0.07 – 0.16 |
| längsgeschweisste Stahlrohre | neu, Walzhaut | 0.04 – 0.1 |
| | neu, bituminiert | 0.01 – 0.05 |
| | neu, galvanisiert | 0.008 |
| Stahlrohr nach längerer Benützung | mässig verrostet bzw. leicht verkrustet | 0.15 – 0.2 |
| | stark verkrustet | bis 2.5 |
| gusseiserne Rohre | neu mit Gusshaut | 0.2 – 0.6 |
| | neu bituminiert | 0.1 – 0.13 |
| | leicht angerostet | 0.5 – 1.5 |
| | verkrustet | 1.5 – 4 |

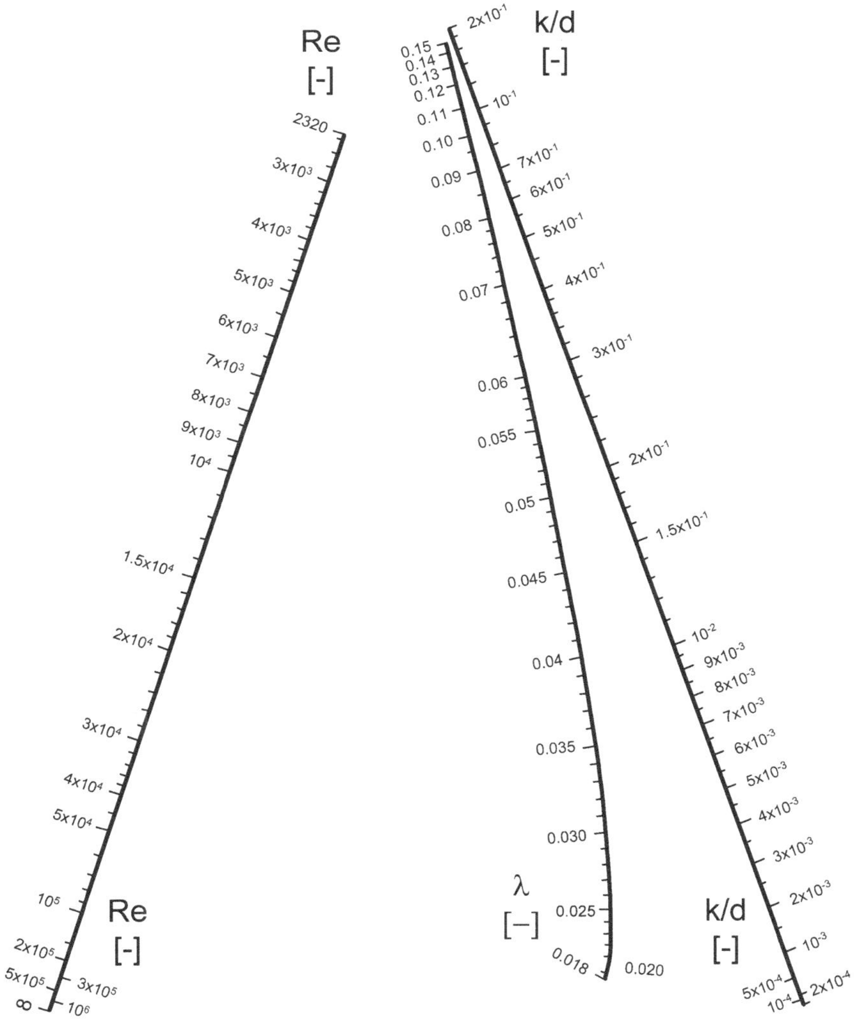


**Bild 4-7: Nomogramm zur Bestimmung des Widerstandsbeiwerts $\lambda_j$ nach [34], [37]**

Nomogramm zur **Bestimmung von $\lambda_j$ [-]** bei bekannter Reynoldszahl Re und bekanntem Verhältnis Rohrrauhigkeit k/Rohrdurchmesser d

## Bestimmen von lokalen Druckverlusten in Rohrleitungen

### Eintrittsverluste $\zeta_E$ [-]

**Tabelle 4-14: Verlustbeiwerte $\zeta_E$ [-] für Einlauf aus offenem Becken in ein Rohr [38]**

| Beschreibung | Verlustbeiwert $\zeta_E$ [-] |
|---|---|
| dünnwandiges Rohr, aus einer senkrechten Wand herausragend | 0.60 – 1.30 |
| nicht erweiterter Einlauf mit rechtwinkligen Kanten | ≈ 0.50 |
| nicht erweiterer Einlauf mit geringer Kantenausrundung | ≈ 0.25 |
| gut ausgebildete Einlauftrompete mit stark ausgerundeten Kanten, ggf. mit günstig geformtem Zwischenpfeiler | 0.06 – 0.10 |

### Verlustbeiwerte $\zeta_{RÄ}$ [-] für Richtungsänderungen

Verlustbeiwerte $\zeta_{KK}$ [-] für glatte Kreiskrümmer

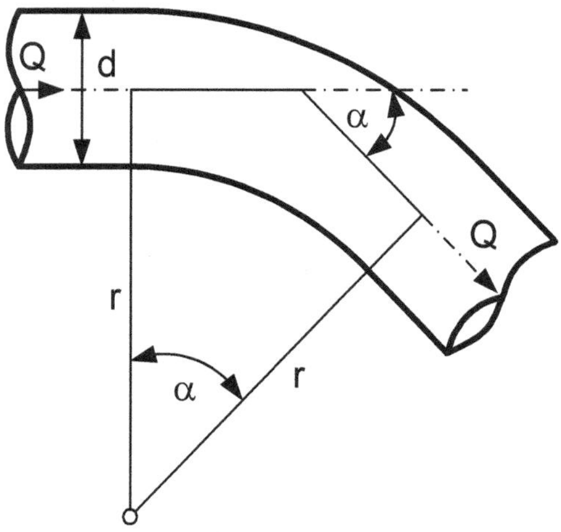


**Bild 4-8: Kreiskrümmer [38]**

**Tabelle 4-15: Verlustbeiwerte $\zeta_{KK}$ [-] für Kreiskrümmer [38]**

| $\zeta_{KK}$ [-] | | Umlenkwinkel $\alpha$ [°] | | | | | |
|---|---|---|---|---|---|---|---|
| | | 15 | 22.5 | 30 | 45 | 60 | 90 |
| r/d | 2 | 0.030 | 0.045 | 0.060 | 0.090 | 0.120 | 0.140 |
| | 3 | 0.030 | 0.045 | 0.055 | 0.080 | 0.100 | 0.130 |
| | 5 | 0.030 | 0.045 | 0.050 | 0.070 | 0.080 | 0.110 |
| | 10 | 0.030 | 0.045 | 0.050 | 0.070 | 0.070 | 0.110 |

Verlustbeiwerte $\zeta_K$ [-] für Kreisrohr-Kniestücke

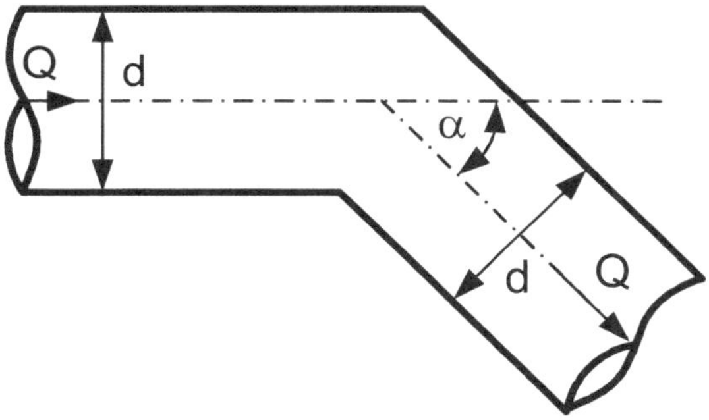


**Bild 4-9: Kreisrohr-Kniestück [38]**

**Tabelle 4-16: Verlustbeiwerte $\zeta_K$ [-] für Kreisrohr-Kniestücke [39]**

| $\zeta_K$ [-] | | Umlenkwinkel $\alpha$ [°] | | | | | | |
|---|---|---|---|---|---|---|---|---|
| | | 10 | 15 | 22.5 | 30 | 45 | 60 | 90 |
| Wandung | glatt | 0.034 | 0.042 | 0.066 | 0.130 | 0.236 | 0.471 | 1.129 |
| | rauh | 0.044 | 0.062 | 0.154 | 0.165 | 0.320 | 0.684 | 1.265 |

## Verlustbeiwerte $\zeta_{QÄ}$ [-] für Querschnittsänderung

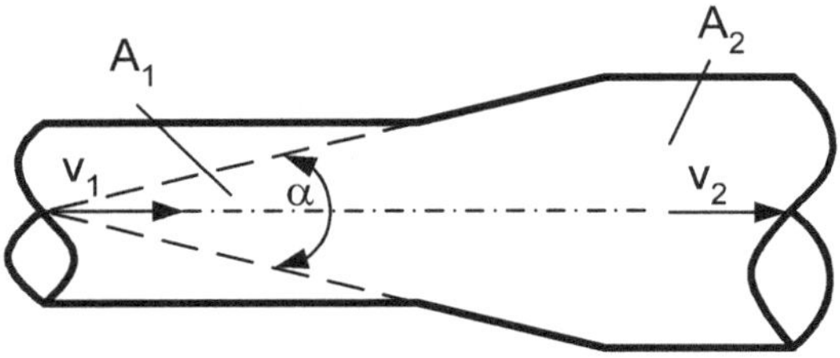


**Bild 4-10: Querschnittsänderung [38]**

$$\zeta_{QÄ} = c \times \left(1 - \frac{A_2}{A_1}\right)^2 \quad [-]$$

| | | |
|---|---|---|
| $\zeta_{QÄ}$ | Verlustbeiwert für Querschnittsänderungen | [-] |
| c | Formbeiwert | [-] |
| $\frac{A_2}{A_1}$ | Flächenverhältnis Austritts- zu Eingangsrohrquerschnitt | [-] |

**Tabelle 4-17: Formbeiwerte für Querschnittsänderungen nach [38], [40]**

| Beschreibung | Aufweitungs-/ Verengungswinkel $\alpha$ [°] | Formbeiwert c [-] |
|---|---|---|
| konische Erweiterung | 8 | 0.15 – 0.20 |
| plötzliche Erweiterung | $\geq 30$ | 1.00 – 1.20 |
| konische Verengung | $\leq 30$ | vernachlässigbar klein |
| plötzliche Verengung | $\geq 30$ | 0.40 – 0.50 |

## Austrittsverlust $\zeta_A$ [-]

Bei Austritt an die Luft ist der Austrittsverlust $\zeta_A$ gleich null.

Für die Ermittlung der örtlichen Verlusthöhen werden folgende Fliessgeschwindigkeiten eingesetzt:

- für Eintrittsverluste $\zeta_E$ Becken-Rohr die Geschwindigkeit $v_2$ im Rohr
- für Richtungsänderungsverluste $\zeta_{KK}$ und $\zeta_K$ die Geschwindigkeit $v_2$ am Krümmer bzw. Knie
- für Querschnittsänderungsverluste $\zeta_{QÄ}$ die Geschwindigkeit $v_2$ direkt hinter der Querschnittsänderung

## Manometrische Förderhöhe der Pumpe

Die manometrische Förderhöhe dient zur Dimensionierung der Pumpleistung. Sie beinhaltet die Gesamtförderhöhe, welche die Pumpe im Saug- und Druckleitungsbereich überwinden muss. Hierzu ist es erforderlich, zwei Fälle zu unterscheiden:

1. Pumpe mit Saugleitung, d.h. die Pumpe ist über dem tiefsten Wasserspiegel aufgestellt (Bild 4-11)
2. Pumpe ohne Saugleitung mit Zulaufdruck, d.h. die Pumpe ist unter dem tiefsten Wasserspiegel aufgestellt (Bild 4-12).

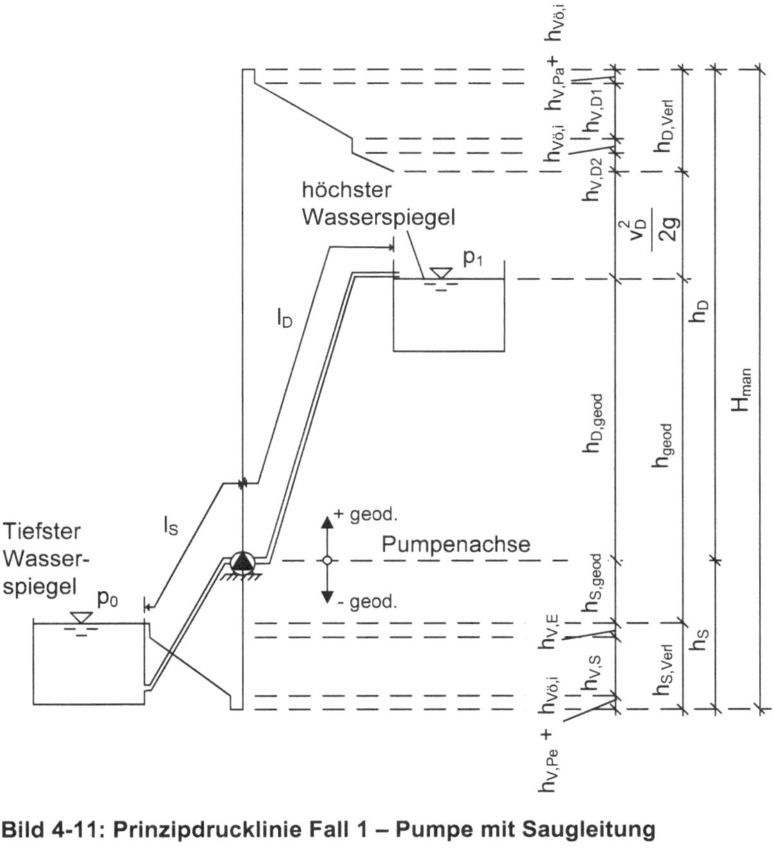


**Bild 4-11: Prinzipdrucklinie Fall 1 – Pumpe mit Saugleitung**

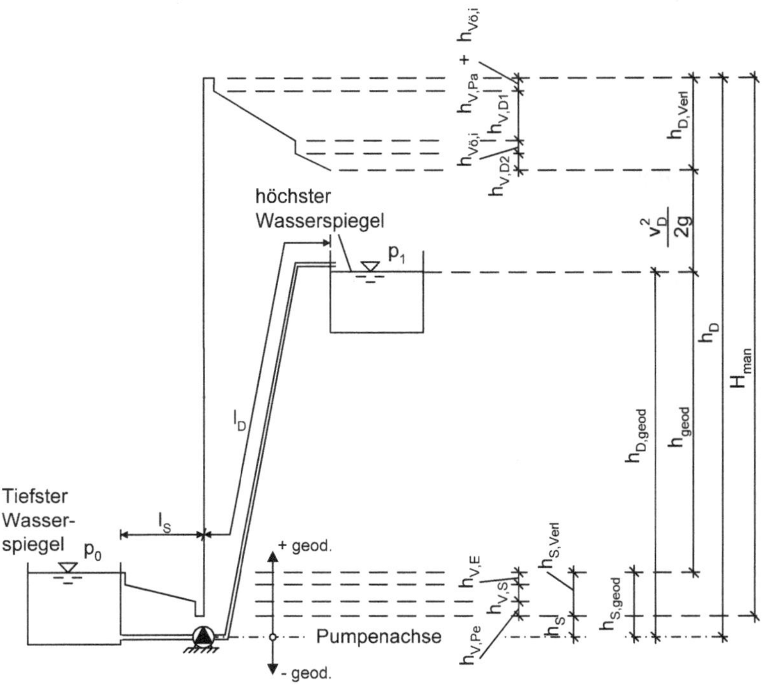


| | | |
|---|---|---|
| $h_{S,Verl}$ | Hydraulische Verlusthöhe an der Saugseite | [m] |
| $h_{D,Verl}$ | Hydraulische Verlusthöhe an der Druckseite | [m] |
| $h_S$ | Hydraulische Höhe an der Saugseite | [m] |
| $h_D$ | Hydraulische Höhe an der Druckseite | [m] |

**Bild 4-12: Prinzipdrucklinie Fall 2 – Pumpe mit Zulaufdruck**

## Durchflussmenge Q [m³/s]

$$Q = v_S \times A_S = v_D \times A_D \qquad [m^3/s]$$

| | | |
|---|---|---|
| $Q$ | Fördermenge der Pumpe ($Q_{FF}$ bei Feststoff-Flüssigkeitsförderung, $Q_F$ bei Flüssigkeitsförderung) | [m³/s] |
| $A_S$ | Querschnitt der Saugleitung | [m²] |
| $A_D$ | Querschnitt der Druckleitung | [m²] |
| $v_S$ | Fliessgeschwindigkeit in der Saugleitung | [m/s] |
| $v_D$ | Fliessgeschwindigkeit in der Druckleitung | [m/s] |

**Manometrische Förderhöhe $H_{man}$ [m]**

$$H_{man} = h_S + h_D \qquad [m]$$

$$h_D = h_{D,verl} + h_{D,geod} \qquad [m]$$

$$h_S = h_{S,verl} + h_{S,geod} \qquad [m]$$

$$h_{geod} = h_{D,geod} \pm h_{S,geod} \qquad [m]$$

$$h_{V,A} = \frac{v_D^2}{2 \times g} \qquad [m]$$

| | | |
|---|---|---|
| $H_{man}$ | Manometrische Förderhöhe der Pumpe | [m] |
| $h_S$ | Hydraulische Höhe an der Saugseite | [m] |
| $h_D$ | Hydraulische Höhe an der Druckseite | [m] |

Fall 1:

$$H_{man} = h_{V,E} + h_{V,S} + h_{V,Pe} + h_{S,geod} + h_{D,geod} + h_{V,Pa} + h_{V,D} + h_{V,A} + \sum_i h_{Vö,i}$$

$$= h_{geod} + h_{V,S}(l_S, k, Re) + h_{V,D}(l_D, k, Re) + \frac{v_S^2}{2 \times g}\left(\zeta_E + \zeta_{Pe} + \sum_i \zeta_{Si}\right) + \frac{v_D^2}{2 \times g}\left(1 + \zeta_{Pa} + \sum_i \zeta_{Di}\right) \qquad [m]$$

$$h_{geod} = h_{D,geod} + h_{S,geod} \qquad [m]$$

Fall 2:

$$H_{man} = h_{V,E} + h_{V,S} + h_{V,Pe} + h_{geod} + h_{V,Pa} + h_{V,D} + h_{V,A} + \sum_i h_{Vö,i}$$

$$= h_{geod} + h_{V,S}(l_S, k, Re) + h_{V,D}(l_D, k, Re) + \frac{v_S^2}{2 \times g}\left(\zeta_E + \zeta_{Pe} + \sum_i \zeta_{Si}\right) + \frac{v_D^2}{2 \times g}\left(1 + \zeta_{Pa} + \sum_i \zeta_{Di}\right) \qquad [m]$$

$$h_{geod} = h_{D,geod} - h_{S,geod} \qquad [m]$$

| | | |
|---|---|---|
| $h_{V,E}$ | Druckhöhenverlust beim Übergang Saugbecken zu Saugleitung | [m] |
| $h_{V,S}$ | Reibungshöhenverlust entlang der Saugleitung | [m] |
| $h_{V,Pe}$ | Einlaufverlust an der Pumpe | [m] |
| $h_{S,geod}$ | Geodätische Saughöhe – Höhendifferenz zwischen tiefstem Wasserspiegel und Pumpenachse | [m] |
| $h_{D,geod}$ | Geodätische Druckhöhe – Höhendifferenz zwischen Pumpenachse und höchstem Waserspiegel | [m] |
| $h_{V,Pa}$ | Auslaufverlust an der Pumpe | [m] |
| $h_{geod}$ | Gesamtgeodätische Höhe = Geodätische Saug- und Druckhöhe | [m] |
| $h_{V,D}$ | Reibungshöhenverlust entlang der Druckleitung | [m] |
| $h_{V,A}$ | Geschwindigkeitshöhe am Auslauf in Abhängigkeit von der Auslaufgeschwindigkeit | [m] |
| $h_{Vö,i}$ | Lokale Verluste in der Leitung (durch Krümmer etc.) | [m] |
| $l_S$ | Länge der Saugleitung | [m] |
| $l_D$ | Länge der Druckleitung | [m] |
| $v_S$ | Fliessgeschwindigkeit auf der Saugseite | [m/s] |
| $v_D$ | Fliessgeschwindigkeit auf der Druckseite | [m/s] |
| k | Rauhigkeitswert für Rohre | [mm] |
| Re | Reynoldszahl | [-] |
| $\zeta_E$ | Einlaufverlustbeiwert vom Becken in die Saugleitung | [-] |
| $\zeta_{Pe}$ | Einlaufverlustbeiwert an der Pumpe | [-] |
| $\zeta_{Pa}$ | Auslaufverlustbeiwert an der Pumpe | [-] |
| $\sum_i \zeta_{Di}$ | Summe der Verlustbeiwerte für Einbauten, Querschnittsänderungen an den Punkten i der Rohrleitung auf der Druckseite | [-] |
| $\sum_i \zeta_{Si}$ | Summe der Verlustbeiwerte für Einbauten, Querschnittsänderungen an den Punkten i der Rohrleitung auf der Saugseite | [-] |

Im Fall eines nicht freien Austritts ist der Druck am Ende der Leitung nicht null. In diesem Fall muss in obiger Gleichung die Druckhöhe $h_{D,A} = \frac{p_{D,A}}{\gamma_F}$ berücksichtigt werden.

Steht die Zulaufseite einer Pumpe unter Druck, wie z.B. die Druckkammer eines Hydroschildes, so erhöht sich die Zulaufhöhe zur Pumpenachse um $h_{S,E} = \frac{p_{S,E}}{\gamma_F}$. Allerdings wird man oft den Zulaufdruck einer

Druckkammer zur sicheren Leistungsdimensionierung nicht berücksichtigen, um im Notfall bei Abfallen des Drucks auch die drucklose Kammer auszupumpen.

| | | |
|---|---|---|
| $\gamma_F$ | spezifisches Gewicht der Flüssigkeit | [kN/m³] |

## Flüssigkeits-Feststoff-Gemische

Handelt es sich bei dem Fördermedium nicht um Wasser sondern um ein Flüssigkeits-Feststoff-Gemisch, so ist die Dichte höher:

$$\rho_{FF} = \frac{\mu_{FF}}{100} \times \rho_0 + \left(1 - \frac{\mu_{FF}}{100}\right)\rho_F \qquad [t/m^3]$$

$$\mu_{FF} = \frac{V_0}{V_F} \times 100 = \frac{Q_0}{Q_F} \times 100 = \frac{\rho_{FF} - \rho_F}{\rho_0 - \rho_F} \times 100 \qquad [\text{Vol.-\%}]$$

| | | |
|---|---|---|
| $\rho_{FF}$ | Rohdichte des Flüssigkeits-Feststoff-Gemischs | [t/m³] |
| $\mu_{FF}$ | Feststoff-Förderflüssigkeits-Volumenkonzentration | [Vol.-%] |
| $V_0$ | Feststoffvolumen | [fm³] |
| $V_F$ | Volumen der unbeladenen Förderflüssigkeit | [m³] |
| $Q_0$ | Feststofffördermenge (Grundabbauleistung) | [fm³/h] |
| $Q_F$ | Fördermenge der unbeladenen Förderflüssigkeit | [m³/h] |
| $\rho_0$ | Rohdichte des Feststoffs über Wasser (natürliche Lagerung ohne Auftrieb) | [t/m³] |
| $\rho_F$ | Rohdichte der Förderflüssigkeit ohne Feststoffe (Wasser $\rho_F = 1$; Bentonitsuspension siehe Bild 4-13) | [t/m³] |
| $\rho_W$ | Rohdichte von Wasser | [t/m³] |

Die Grenzgrösse $\rho_{FF} = 1.4 - 1.5\ t/m^3$ ist bei Kreiselpumpen zu beachten.

**Manometrische Förderhöhe $H_{man}^{FF}$ [m] bei Flüssigkeits-Feststoff-Gemischen**

$$H_{man}^{FF} = H_{man} \times \left(\frac{\rho_{FF}}{\rho_W}\right) \qquad [m]$$

**Dichte von Förderflüssigkeiten**

Im Baubetrieb werden als Fördermedium neben Wasser $\rho_F = \rho_W = 1.0\ t/m^3$ auch Bentonitsuspensionen verwendet, so z.B. bei Hydroschilden (Bild 4-13).

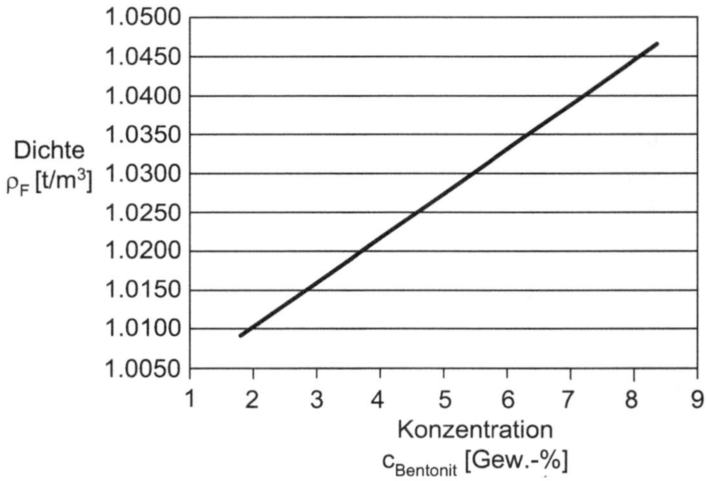


**Bild 4-13: Dichteverlauf der Bentonitsuspension bei verschiedenen Bentonit-Wasser-Konzentrationen [41]**

## Kreiselpumpen: Überprüfung der Pumpeinrichtung

### Erforderliche Saughöhe der Pumpe $h_{S,erf}$ [m]

$$h_{S,erf} = \left( h_{S,geod} + h_{S,Verl} + \frac{v_S^2}{2 \times g} \right) \times \frac{\rho_{FF}}{\rho_w} \quad [m]$$

| | | |
|---|---|---|
| $h_{S,erf}$ | erforderliche Saughöhe | [m] |
| $h_{S,geod}$ | geodätische Saughöhe (entspricht der Höhendifferenz Unterwasserspiegel – Pumpenachse) | [m] |
| $h_{S,Verl}$ | Gesamtverlust der Saugleitung (Reibungungsverluste über Saugleitungslänge, Krümmung, Querschnittsänderung, Einbauten etc.) | [m] |
| $\frac{v_S^2}{2 \times g}$ | Geschwindigkeitshöhe in der Saugleitung | [m] |
| $\rho_{FF}$ | Rohdichte des Feststoff-Förderflüssigkeits-Gemischs | [t/m³] |
| $\rho_W$ | Rohdichte von Wasser | [t/m³] |

Die erforderliche Saughöhe $h_{S,erf}$ muss mit den Herstellerangaben $h_{S,Gerät}$ (aus der Pumpenkennlinie für die Saughöhe) verglichen werden. Es muss gelten:

$$h_{S,erf} \leq h_{S,Gerät}$$

Der Atmosphärendruck (10.33 m Wassersäule bei N.N.) stellt die physikalisch bedingte Grenze der idealen Saughöhe bei einem absoluten Vakuum am Saugstutzen der Pumpe dar. Die Kreiselpumpe baut am Saugstutzen einen technischen Unterdruck gegenüber dem Atmosphärendruck auf. Dieser Druckunterschied entspricht der maximalen technisch erreichbaren Saughöhe $h_{S,max} = h_{S,Gerät}$ und liegt je nach Qualität der Kreiselpumpe sowie Temperatur des Mediums und Drehzahl zwischen 6 und 9 mWs [42].

### Überprüfung auf Kavitation bei Flüssigkeitsförderung

#### Zulässige Saughöhe $h_{S,zul}$ [m]

$$h_{S,zul} = H_B - H_D - \Delta h \qquad [m]$$

| | | |
|---|---|---|
| $h_{S,zul}$ | zulässige Saughöhe | [m] |
| $H_B$ | Aussenatmosphärendruck oder Druck über der Flüssigkeit an der Saugseite | [m] |
| $H_D$ | Dampfdruck der Flüssigkeit bei der am Pumpeneintritt herrschenden Temperatur | [m] |
| $\Delta h$ | temperaturabhängiger Verlust der Saugfähigkeit der Kreiselpumpe, abhängig von der konstruktiven Gestaltung der Pumpe sowie Drehzahl (siehe Unterlagen der Pumpenhersteller) | [m] |

Für kavitationsfreie Strömungen muss gelten:

$$h_{S,erf} \leq h_{S,zul} = h_{S,Gerät}$$

**Tabelle 4-18: Dampfdruck von Wasser $H_D$ [m] nach [43]**

| Temperatur [°C] | Dampfdruck im Sättigungszustand $H_D$ [m] |
|---|---|
| 5 | 0.0889 |
| 10 | 0.1251 |
| 20 | 0.2383 |
| 30 | 0.4325 |
| 40 | 0.7520 |
| 60 | 2.0310 |
| 80 | 4.8290 |

Angaben zur Ermittlung von $\Delta h$ können maschinenspezifisch aus [42] entnommen werden.

## Überprüfung der notwendigen Fliessgeschwindigkeit für Feststofftransport [44]

Für den Transport von Feststoffen in einer Förderflüssigkeit müssen die zu fördernden Teilchen in einem schwebenden Zustand gehalten werden. Dies geschieht unter der Beachtung der **kritischen Fliessgeschwindigkeit $v_{krit}$ [m/s] für einen schwebenden Transport**:

$$v_{krit} = Fr_{krit} \times \sqrt{2 \times g \times d \times \frac{\rho_0 - \rho_F}{\rho_F}} \quad \text{[m/s]}$$

Bedingung in den Saug- und Förderleitungen: $(v_S;\ v_D) > v_{krit}$ [m/s]

| | | |
|---|---|---|
| $v_{krit}$ | kritische Fliessgeschwindigkeit für schwebenden Transport, um Absetzungen zu vermeiden | [m/s] |
| $Fr_{krit}$ | Froud'sche Zahl für die kritische Geschwindigkeit | [-] |
| $g$ | Erdbeschleunigung: 9.81 | [m/s²] |
| $d$ | Rohrdurchmesser | [m] |
| $\rho_0$ | Rohdichte des Feststoffs (ohne Porenraum) | [t/m³] |
| $\rho_F$ | Rohdichte der Förderflüssigkeit | [t/m³] |
| $v_S$ | Fliessgeschwindigkeit in der Saugleitung | [m/s] |
| $v_D$ | Fliessgeschwindigkeit in der Druckleitung | [m/s] |

Die kritische Froud'sche Zahl $Fr_{krit}$ ist abhängig von der Feststoff-Förderflüssigkeits-Volumenkonzentration $\mu_{FF}$ [Vol.-%] des Förderflüssigkeit-Feststoff-Korngemischs und dem mittleren Korndurchmesser $d_m$ [mm] des zu transportierenden Korngemischs:

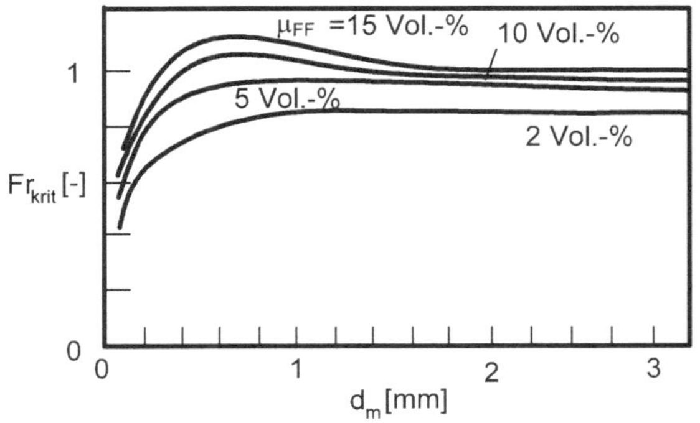


**Bild 4-14: Abhängigkeit der Froud'schen Zahl $Fr_{krit}$ vom mittleren Korndurchmesser $d_m$ und der Feststoff-Förderflüssigkeits-Volumenkonzentration $\mu_{FF}$ des zu transportierenden Korngemischs nach [44]**

**Beispiel: Tunnelvortrieb mit Hydroschild**

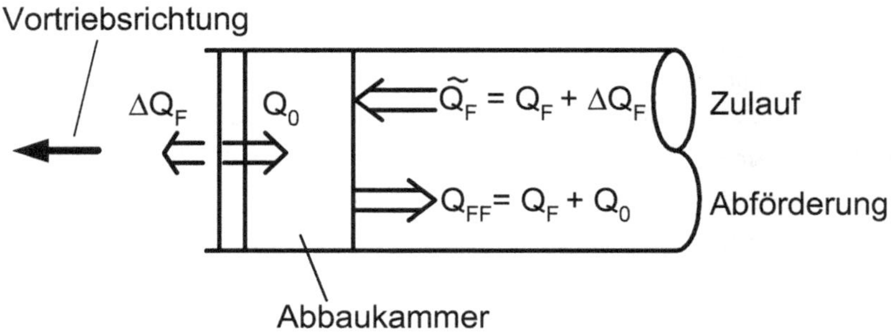


**Bild 4-15: Materialfluss bei Hydroschildvortrieb**

Das Feststoffvolumen entspricht der Grundabbauleistung:

$$Q_0 = l \times A_{Ob} \qquad [m^3/h]$$

bzw.

$$V_{FS} = V_{ab} = A_{Ob} \times \Delta l_{ab} \qquad [m^3]$$

Annahme: Die Förderzeit entspricht der Abbauzeit ($t_{FZ} = t_{BZ}$ ):

$$Q_0 = \frac{V_{ab}}{t_{BZ}} \qquad [m^3/h]$$

Für das geschlossene System des Zu- und Ablaufs gilt die Kontinuitätsgleichung:

$$\sum_i \dot{m}_i = \sum_i \rho_i \times Q_i = 0$$

Beim Zulauf des Systems handelt es sich um eine Flüssigkeit, so dass die Dichte bei allen Komponenten gleich ist:

Zulauf:

$$\rho_F \times \tilde{Q}_F = \rho_F \times Q_F + \rho_F \times \Delta Q_F \qquad [kg/h]$$

$$\tilde{Q}_F = Q_F + \Delta Q_F \qquad [m^3/h]$$

$$\Delta Q_F = Q_F \times \frac{\kappa_{Verl}}{100} \qquad [m^3/h]$$

Abförderung:

$$\rho_{FF} \times Q_{FF} = \rho_0 \times Q_0 + \rho_F \times Q_F \qquad \text{[kg/h]}$$

$$\text{mit } \mu_{FF} = \frac{\rho_0 \times Q_0}{\rho_F \times Q_F} \times 100 \qquad \text{[Masse-\%]}$$

$$Q_{FF} = Q_F \times \frac{\rho_F}{\rho_{FF}} \times \left(\frac{\mu_{FF}}{100} + 1\right) \qquad \text{[m}^3\text{/h]}$$

$$Q_0 = Q_{FF} \times \frac{\rho_{FF}}{\rho_0} \times \left(\frac{1}{1 + \frac{1}{\mu_{FF}}}\right) \qquad \text{[m}^3\text{/h]}$$

In der Praxis sind die Dichtenunterschiede zwischen der eingebrachten Flüssigkeit und des Flüssigkeits-Feststoff-Gemischs oft gering. Somit kann der Volumenstrom vereinfacht berechnet werden:

$$Q_{FF} = Q_F \times \left(\frac{\mu_{FF}}{100} + 1\right) \qquad \text{[m}^3\text{/h]}$$

| | | |
|---|---|---|
| $Q_0$ | Feststoffférdermenge (Grundabbauleistung) | [m³/h] |
| $\rho_0$ | Dichte des Feststoffs | [kg/m³] |
| $I$ | Penetrationsleistung | [m/h] |
| $A_{Ob}$ | Ortsbrustquerschnitt | [m²] |
| $V_{FS}$ | Abbauvolumen ($V_{ab}$) während eines Vortriebshubs ($\Delta l_{ab}$) | [m³] |
| $V_{ab}$ | Abbauvolumen | [m³] |
| $\Delta l_{ab}$ | Vortriebshub | [m] |
| $t_{FZ}$ | Förder- bzw. Abbauzeit ($t_{BZ}$) beim Druckschild (Erddruck- bzw. Hydroschild) | [h] |
| $t_{BZ}$ | Abbauzeit | [h] |
| $\tilde{Q}_F$ | Zulaufmenge der Trägerflüssigkeit (Bentonitsuspension) | [m³/h] |
| $\rho_F$ | Dichte der Trägerflüssigkeit im Zulauf | [kg/m³] |
| $Q_F$ | Trägerflüssigkeitsmenge der unbeladenen Förderflüssigkeit (z.B. Bentonitsuspension) in der Abförderung | [m³/h] |
| $\Delta Q_F$ | Förderflüssigkeitsverlust im Porenraum der Ortsbrust | [m³/h] |
| $\kappa_{Verl}$ | Verlustanteil der Trägerflüssigkeit im Porenraum an | [Vol.-%] |

| | | |
|---|---|---|
| | der Ortsbrust (5 – 20 %) | |
| $Q_{FF}$ | Flüssigkeits-Feststoff-Förderleistung (Abförderung) | [$m^3$/h] |
| $\rho_{FF}$ | Dichte des Flüssigkeits-Feststoffs-Gemisch (Abförderung) | [kg/$m^3$] |
| $\mu_{FF}$ | Feststoff-Förderflüssigkeits-Volumenkonzentration | [Vol.-%] |
| $\eta$ | Wirkungsgrad der Pumpe | [-] |

Kreiselpumpen besitzen **Pumpenkennlinien**, auch Drosselkurven genannt. Die Form der Pumpenkennlinien ist abhängig von Bauart und Umdrehungszahl. Die Pumpenkennlinien und die Rohrkennlinien werden in einem H-Q-Diagramm dargestellt.
Der Schnittpunkt Rohr- und Pumpkennlinie ergibt den Betriebspunkt der Pumpe. Es kann somit die erreichbare Fördermenge Q ermittelt werden.

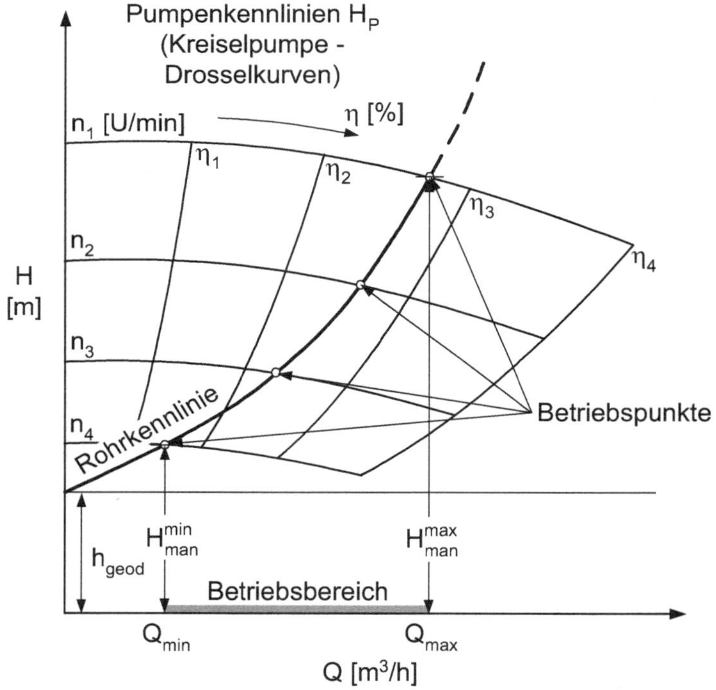


**Bild 4-16: H-Q-Diagramm für Pumpen- und Rohrkennlinien**

## Auswahl der Kreiselpumpe

$$\begin{pmatrix} Q^{max} \\ H_{man} \\ h_{S,erf} \end{pmatrix} \Rightarrow \begin{pmatrix} \text{Entsprechende Pumpe} \\ \text{bzw. Pumpenkennlinie,} \\ \text{in der alle drei Bedingungen} \\ \text{erfüllt sind} \end{pmatrix} \Rightarrow \begin{pmatrix} n \\ \eta \end{pmatrix} \Rightarrow P_P = \frac{P_{erf}}{\eta} \quad [kW]$$

| | | |
|---|---|---|
| $Q^{max}$ | Fördermenge ($Q_{FF}$ bei Flüssigkeits-Feststoff-Gemisch; $Q_F$ bei reiner Flüssigkeitsförderung) | [$m^3$/h] |
| $H_{man}$ | erforderliche manometrische Förderhöhe | [m] |
| $h_{S,erf}$ | erforderliche Saughöhe | [m] |
| n | Drehzahl der Pumpe | [U/min] |
| $\eta$ | Gesamtwirkungsgrad der Pumpanlage | [-] |
| $P_P$ | Pumpenleistung/Anschlussleistung | [kW] |
| $P_{erf}$ | erforderliche Grundleistung der Pumpe | [kW] |

## Leistungsaufnahme der Pumpe $P_P$ [kW]

$$P_P = \frac{P_{erf}}{\eta} \quad [kW]$$

## Erforderliche Grundleistung der Kreiselpumpe $P_{erf}$ [kW]

$$P_{erf} = \frac{\rho \times g \times Q^{max} \times H_{man}}{3600} \quad [kW]$$

| | | |
|---|---|---|
| $P_{erf}$ | erforderliche Grundleistung der Pumpe | [kW] |
| $\eta$ | Gesamtwirkungsgrad der Pumpanlage | [-] |
| $\rho$ | Dichte des Fördermediums ($\rho_{FF}$ Rohdichte des Flüssigkeits-Feststoff-Gemischs; $\rho_F$ Rohdichte der Förderflüssigkeit ohne Feststoffe) | [t/$m^3$] |
| g | Erdbeschleunigung | [m/$s^2$] |
| $Q^{max}$ | Fördermenge ($Q_{FF}$ bei Flüssigkeits-Feststoff-Gemisch; $Q_F$ bei reiner Flüssigkeitsförderung) | [$m^3$/h] |
| $H_{man}$ | erforderliche Förderhöhe | [m] |

Falls die Wirkungsgrade $\eta$ nicht im Pumpendiagramm angegeben sind, können die Wirkungsgradfaktoren Tabelle 4-19 entnommen werden. Der **Gesamtwirkungsgrad der Pumpanlage $\eta$ [–]** ergibt sich dann aus:

$$\eta = \eta_P \times \eta_K \times \eta_M \qquad [-]$$

| | | |
|---|---|---|
| $\eta$ | Gesamtwirkungsgrad der Pumpanlage | [-] |
| $\eta_P$ | Wirkungsgrad der Pumpe | [-] |
| $\eta_K$ | Wirkungsgrad der Kupplung | [-] |
| $\eta_M$ | Wirkungsgrad des Pumpenantriebs/-motors | [-] |

**Tabelle 4-19: Wirkungsgrade nach [45], [46]**

| | | |
|---|---|---|
| Pumpen-Wirkungsgrad $\eta_P$ | [-] | 0.60 – 0.80 |
| Kupplungs-Wirkungsgrad $\eta_K$ | [-] | 0.95 – 0.99 |
| Motor-Wirkungsgrad $\eta_M$ | [-] | 0.75 – 0.94 |

## Drehzahlregelung von Kreiselpumpen (Ähnlichkeitsgesetz) [42]

Für die Regelung von Kreiselpumpen mittels Drehzahländerung gilt folgender Zusammenhang für zwei verschiedene Gleichgewichtszustände der Rohr- und Pumpenkennlinien:

$$\frac{Q_1}{Q_2} = \frac{n_1}{n_2} \qquad [-]$$

$$\frac{H_{P1}}{H_{P2}} = \left(\frac{n_1}{n_2}\right)^2 \qquad [-]$$

| | | |
|---|---|---|
| $Q_i$ | Fördermenge | [$m^3$/h] |
| $n_i$ | Drehzahl der Pumpe | [U/min] |
| $H_{P,i}$ | Förderhöhe | [m] |
| i | Drehzahlstufen: i = (1; 2) | [-] |

Die Fördermenge $Q_i$ ändert sich proportional zur Drehzahl $n_i$. Die Förderhöhe $H_{P,i}$ ändert sich proportional zum Quadrat der Drehzahl $n_i$.

Unter Annahme des gleichen Wirkungsgrads für kleine Drehzahländerungen $\Delta n_i$ ergibt sich für die Pumpleistung $P_{Pi}$ folgendes Verhältnis:

$$\frac{P_{P1}}{P_{P2}} = \left(\frac{n_1}{n_2}\right)^3 \qquad [-]$$

Bei grösseren Veränderungen der Drehzahl muss die Veränderung des Wirkungsgrads $\eta$ berücksichtigt werden. Es gilt

$$\eta_2 = 1 - (1 - \eta_1) \times \left(\frac{n_1}{n_2}\right)^{0.1} \qquad [-]$$

## Kolbenpumpen:
## Dimensionierung und Überprüfung der Pumpeinrichtung

Kolbenpumpen wirken durch das Verdrängungsprinzip. Förderhöhe, Förderleistung und Verluste in der Rohrleitung sind somit voneinander unabhängig.

**Förderleistung Q [m³/h]** nach [21]

$$Q = 6 \times \lambda \times A_{Kolben} \times s \times n \times n_{Kolben} \times 10^{-5} \quad [m^3/h]$$

| | | |
|---|---|---|
| $Q$ | Fördermenge | $[m^3/h]$ |
| $\lambda$ | volumetrischer Wirkungsgrad | [-] |
| $A_{Kolben}$ | Kolbenfläche | $[cm^2]$ |
| $s$ | Kolbenweg | [cm/U] |
| $n$ | Umdrehungszahl der Kurbelwelle | [U/min] |
| $n_{Kolben}$ | Zylinder- bzw. Kolbenanzahl | [-] |

Der volumetrische Wirkungsgrad $\lambda$ kann mit ca. 0.98 – 0.99 angegeben werden.

**Überprüfung der zulässigen Saughöhe**

Die zulässigen Saughöhen von Kolbenpumpen sind von physikalischen Vorgängen im Zylinder abhängig. Die maximale Saughöhe ist erreicht, wenn die Saugspannung im Zylinder so gross ist, dass Dampfbildung (Kavitation) auftritt.

**Tabelle 4-20: Zulässige Saughöhen $h_{s,zul}$ bei Aussenatmosphärendruck ($H_B$) von 10 m Wassersäule [45]**

| Wassertemperatur [°C] | 5 | 10 | 20 | 30 | 40 | 60 | 80 |
|---|---|---|---|---|---|---|---|
| Saughöhe $h_{s,zul}$ [m] | 7.00 | 6.97 | 6.85 | 6.66 | 6.34 | 5.07 | 2.27 |

### Leistungsaufnahme der Pumpe [kW]

$$P_P = \frac{P_{erf}}{\eta} \qquad [kW]$$

$$\eta = \eta_P \times \eta_K \times \eta_M \qquad [-]$$

### Erforderliche Grundleistung der Kolbenpumpe $P_{erf}$ [kW] nach [21]

$$P_{erf} = \frac{\rho \times g \times \lambda \times A_{Kolben} \times s \times n \times n_{Kolben} \times H_{man}}{6 \times 10^{-7}} \qquad [kW]$$

| | | |
|---|---|---|
| $P_P$ | Pumpenleistung/Anschlussleistung | [kW] |
| $P_{erf}$ | erforderliche Grundleistung der Pumpe | [kW] |
| $\eta$ | Gesamtwirkungsgrad der Pumpanlage | [-] |
| $\eta_P$ | Wirkungsgrad der Pumpe | [-] |
| $\eta_K$ | Wirkungsgrad der Kupplung | [-] |
| $\eta_M$ | Wirkungsgrad des Pumpenantriebs/-motors | [-] |
| $\rho$ | Dichte des Fördermediums | [t/m³] |
| $g$ | Erdbeschleunigung: 9.81 | [m/s²] |
| $\lambda$ | volumetrischer Wirkungsgrad | [-] |
| $A_{Kolben}$ | Kolbenfläche | [cm²] |
| $s$ | Kolbenweg | [cm/U] |
| $n$ | Umdrehungszahl der Kurbelwelle | [U/min] |
| $n_{Kolben}$ | Zylinder- bzw. Kolbenanzahl | [-] |
| $H_{man}$ | erforderliche manometrische Förderhöhe | [m] |

## Beispiel einer Pumpenberechnung

Es wird eine Pumpeneinrichtung für den Feststofftransport einer Tunnelbohrmaschine mit Hydroschild sowie Bentonit als Trägermedium betrachtet. Die Förderung des abgebauten Materials erfolgt über die Länge des Vortriebs in einer horizontalen Leitung bis zum Schacht, von dort führt die Förderleitung vertikal in eine Separationsanlage. Bild 4-17 enthält die massgebenden Abmessungen. Für die Steuerung des Pumpenbetriebs sind Zusammenhänge zwischen Vortriebsleistung und Pumpeneinrichtung darzustellen.

### Angaben:

| | | | |
|---|---|---|---|
| Rohrlänge (Saugleitung): | $l_S =$ | 15 | m |
| Maximale Rohrlänge (Druckleitung): | $l_D =$ | 500 | m |
| Geodätische Höhendifferenz: | $h_{geod} =$ | 40 | m |
| Rohrtyp: | geschweisstes Stahlrohr | | |
| Rohrdurchmesser: | $d = d_S = d_D =$ | 40 | cm |
| Einbauten: | Einlauftrompete<br>Rohrbogen, 3 Stück | | |
| Bentonitkonzentration: | $c_{Bentonit} =$ | 8 | Gew.-% |
| Mittlerer Korndurchmesser Abbaumaterial: | $d_m =$ | 3 | mm |
| Rohdichte des Feststoffs: | $\rho_0 =$ | 2.7 | $t/m^3$ |
| Druck im Hydroschild: | $p_{0,ein} =$ | 2.0 | kPa |
| Maximale Abbauleistung: | $Q_0 =$ | 130 | $fm^3/h$ |

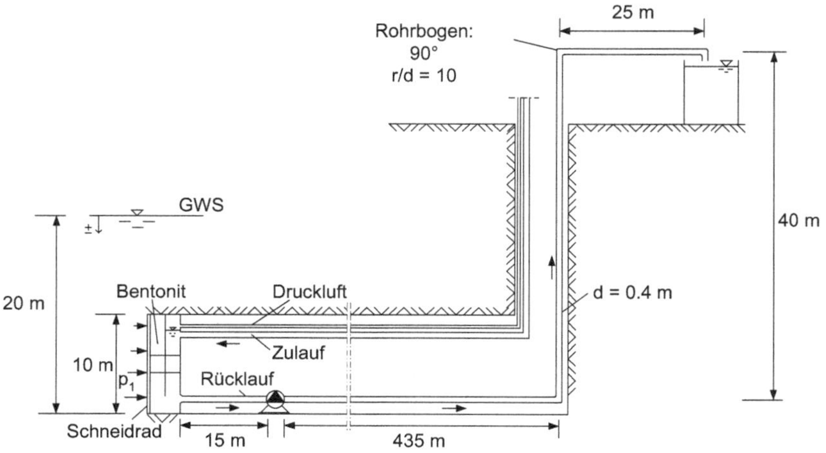


**Bild 4-17: Schematische Darstellung eines Rechenbeispiels**

**Vorüberlegungen:**

Zunächst ist die Darstellung der Drucklinie der Pumpeneinrichtung (Bild 4-18) erforderlich. Sie zeigt die möglichen Verluste innerhalb der Rohrleitung und kennzeichnet diese Verluste. Die Pumpenbemessung erfolgt ohne Berücksichtigung des „unterstützenden" Zulaufdrucks auf der Saugseite der Pumpe; dieser wird als Sicherheit betrachtet (Dimensionierung der Pumpe mit $p_{0,ein}$ = 0 kPa).

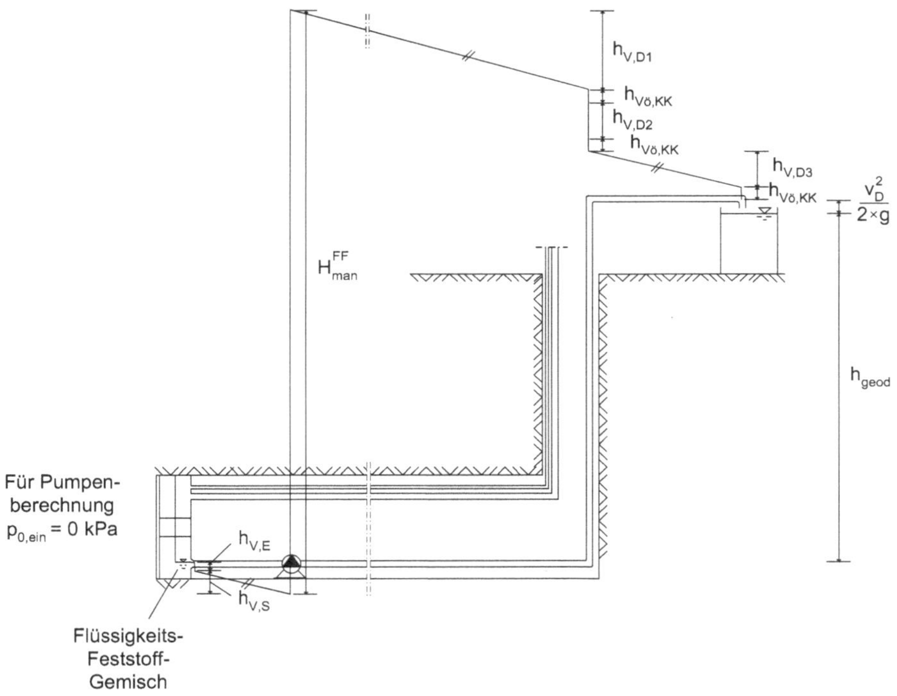


**Bild 4-18: Schematische Darstellung der Drucklinie**

Zur Dimensionierung der Pumpe werden zwei Fälle des Pumpenbetriebs betrachtet.

Fall 1: Optimale Feststoff-Flüssigkeits-Volumenkonzentration:

$\mu_{FF} = 6.5$ Vol.-%

$$\rho_{FF} = \frac{\mu_{FF}}{100} \times \rho_0 + \left(1 - \frac{\mu_{FF}}{100}\right) \times \rho_F =$$

$$= \frac{6.5}{100} \times 2.7 + \left(1 - \frac{6.5}{100}\right) \times 1.045 = 1.15\,[\text{t/m}^3]$$

Fall 2: Grenzfälle der Flüssigkeits-Feststoff-Förderung:

- Bentonitsuspension ohne Beladung

  $\mu_{FF} = 0$ Vol.-%

  $c_{Bentonit} = 8$ Gew.-% $\Rightarrow$ $\rho_{FF} = 1.045$ t/m$^3$ (Bild 4-13)

- Grenzgrösse für den Betrieb von Kreiselpumpen

  $\rho_{FF} = 1.4$ t/m$^3$

$$\mu_{FF} = \frac{\rho_{FF} - \rho_F}{\rho_0 - \rho_F} \times 100 = \frac{1.4 - 1.045}{2.7 - 1.045} \times 100 \approx 21 \text{ Vol.-\%}$$

**Lösung - Fall 1:**

$\mu_{FF} = 6.5$ Vol.-% und $\rho_{FF} = 1.15$ t/m$^3$

Ziel der Berechnung ist die Ermittlung der Rohrkennlinie des Systems. Hierzu werden zunächst einige diskrete Verlusthöhen in Abhängigkeit der Fördermenge bzw. Fördergeschwindigkeit im betrachteten Leistungsbereich berechnet. Die Addition dieser Werte mit der geodätischen Förderhöhe ergibt die für die Bemessung der Pumpe massgebende Rohrkennlinie (Bild 4-19). Zusätzlich erfolgt eine Überprüfung der Bedingungen für den Feststofftransport. Im Folgenden sind die Formeln für die Ermittlung der manometrischen Förderhöhen angegeben. In Tabelle 4-21 sind die entsprechenden Werte für verschiedene Fördermengen zusammengefasst.

- Dichte der Bentonitsuspension:
  $c_{Bentonit} = 8$ Gew.-% $\Rightarrow$ $\rho_F = 1.045\ t/m^3$ (Bild 4-13)

- Maximal erforderliche Förderleistungen bei voller Abbauleistung:
  Abförderung:

  Feststoffmenge: $Q_0 = 130\ fm^3/h$

  Trägerflüssigkeit (Benontitsuspension):

  $$Q_F = \frac{Q_0}{\mu_{FF}} \times 100 = \frac{130}{6.5} \times 100 = 2000\ \ m^3/h$$

  Flüssigkeits-Feststoff-Gemisch (vereinfachte Formel):

  $$Q_{FF} = Q_F + Q_0 = 2000 + 130 = 2130\ m^3/h$$

  Flüssigkeits-Feststoff-Gemisch (genaue Formel):

  $$Q_{FF} = \frac{Q_F \times \rho_F + Q_0 \times \rho_0}{\rho_{FF}} = \frac{2000 \times 1.045 + 130 \times 2.7}{1.15} = 2123\ \ m^3/h$$

  Der Unterschied zwischen genauer und Näherungslösung ist gering.

  Zulauf an Bentonitsuspension (Annahme $\kappa_{Verl} = 10\ \%$):

  $$\tilde{Q}_F = Q_F + \Delta Q = Q_F \times \left(1 + \frac{\kappa_{Verl}}{100}\right) = 2000 \times \left(1 + \frac{10}{100}\right) = 2200\ \ [m^3/h]$$

- Fliessgeschwindigkeit, hier über die gesamte Strecke gleich bleibend, da $d = const.$:

  $$v = v_D = v_S = \frac{Q_{FF}}{3600 \times A} = \frac{Q_{FF}}{3600 \times \pi \times \left(\frac{d}{2}\right)^2}\ \ [m/s]$$

- Kritische Fliessgeschwindigkeit für Feststofftransport $v_{krit}$:

  $d_m = 3\ mm \Rightarrow Fr_{krit} = 0.92$ (Bild 4-14)

$$v_{krit} = Fr_{krit} \times \sqrt{2 \times g \times d \times \frac{\rho_0 - \rho_F}{\rho_F}}$$

$$= 0.92 \times \sqrt{2 \times 9.81 \times 0.4 \times \frac{2.7 - 1.045}{1.045}} = 3.24 \text{ m/s}$$

- Bedingung für den Transport von Feststoffen:

  $v \geq v_{krit}$

- Kritische Förderleistung für Transport von Feststoffen:

$$Q_{FF} = v_{krit} \times A = v_{krit} \times 3600 \times \pi \times \left(\frac{d}{2}\right)^2$$

$$= 3.24 \times 3600 \times \pi \times \left(\frac{0.4}{2}\right)^2 = 1466 \text{ m}^3/\text{h}$$

Dies entspricht einer Abbauleistung von:

$$Q_0 = Q_{FF} \times \frac{\rho_{FF}}{\rho_0} \times \left(\frac{1}{1 + \frac{100}{\mu_{FF}}}\right) = 1466 \times \frac{1.15}{2.7} \times \left(\frac{1}{1 + \frac{100}{6.5}}\right) = 38.1 \text{ m}^3/\text{h}$$

bei $\rho_{FF} = 1.15 \text{ t/m}^3$

- Widerstandsbeiwert $\lambda$ (für die gesamte Strecke gleich bleibend):

$$\frac{k}{d} = \frac{0.008}{400} = 0.00002 = 2 \times 10^{-5}$$

kinematische Viskosität: $\nu = 1.3 \times 10^{-6} \text{ m/s}^2$

Reynoldszahl: $Re = \frac{v \times d}{\nu}$ [-]

$$\lambda = \left[ -2 \times \log\left[ 2.7 \times \frac{(\log Re)^{1.2}}{Re} + \frac{1}{3.71} \times \frac{k}{d} \right] \right]^{-2} \quad [-]$$

- Verluste der Saugleitung:

Reibungsverlust: $h_{V,S} = \lambda \times \frac{l_S}{d} \times \frac{v^2}{2 \times g}$ [m]

Einlauftrompete: $h_{V,E} = \zeta_E \times \frac{v^2}{2 \times g}$ [m]

Verluste Saugleitung gesamt: $h_{S,Verl} = (h_{V,S} + h_{V,E}) \times \eta_{visko}$ [m]

- Verluste der Druckleitung:

Reibungsverlust: $h_{V,D} = \lambda \times \frac{l_D}{d} \times \frac{v^2}{2 \times g}$ [m]

Verluste durch drei Rohrbogen: $h_{Vö,KK} = 3 \times \zeta_{KK} \times \frac{v^2}{2 \times g}$ [m]

Verlust Druckleitung gesamt: $h_{D,Verl} = (h_{V,D} + h_{Vö,KK}) \times \eta_{visko}$ [m]

- Erforderliche Saughöhe:

Dichte von Wasser: $\rho_W = 1\ t/m^3$

$$h_{S,erf} = \left( h_{S,geod} + h_{S,Verl} + \frac{v^2}{2 \times g} \right) \times \frac{\rho_{FF}}{\rho_W} \qquad [m]$$

hier: $h_{S,geod} \approx 0$ m

- Zulässige Saughöhe:

$h_{S,zul} = H_B - H_d - \Delta H = 10 - 0.1251 - 1.5 = 8.37$ m

- Erforderliche Förderhöhe $H_{man}^{FF}$ der Pumpe:

$$H_{man} = h_{geod} + (h_{S,Verl} + h_{D,Verl}) + \frac{v_D^2}{2 \times g} \qquad [m]$$

$$H_{man}^{FF} = H_{man} \times \frac{\rho_{FF}}{\rho_W} \qquad [m]$$

**Tabelle 4-21: Fall 1 – Ermittlung der Rohrkennlinie und Leistungen**

| $Q_{FF}$ | $v$ | $v > v_{krit}$ | Re | $\lambda$ | $h_{V,S}$ | $h_{V,E}$ | $h_{S,Verl}$ | $h_{V,D}$ | $h_{Vö,KK}$ | $h_{D,Verl}$ | $h_{S,erf}$ | $h_{S,erf} < h_{S,zul}$ | $H_{man}$ | $H^{FF}_{man}$ | $P_{erf}$ | $\eta_P$ | $\eta$ | $P_P$ |
|---|---|---|---|---|---|---|---|---|---|---|---|---|---|---|---|---|---|---|
| [m³/h] | [m/s] | | [-] | [-] | [m] | [m] | [m] | [m] | [m] | [m] | [m] | | [m] | [m] | [kW] | [-] | [-] | [kW] |
| 10 | 0.02 | nein | $6.80 \times 10^{3}$ | $3.43 \times 10^{-2}$ | 0.00 | 0.00 | 0.00 | 0.00 | 0.00 | 0.00 | 0.00 | ja | 40.00 | 46.10 | 17.6 | 0.10 | 0.09 | 197.4 |
| 500 | 1.11 | nein | $3.40 \times 10^{5}$ | $1.44 \times 10^{-2}$ | 0.03 | 0.00 | 0.04 | 1.12 | 0.021 | 1.25 | 0.12 | ja | 41.36 | 47.66 | 81.8 | 0.40 | 0.36 | 229.6 |
| 1000 | 2.21 | nein | $6.80 \times 10^{5}$ | $1.28 \times 10^{-2}$ | 0.12 | 0.01 | 0.15 | 3.99 | 0.082 | 4.48 | 0.46 | ja | 44.88 | 51.72 | 159.3 | 0.63 | 0.56 | 283.7 |
| 1400 | 3.09 | nein | $9.52 \times 10^{5}$ | $1.22 \times 10^{-2}$ | 0.22 | 0.03 | 0.28 | 7.44 | 0.161 | 8.36 | 0.88 | ja | 49.13 | 56.62 | 236.1 | 0.71 | 0.63 | 373.2 |
| 1600 | 3.54 | ja | $1.09 \times 10^{6}$ | $1.20 \times 10^{-2}$ | 0.29 | 0.04 | 0.36 | 9.54 | 0.21 | 10.72 | 1.15 | ja | 51.71 | 59.60 | 281.0 | 0.72 | 0.64 | 438.0 |
| 1800 | 3.98 | ja | $1.22 \times 10^{6}$ | $1.18 \times 10^{-2}$ | 0.36 | 0.05 | 0.45 | 11.88 | 0.266 | 13.36 | 1.44 | ja | 54.61 | 62.94 | 331.0 | 0.73 | 0.65 | 508.9 |
| 2000 | 4.42 | ja | $1.36 \times 10^{6}$ | $1.16 \times 10^{-2}$ | 0.43 | 0.06 | 0.54 | 14.46 | 0.329 | 16.26 | 1.77 | ja | 57.80 | 66.62 | 386.7 | 0.75 | 0.67 | 578.7 |
| 2200 | 4.86 | ja | $1.50 \times 10^{6}$ | $1.15 \times 10^{-2}$ | 0.52 | 0.07 | 0.65 | 17.28 | 0.398 | 19.44 | 2.14 | ja | 61.30 | 70.65 | 448.6 | 0.76 | 0.68 | 662.5 |
| 2400 | 5.31 | ja | $1.63 \times 10^{6}$ | $1.13 \times 10^{-2}$ | 0.61 | 0.09 | 0.77 | 20.34 | 0.473 | 22.89 | 2.50 | ja | 65.09 | 73.86 | 509.2 | 0.76 | 0.68 | 752.0 |

Aufgrund der kritischen Geschwindigkeit für den Feststofftransport ist eine Förderleistung von 1466 $m^3/h$ ($v_{krit}$ = 3.24 m/s) einzuhalten. Bedingt durch die gewählte Pumpe beträgt die maximale Förderleistung 2410 $m^3/h$ bei $\mu_{FF}$ = 6.5 Vol.-% und $\rho_{FF}$ = 1.15 $t/m^3$. Durch eine stufenlose Drehzahlregelung (600 $min^{-1} < n <$ 700 $min^{-1}$) können die entsprechenden Förderleistungen eingestellt werden.

- Erforderliche Grundleistung der Kreiselpumpe:

$$P_{erf} = \frac{\rho_{FF} \times g \times Q_{FF} \times H_{man}}{3600} \qquad [kW]$$

- Tatsächliche Leistungsaufnahme der Pumpe:
  Der Wirkungsgrad $\eta_P$ entstammt dem Pumpkennlinien-Diagramm (Bild 4-19). Für die Wirkungsgrade der Kupplung und des Motors werden $\eta_K$ = 0.99 und $\eta_M$ = 0.90 angenommen.

$$P_P = \frac{P_{erf}}{\eta} = \frac{P_{erf}}{\eta_P \times \eta_K \times \eta_M} \qquad [kW]$$

**Lösung – Fall 2:**

$0 \text{ Vol.-\%} < \mu_{FF} < 21 \text{Vol.-\%}$
$1.045 \text{ t/m}^3 < \rho_{FF} < 1.4 \text{ t/m}^3$

Ziel der Berechnung ist die Ermittlung von Rohrkennlinien des Systems für verschiedene Flüssigkeits-Feststoff-Volumenkonzentrationen. Hierzu werden für einige Fördermengen entsprechende manometrische Förderhöhen ermittelt. Diese Werte ergeben die in Bild 4-19 gezeigten Rohrkennlinien. In Tabelle 4-22 sind die entsprechenden Werte für verschiedene Fördermengen zusammengefasst. Auch werden die Bedingungen für den Feststofftransport überprüft (Tabelle 4-23).

- Maximaler Feststoffgehalt in der Flüssigkeit aus der Bedingung $\rho_{FF} \leq 1.4 \text{ t/m}^3$:

$$\mu_{FF}^{max} = \frac{\rho_{FF}^{max} - \rho_F}{\rho_0 - \rho_F} \times 100 = \frac{1.4 - 1.045}{2.7 - 1.045} \times 100 = 21 \text{ Vol.-\%}$$

- Fliessgeschwindigkeit, siehe Fall 1

- Kritische Fliessgeschwindigkeit für Feststofftransport $v_{krit}$:

  Bei maximalem Feststoffgehalt in der Flüssigkeit $\mu_{FF} = 21$ Vol.-% mit:

  $d_m = 3 \text{ mm} \Rightarrow Fr_{krit} = 1$ (Bild 4-14)

  $$v_{krit} = Fr_{krit} \times \sqrt{2 \times g \times d \times \frac{\rho_0 - \rho_F}{\rho_F}}$$

  $$= 1.0 \times \sqrt{2 \times 9.81 \times 0.4 \times \frac{2.7 - 1.045}{1.045}} = 3.53 \text{ m/s}$$

- Bedingung für den Transport von Feststoffen:

  $v \geq v_{krit}$

- Kritische Förderleistung für Transport von Feststoffen, siehe Fall 1:

- Widerstandsbeiwert $\lambda$, siehe Fall 1

- Verluste der Saugleitung, siehe Fall 1

- Verluste der Druckleitung, siehe Fall 1

- Erforderliche Saughöhe:

  $\rho_{FF} = 1.045 \text{ t/m}^3$ bzw. $\rho_{FF} = 1.4 \text{ t/m}^3$

  Dichte Wasser: $\rho_W = 1.0 \text{ t/m}^3$

  $$h_{S,erf} = \left( h_{S,geod} + h_{S,Verl} + \frac{v^2}{2 \times g} \right) \times \frac{\rho_{FF}}{\rho_W} \qquad [m]$$

  hier: $h_{S,geod} \approx 0$ m

- Zulässige Saughöhe, siehe Fall 1

- Erforderliche Förderhöhe $H_{man}^{FF}$ der Pumpe:

  $$H_{man} = h_{geod} + \left( h_{S,Verl} + h_{D,Verl} \right) + \frac{v_D^2}{2 \times g} \qquad [m]$$

  $\rho_{FF} = 1.045 \text{ t/m}^3$ bzw. $\rho_{FF} = 1.4 \text{ t/m}^3$

$$H_{man}^{FF} = H_{man} \times \frac{\rho_{FF}}{\rho_W} \qquad [m]$$

- Erforderliche Grundleistung der Kreiselpumpe, siehe Fall 1

- Tatsächliche Leistungsaufnahme der Pumpe, siehe Fall 1

- Berechnung der kritischen Fördermengen für verschiedene Flüssigkeits-Feststoff-Volumenkonzentrationen:

  Feststoffgehalt in der Flüssigkeit mit
  $\rho_{FF} = 1.045\ t/m^3$ bis $\rho_{FF} = 1.4\ t/m^3$, $\rho_0 = 2.7\ t/m^3$ und $d_m = 3$ mm:

$$\mu_{FF} = \frac{\rho_{FF} - \rho_F}{\rho_0 - \rho_F} \times 100 \qquad \Rightarrow \quad Fr_{krit} \text{ (Bild 4-14) } \Rightarrow$$

$$v_{krit} = Fr_{krit} \times \sqrt{2 \times g \times d \times \frac{\rho_0 - \rho_F}{\rho_F}} \qquad [m/s]$$

  Die kritische Fördermenge lässt sich berechnen aus:

$$Q_{FF} = v_{krit} \times A = v_{krit} \times 3600 \times \pi \times \left(\frac{d}{2}\right)^2 \qquad [m^3/h]$$

  Weiterhin lassen sich die manometrischen Förderhöhen, analog dem Vorgehen für Fall 1, bestimmen:

$$H_{man}^{FF} = H_{man} \times \frac{\rho_{FF}}{\rho_W} \qquad [m]$$

  Die Ergebnisse für die Bestimmung der kritischen Fördermenge für verschiedene Flüssigkeits-Feststoff-Gemische sind in Tabelle 4-23 aufgeführt und in Bild 4-19 eingetragen.

**Tabelle 4-22: Fall 2 - Ermittlung der Rohrkennlinie und Leistungen**

| $Q_{FF}$ $[m^3/h]$ | $v$ [m/s] | $v > v_{krit}$ | Re [-] | $\lambda$ [-] | $h_{V,S}$ [m] | $h_{V,E}$ [m] | $h_{S,Verl}$ [m] | $h_{V,D}$ [m] | $h_{Vö,KK}$ [m] | $h_{D,Verl}$ [m] | $h_{S,erf}$ [m] | $h_{S,erf} < h_{S,zul}$ | $H_{man}$ [m] | $H^{FF}_{man}$ [m] | $P_{erf}$ [kW] | $\eta_P$ [-] | $\eta$ [-] | $P_P$ [kW] |
|---|---|---|---|---|---|---|---|---|---|---|---|---|---|---|---|---|---|---|
| $\rho_{FF} = 1.045\ t/m^3$ ; $\mu_{FF} = 0$ Vol.-% | | | | | | | | | | | | | | | | | | |
| 10 | 0.02 | - | $6.80x10^3$ | $3.43x10^{-2}$ | 0.00 | 0.00 | 0.00 | 0.00 | 0 | 0.00 | 0.00 | ja | 40.00 | 41.80 | 15.9 | 0.10 | 0.09 | 179.0 |
| 500 | 1.11 | - | $3.40x10^5$ | $1.44x10^{-2}$ | 0.03 | 0.00 | 0.04 | 1.12 | 0.021 | 1.25 | 0.11 | ja | 41.36 | 43.22 | 74.2 | 0.45 | 0.40 | 185.0 |
| 1000 | 2.21 | - | $6.80x10^5$ | $1.28x10^{-2}$ | 0.12 | 0.01 | 0.15 | 3.99 | 0.082 | 4.48 | 0.42 | ja | 44.88 | 46.90 | 144.4 | 0.64 | 0.57 | 253.2 |
| 1400 | 3.09 | - | $9.52x10^5$ | $1.22x10^{-2}$ | 0.22 | 0.03 | 0.28 | 7.44 | 0.161 | 8.36 | 0.80 | ja | 49.13 | 51.34 | 214.0 | 0.71 | 0.63 | 338.3 |
| 1600 | 3.54 | - | $1.09x10^6$ | $1.20x10^{-2}$ | 0.29 | 0.04 | 0.36 | 9.54 | 0.21 | 10.72 | 1.04 | ja | 51.71 | 54.04 | 254.8 | 0.73 | 0.65 | 391.7 |
| 1800 | 3.98 | - | $1.22x10^6$ | $1.18x10^{-2}$ | 0.36 | 0.05 | 0.45 | 11.88 | 0.266 | 13.36 | 1.31 | ja | 54.61 | 57.07 | 300.1 | 0.75 | 0.67 | 449.1 |
| 2000 | 4.42 | - | $1.36x10^6$ | $1.16x10^{-2}$ | 0.43 | 0.06 | 0.54 | 14.46 | 0.329 | 16.26 | 1.61 | ja | 57.80 | 60.40 | 350.6 | 0.76 | 0.68 | 517.8 |
| 2200 | 4.86 | - | $1.50x10^6$ | $1.15x10^{-2}$ | 0.52 | 0.07 | 0.65 | 17.28 | 0.398 | 19.44 | 1.94 | ja | 61.30 | 64.06 | 406.7 | 0.76 | 0.68 | 600.6 |
| 2400 | 5.31 | - | $1.63x10^6$ | $1.13x10^{-2}$ | 0.61 | 0.09 | 0.77 | 20.34 | 0.473 | 22.89 | 2.30 | ja | 65.09 | 68.02 | 469.0 | 0.77 | 0.69 | 683.6 |
| $\rho_{FF} = 1.4\ t/m^3$ ; $\mu_{FF} = 21$ Vol.-% | | | | | | | | | | | | | | | | | | |
| 10 | 0.02 | nein | $6.80x10^3$ | $3.43x10^{-2}$ | 0.00 | 0.00 | 0.00 | 0.00 | 0 | 0.00 | 0.00 | ja | 40.00 | 55.70 | 21.3 | 0.10 | 0.09 | 238.5 |
| 500 | 1.11 | nein | $3.40x10^5$ | $1.44x10^{-2}$ | 0.03 | 0.00 | 0.04 | 1.12 | 0.021 | 1.25 | 0.14 | ja | 41.36 | 57.59 | 98.9 | 0.40 | 0.36 | 277.4 |
| 1000 | 2.21 | nein | $6.80x10^5$ | $1.28x10^{-2}$ | 0.12 | 0.01 | 0.15 | 3.99 | 0.082 | 4.48 | 0.55 | ja | 44.88 | 62.49 | 192.4 | 0.62 | 0.55 | 348.3 |
| 1400 | 3.09 | nein | $9.52x10^5$ | $1.22x10^{-2}$ | 0.22 | 0.03 | 0.28 | 7.44 | 0.161 | 8.36 | 1.07 | ja | 49.13 | 68.41 | 285.2 | 0.68 | 0.61 | 470.8 |
| 1600 | 3.54 | ja | $1.09x10^6$ | $1.20x10^{-2}$ | 0.29 | 0.04 | 0.36 | 9.54 | 0.21 | 10.72 | 1.38 | ja | 51.71 | 72.02 | 339.5 | 0.71 | 0.63 | 536.7 |
| 1800 | 3.98 | ja | $1.22x10^6$ | $1.18x10^{-2}$ | 0.36 | 0.05 | 0.45 | 11.88 | 0.266 | 13.36 | 1.74 | ja | 54.61 | 76.04 | 399.9 | 0.72 | 0.64 | 623.4 |
| 2000 | 4.42 | ja | $1.36x10^6$ | $1.16x10^{-2}$ | 0.43 | 0.06 | 0.54 | 14.46 | 0.329 | 16.26 | 2.14 | ja | 57.80 | 80.49 | 467.2 | - | - | - |
| 2200 | 4.86 | ja | $1.50x10^6$ | $1.15x10^{-2}$ | 0.52 | 0.07 | 0.65 | 17.28 | 0.398 | 19.44 | 2.58 | ja | 61.30 | 85.36 | 542.0 | - | - | - |
| 2400 | 5.31 | ja | $1.63x10^6$ | $1.13x10^{-2}$ | 0.61 | 0.09 | 0.77 | 20.34 | 0.473 | 22.89 | 3.06 | ja | 65.09 | 90.65 | 624.9 | - | - | - |

**Tabelle 4-23: Kritische Fördermengen für verschiedene Flüssigkeits-Feststoff-Gemische**

| $\rho_{FF}$ [t/m³] | $\mu_{FF}$ [Vol.-%] | $Fr_{krit}$ [-] | $v_{krit}$ [m/s] | $Q_{FF}$ [h/m³] | $H_{man}^{FF}$ [m] |
|---|---|---|---|---|---|
| 1.05 | 0.3 | 0.8 | 2.82 | 1276 | 50.06 |
| 1.1 | 3.3 | 0.84 | 2.96 | 1340 | 53.25 |
| 1.15 | 6.3 | 0.89 | 3.14 | 1419 | 56.77 |
| 1.2 | 9.4 | 0.93 | 3.28 | 1483 | 60.20 |
| 1.25 | 12.4 | 0.94 | 3.31 | 1499 | 62.96 |
| 1.3 | 15.4 | 0.98 | 3.45 | 1563 | 66.58 |
| 1.35 | 18.4 | 0.99 | 3.49 | 1579 | 69.43 |
| 1.4 | 21.5 | 1 | 3.53 | 1595 | 72.30 |

- Tabelle 4-24 zeigt eine Matrix, in der die Abhängigkeiten der Fördermenge und der Rohdichte des Feststoff-Flüssigkeits-Gemischs zur Abbauleistung bzw. der Nettovortriebsleistung dargestellt sind. Für eine Rückrechnung auf die Abbauleistung gilt:

$$Q_0 = Q_{FF} \times \frac{\rho_{FF}}{\rho_0} \times \left( \frac{1}{1 + \frac{100}{\mu_{FF}}} \right) = Q_{FF} \times \frac{\rho_{FF}}{\rho_0} \times \left( 1 + \frac{1}{\left( \frac{\rho_{FF} - \rho_F}{\rho_0 - \rho_F} \right)} \right)^{-1} \quad [m^3/h]$$

mit $\rho_0 = 2.7$ t/m³ und $\rho_F = 1.045$ t/m³

Die Nettovortriebsleistung ergibt sich aus der Beziehung:

$$Q_0 = l \times A_{Ob} \quad \text{mit} \quad A_{Ob} = \pi \times \left( \frac{d}{2} \right)^2 = \pi \times \left( \frac{10}{2} \right)^2 = 78.5\ m^2$$

**Tabelle 4-24: Matrix der Abhängigkeiten der Abbauleistung ($Q_0$) bzw. Nettovortriebsleistung (I) von der Fördermenge und der Rohdichte des Feststoff-Flüssigkeits-Gemischs**

| | $Q_0$ [t/h] / I [m/h] | | | | | | | |
|---|---|---|---|---|---|---|---|---|
| $\rho_{FF}$ [t/m³] entspricht ca. | 1.045 | 1.1 | 1.15 | 1.2 | 1.25 | 1.3 | 1.35 | 1.4 |
| $\mu_{FF}$ [Vol.-%] | 0 | 3 | 6 | 9 | 12 | 15 | 18 | 21 |
| $Q_{FF}$ [m³/h] 1276 | 0.0 | 16.7 | 32.4 | 48.6 | 65.1 | 82.0 | 99.3 | 116.8 |
| | 0.0 | 0.2 | 0.4 | 0.6 | 0.8 | 1.0 | 1.3 | 1.5 |
| 1300 | 0.0 | 17.0 | 33.0 | 49.5 | 66.3 | 83.6 | 101.1 | 119.1 |
| | 0.0 | 0.2 | 0.4 | 0.6 | 0.8 | 1.1 | 1.3 | 1.5 |
| 1400 | 0.0 | 18.3 | 35.6 | 53.3 | 71.4 | 90.0 | 108.9 | 128.2 |
| | 0.0 | 0.2 | 0.5 | 0.7 | 0.9 | 1.1 | 1.4 | 1.6 |
| 1500 | 0.0 | 19.7 | 38.1 | 57.1 | 76.5 | 96.4 | 116.7 | 137.4 |
| | 0.0 | 0.3 | 0.5 | 0.7 | 1.0 | 1.2 | 1.5 | 1.7 |
| 1600 | 0.0 | 21.0 | 40.7 | 60.9 | 81.6 | 102.9 | 124.5 | 146.5 |
| | 0.0 | 0.3 | 0.5 | 0.8 | 1.0 | 1.3 | 1.6 | 1.9 |
| 1700 | 0.0 | 22.3 | 43.2 | 64.7 | 86.7 | 109.3 | 132.3 | 155.7 |
| | 0.0 | 0.3 | 0.6 | 0.8 | 1.1 | 1.4 | 1.7 | 2.0 |
| 1800 | 0.0 | 23.6 | 45.7 | 68.5 | 91.8 | 115.7 | 140.1 | 164.8 |
| | 0.0 | 0.3 | 0.6 | 0.9 | 1.2 | 1.5 | 1.8 | 2.1 |
| 1900 | 0.0 | 24.9 | 48.3 | 72.3 | 96.9 | 122.1 | 147.8 | 174.0 |
| | 0.0 | 0.3 | 0.6 | 0.9 | 1.2 | 1.6 | 1.9 | 2.2 |
| 2000 | 0.0 | 26.2 | 50.8 | 76.1 | 102.1 | 128.6 | 155.6 | 183.2 |
| | 0.0 | 0.3 | 0.6 | 1.0 | 1.3 | 1.6 | 2.0 | 2.3 |
| 2100 | 0.0 | 27.5 | 53.4 | 79.9 | 107.2 | 135.0 | 163.4 | 192.3 |
| | 0.0 | 0.4 | 0.7 | 1.0 | 1.4 | 1.7 | 2.1 | 2.4 |
| 2200 | 0.0 | 28.8 | 55.9 | 83.7 | 112.3 | 141.4 | 171.2 | 201.5 |
| | 0.0 | 0.4 | 0.7 | 1.1 | 1.4 | 1.8 | 2.2 | 2.6 |
| 2300 | 0.0 | 30.1 | 58.4 | 87.5 | 117.4 | 147.8 | 179.0 | 210.6 |
| | 0.0 | 0.4 | 0.7 | 1.1 | 1.5 | 1.9 | 2.3 | 2.7 |
| 2400 | 0.0 | 31.4 | 61.0 | 91.3 | 122.5 | 154.3 | 186.7 | 219.8 |
| | 0.0 | 0.4 | 0.8 | 1.2 | 1.6 | 2.0 | 2.4 | 2.8 |
| 2500 | 0.0 | 32.8 | 63.5 | 95.2 | 127.6 | 160.7 | 194.5 | 228.9 |
| | 0.0 | 0.4 | 0.8 | 1.2 | 1.6 | 2.0 | 2.5 | 2.9 |
| 2600 | 0.0 | 34.1 | 66.1 | 99.0 | 132.7 | 167.1 | 202.3 | 238.1 |
| | 0.0 | 0.4 | 0.8 | 1.3 | 1.7 | 2.1 | 2.6 | 3.0 |
| 2650 | 0.0 | 34.7 | 67.3 | 100.9 | 135.2 | 170.3 | 206.2 | 242.7 |
| | 0.0 | 0.4 | 0.9 | 1.3 | 1.7 | 2.2 | 2.6 | 3.1 |

GG 12148

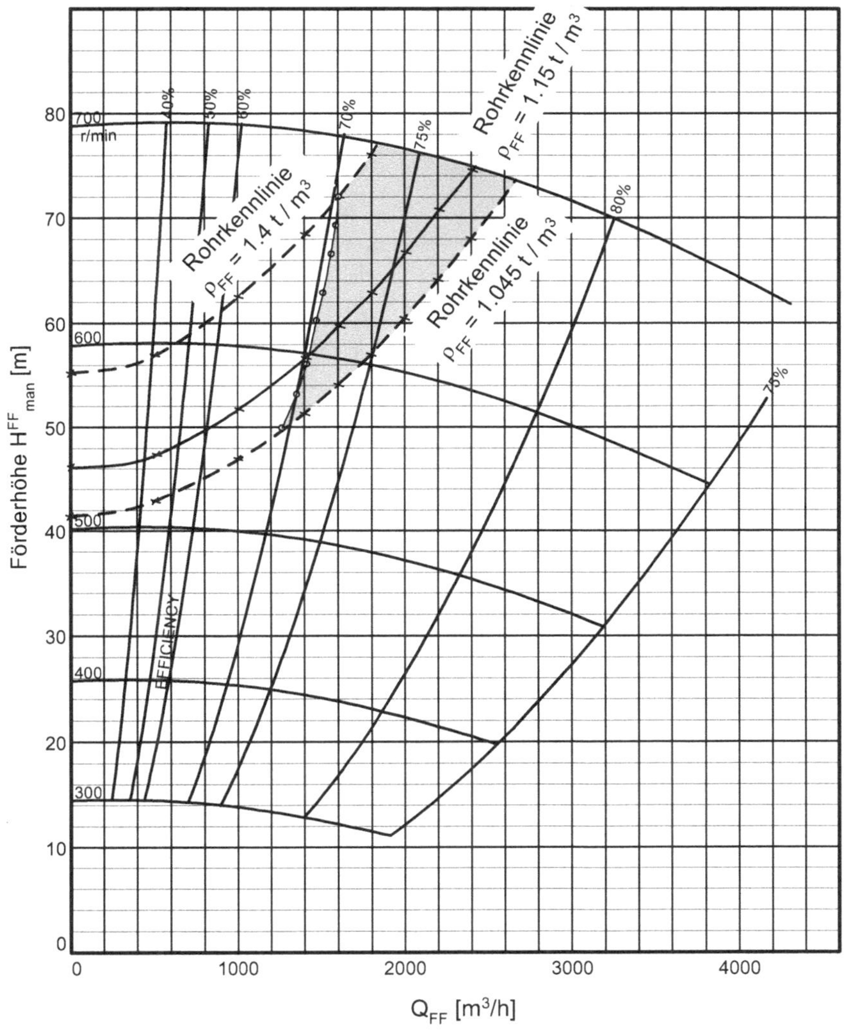


Betriebsbereich der Pumpe für verschiedene Flüssigkeits-Feststoff-Gemische

**Bild 4-19: Fall 1 und 2 - Rohr- und Pumpenkennlinie sowie möglicher Betriebsbereich (Pumpe: Warman GG 12148)**

## 4.5 Schneckenförderung

Die volumetrische Grundförderleistung von Förderschnecken ist bezogen auf das Volumen des aufgelockerten Fördergutes. Im Falle des Bodenabbaus, beispielsweise im Tunnelbau, muss daher die abgebaute Bodenmenge im lockeren Zustand betrachtet werden.

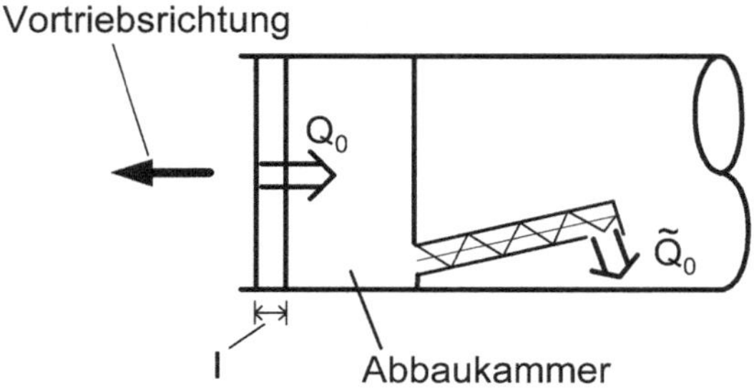


**Bild 4-20: Schematische Darstellung eines TVM-Tunnelvortriebs mit Förderschnecke zur Materialabfuhr**

$$\tilde{Q}_0 = \frac{Q_0}{\alpha} \qquad [\text{lm}^3/\text{h}]$$

$$Q_0 = l \times A_{Tunnel} \qquad [\text{fm}^3/\text{h}]$$

| | | |
|---|---|---|
| $\tilde{Q}_0$ | volumetrische Grundförderleistung (Lockermaterial) | [lm³/h] |
| $Q_0$ | Grundabbauleistung (festes Material), z.B. der TVM | [fm³/h] |
| $\alpha$ | Lösefaktor | [fm³/lm³] |
| l | Nettovortriebsleistung, z.B. der TVM | [m/h] |
| $A_{Tunnel}$ | Tunnelausbruchfläche | [m²] |

# Schneckenförderung

Die **Grundförderleistung $Q_{m,0}$ [t/h]** und die **volumetrische Grundförderleistung $\tilde{Q}_0$ [lm³/h]** von Förderschnecken sind abhängig von der Schneckengeometrie und dem Fördergut [47].

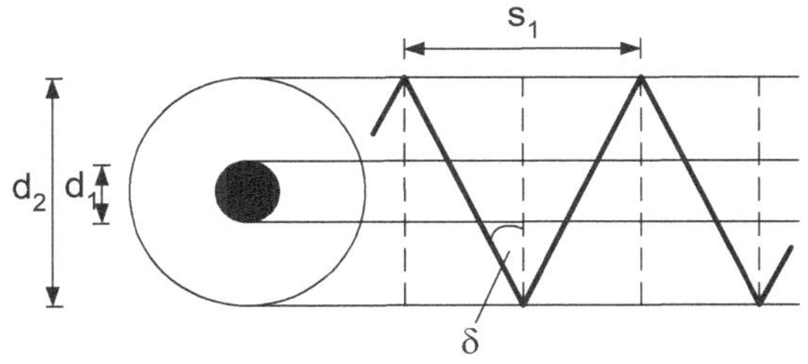


**Bild 4-21: Geometrie einer Förderschnecke**

| | |
|---|---|
| $Q_{m,0} = \rho_S \times \tilde{Q}_0 \times \varphi_0 = \rho_F \times \dfrac{Q_0}{\alpha} \times \varphi_0$ | [t/h] |
| $\tilde{Q}_0 = A \times v$ | [lm³/h] |
| $A = \dfrac{d_2^2 - d_1^2}{4} \times \pi$ | [m²] |
| $v = s_1 \times n$ | [m/h] |

| | | |
|---|---|---|
| $Q_{m,0}$ | Grundförderleistung | [t/h] |
| $\rho_S$ | Schüttdichte des Fördergutes (lockeres Material) | [t/lm³] |
| $\tilde{Q}_0$ | volumetrische Grundförderleistung (lockeres Material) | [lm³/h] |
| $\varphi_0$ | Grundwert-Füllungsgrad der Förderschnecke | [-] |
| $\rho_F$ | Dichte des ungelösten Materials in der Ortsbrust | [t/fm³] |
| $Q_0$ | Grundabbauleistung (festes Material) | [fm³/h] |
| $\alpha$ | Lösefaktor | [fm³/lm³] |
| A | Förderquerschnitt der Schnecke | [m²] |
| v | Fördergeschwindigkeit der Schnecke | [m/h] |
| $d_2$ | Schneckendurchmesser, aussen | [m] |
| $d_1$ | Schneckenachsendurchmesser | [m] |
| $s_1$ | Schneckenganghöhe | [m] |
| n | Schneckendrehzahl | [1/h] |

Die **Nutzförderleistung $Q_N$ [t/h]** (entspricht dem Abbauvolumen in fester Form) ergibt sich zu

| | |
|---|---|
| $Q_N = Q_{m,0} \times k_2 \times k_3 \times \eta_G$ | [t/h] |
| $k_2 = f_\delta \times f_\beta \times f_{St} \times f_4 \times f_5$ | [-] |
| $f_\beta = 1 - \beta \times 0.02$ | [-] |
| $k_3 = \eta_1 \times \eta_2$ | [-] |

| | | |
|---|---|---|
| $Q_N$ | Nutzförderleistung | [t/h] |
| $Q_{m,0}$ | Grundförderleistung | [t/h] |
| $k_2$ | Leistungseinflussfaktor | [-] |
| $k_3$ | Betriebsbeiwert | [-] |
| $f_1, f_2, f_3,$ | nicht massgebend | [-] |
| $f_\delta$ | Steigungsfaktor der Schneckenganghöhe | [-] |
| $f_\beta$ | Steigungsfaktor der Schneckenachse | [-] |
| $f_{St}$ | Staufaktor am Zwischenlager | [-] |
| $\beta$ | Steigung der Schneckenachse (0° $\equiv$ horizontal) | [°] |
| $f_4$ | Schneckenzustandsfaktor $\approx$ 1 | [-] |
| $f_5$ | Verfügbarkeits-/Gerätezustandsfaktor | [-] |
| $\eta_1$ | Bedienungsfaktor $\approx$ 1 | [-] |
| $\eta_2$ | Betriebsfaktor | [-] |
| $\eta_G$ | Geräteausnutzungsgrad | [-] |

Der Füllungsgrad $\varphi$ ist abhängig vom Grundwert, der durch die Reibungs- und Hafteigenschaften des Fördergutes bestimmt wird. Ferner beeinflussen schneckenspezifische geometrischen Faktoren wie Steigung der Schneckenganghöhe $\delta$ und Steigung der Schneckenachse $\beta$ die Leistung (Bild 4-22). Auch sind eventuelle Stauungen an Zwischenlagern infolge Überladung zu berücksichtigen.

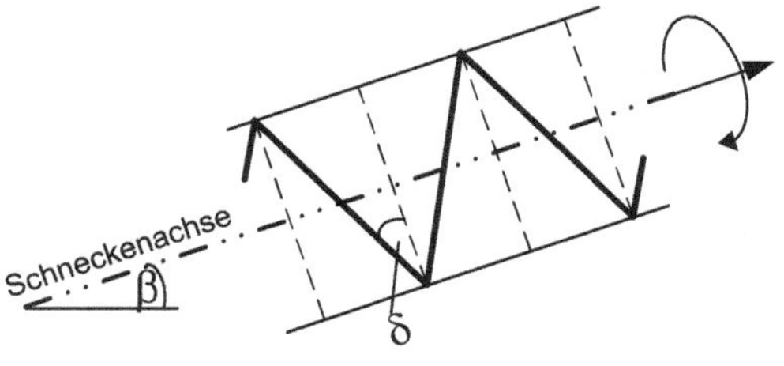


**Bild 4-22: Steigungen der Schneckenganghöhe (δ) und der Schneckenachse (β)**

**Tabelle 4-25: Grundwerte des Füllungsgrads $\varphi_0$ nach [47]**

| Fördergut | Grundwert des Füllungsgrads $\varphi_0$ [-] |
|---|---|
| mässig schleissend, körnig bis kleinstückig (Sand) | ≈ 0.3 |
| schwer, stark schleissend (Kies) | ≈ 0.15 |

**Tabelle 4-26: Steigungsfaktor $f_\delta$ der Schneckenganghöhe nach [47]**

| Steigung der Schneckenganghöhe $\delta$ [°] | Abminderungsfaktor – Steigung der Schneckenganghöhe $f_\delta$ [-] |
|---|---|
| ungewöhnlich gross: > 30 | ≈ 0.9 |
| übliche Steigung: $17 < \delta < 30$ | ≈ 1.0 |

**Tabelle 4-27: Staufaktor $f_{St}$ nach [47]**

| Stauung | Abminderungsfaktor – Einfluss von Stauungen $f_{St}$ [-] |
|---|---|
| Zwischenlager der Schnecke | ≈ 0.9 |
| gleichmässiger Fluss, keine Stauungen | ≈ 1.0 |

**Tabelle 4-28: Betriebsbedingungen $\eta_2$ nach [47]**

| Betriebsbedingung | Betriebsbedingungen $\eta_2$ [-] |
|---|---|
| rauer Betrieb, schlechte Wartung, häufige Überfüllung, ungleichmässige Beschickung | 0.8 |
| guter Betrieb, keine Überfüllung, gleichmässige Beschickung | 1 |

Die **erforderliche Schneckenkraft $F_B$ [kN]** in Förderrichtung kann anhand einer Betrachtung der Förderschnecke über eine definierte Länge $\Delta l$ hergeleitet werden.

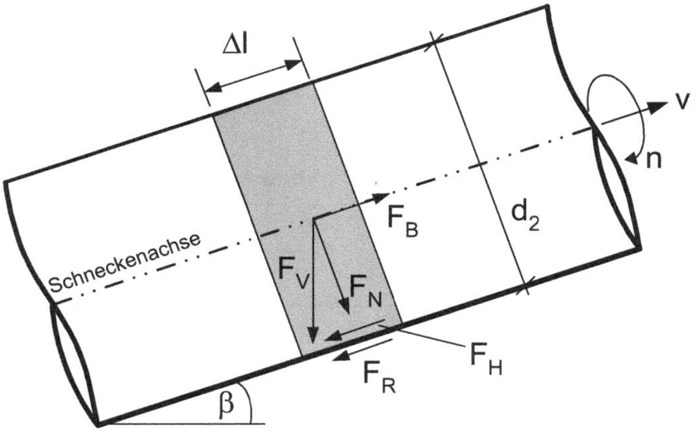


**Bild 4-23: Betrachtung eines Ausschnitts der Förderschnecke bezüglich der wirkenden Kräfte**

$$F_R = m_{\Delta l} \times g \times \cos\beta \times L \times \lambda \quad [kN]$$

$$F_H = m_{\Delta l} \times g \times \sin\beta \times L \quad [kN]$$

$$m_{\Delta l} = \rho_S \times A \times \varphi_0 \times f_\delta \times f_\beta = \frac{Q_{m,0}}{v} \times f_\delta \times f_\beta \quad [t/m]$$

mit

$$H = \sin\beta \times L \quad [m]$$

Summe aller Kräfte in Achsenrichtung:

$$F_B = F_R + F_H \quad [kN]$$

$$F_B = \rho_S \times A \times \varphi_0 \times f_\delta \times f_\beta \times g \times (\cos\beta \times L \times \lambda + H)$$

$$= \frac{Q_{m,0}}{v} \times f_\delta \times f_\beta \times g \times (\cos\beta \times L \times \lambda + H) \quad [kN]$$

| | | |
|---|---|---|
| $F_R$ | Reibungskraft | [kN] |
| $m_{\Delta l}$ | Streckenlast des Fördergutes | [t/m] |
| $g$ | Erdbeschleunigung | [m/s²] |
| $\beta$ | Steigung der Schneckenachse | [°] |

| | | |
|---|---|---|
| $L$ | Schneckenlänge | [m] |
| $H$ | Höhendifferenz zw. Schneckenanfang und –ende | [m] |
| $\lambda$ | Verschiebewiderstandsbeiwert | [-] |
| $F_H$ | Hangabtriebskraft | [kN] |
| $\rho_S$ | Schüttdichte des Fördergutes (lockeres Material) | [t/m³] |
| $A$ | Förderquerschnitt | [m²] |
| $v$ | Fördergeschwindigkeit der Schnecke | [m/h] |
| $\varphi_0$ | Grundwert-Füllungsgrad der Förderschnecke | [-] |
| $F_B$ | erforderliche Schneckenkraft | [kN] |

**Tabelle 4-29: Verschiebewiderstandsbeiwert $\lambda$ in Abhängigkeit von den Materialien nach [50]**

| Fördergut | Schüttdichte $\rho_S$ [t/m³] | Verschiebewiderstandsbeiwert $\lambda$ [-] |
|---|---|---|
| Asche, Schlacke | 0.7 – 1.0 | 3 |
| Kies | 1.5 – 1.8 | 3 |
| Ton, feuchter Lehm | 1.8 | 2 |
| Mergel | 1.6 – 1.9 | 2 |
| Sand | 1.4 – 1.7 | 3 |
| Zement | 1.0 – 1.3 | 2 |
| Mörtel | 1.8 – 2.1 | 3 |

Die **theoretische Antriebsleistung der Förderschnecke $P_A$ [kW]** und das **Drehmoment des Schneckenantriebs $M_D$ [kNm]** für Förderschnecken ergeben sich zu:

$$P_A = F_B \times v = M_D \times \omega \qquad \text{[kW]}$$

$$v = s_1 \times n \qquad \text{[m/h]}$$

$$\omega = 2 \times \pi \times n \qquad \text{[1/h]}$$

$$M_D = \frac{F_B \times v}{\omega} \approx 1.56 \times \frac{\cos\beta \times L \times \lambda + H}{n} \times Q_{m,0} \qquad \text{[kNm]}$$

| | | |
|---|---|---|
| $P_A$ | theoretische Antriebsleistung der Förderschnecke | [kW] |
| $F_B$ | erforderliche Schneckenkraft | [kN] |
| $v$ | Fördergeschwindigkeit | [m/h] |
| $M_D$ | Drehmoment des Schneckenantriebs | [kNm] |
| $\omega$ | Winkelgeschwindigkeit | [1/h] |

# Schneckenförderung

| | | |
|---|---|---|
| $n$ | Schneckendrehzahl | [1/h] |
| $s_1$ | Schneckenganghöhe | [m] |
| $\beta$ | Steigung der Schneckenachse | [°] |
| $L$ | Schneckenlänge | [m] |
| $\lambda$ | Verschiebewiderstandsbeiwert | [-] |
| $H$ | Höhendifferenz zw. Schneckenanfang und -ende | [m] |
| $Q_{m,0}$ | Grundförderleistung | [t/h] |

**Motorleistung $P_M$ [kW] des Schneckenantriebs**

$$P_M = \frac{P_A}{\eta_M} \qquad \text{[kW]}$$

| | | |
|---|---|---|
| $P_M$ | Motorleistung des Schneckenantriebs | [kW] |
| $P_A$ | theoretische Antriebsleistung der Förderschnecke | [kW] |
| $\eta_M$ | Wirkungsgrad des Motors | [-] |

# 5 Tunnelbaugeräte

Tunnelbohrmaschinen
Teilschnittmaschinen
Bohrmaschinen
Bohr- und Sprengarbeiten
Lüftung

## 5.1 Tunnelbohrmaschinen [2]

Die Penetration (Eindringtiefe) [m/h] wird durch folgende Faktoren bestimmt [48]:

- Klüftung des Gesteins
- Lage der Klüfte
- Gesteinshärte/-art
- Anpressdruck
- Meisselgrösse

**Nettovortriebsleistung I [m/h]** (Nettopenetrationsleistung)

$$I = k_S \times k_M \times i_b \times m \times \frac{60}{1000} \qquad [m/h]$$

| | | |
|---|---|---|
| $I$ | Nettovortriebsleistung (Penetration) | [m/h] |
| $k_S$ | Kluftfaktor | [-] |
| $k_M$ | Einflussfaktor der Meisselgrösse | [-] |
| $i_b$ | max. Penetration pro Bohrkopfumdrehung | [mm/U] |
| $m$ | Anzahl der Bohrkopfumdrehungen pro Minute | [U/min] |

Daraus ergibt sich die **Grundabbauleistung $Q_0$ [fm³/h]**

$$Q_0 = I \times A = I \times \frac{\pi \times D^2}{4} \qquad [fm^3/h]$$

# Tunnelbohrmaschine

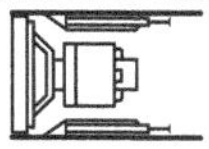

Die **Nutzabbauleistung $Q_N$ [fm³/h]** beträgt somit

$$Q_N = Q_0 \times k_1 \times k_2 \times k_3 \times \eta_G \qquad [fm^3/h]$$

$$k_1 = 1$$

$$k_2 = f_4 \times f_5$$

$$k_3 = \eta_1 \times \eta_2$$

| | | |
|---|---|---|
| D | Tunnelausbruchdurchmesser | [m] |
| A | Tunnelausbruchfläche | [m²] |
| $Q_0$ | Grundabbauleistung | [fm³/h] |
| $Q_N$ | Nutz-/Dauerabbauleistung | [fm³/h] |
| $f_1$; $f_2$; $f_3$ | nicht massgebend | |
| $f_4$ | Meisselzustand | [-] |
| $f_5$ | Verfügbarkeits-/Gerätezustandsfaktor | [-] |
| $k_1$ | Abbaubarkeitsfaktor (berücksichtigt im DRI) | [-] |
| $k_2$ | Leistungseinflussfaktor | [-] |
| $k_3$ | Betriebsbeiwert | [-] |
| $\eta_G$ | Geräteausnutzungsgrad (einschliesslich Umsetzen der Maschine nach jedem Bohrhub) | [-] |
| $\eta_1$ | Bedienungsfaktor | [-] |
| $\eta_2$ | Betriebsbedingungen | [-] |

Der Lösefaktor bei Fels beträgt:

$$\alpha = \frac{\text{Felsvolumen}_{\text{fest}}}{\text{Felsvolumen}_{\text{gelöst}}} \approx 0.6$$

d.h. das Volumen des gelösten Felses erhöht sich gegenüber dem Volumen des ungelösten Felses um das ca. 1/0.6fache = 1.7fache Volumen.

**Kluftfaktor $k_S$ [-]**

Die Klüfte und Spalten werden in Klassen eingeteilt [48]:

| | | |
|---|---|---|
| 0 | keine Bruchzonen vorhanden | |
| I | einzelne Klüfte vorhanden | Abstand ca. 40 cm |
| II | mehrere Klüfte vorhanden | Abstand ca. 20 cm |
| III | viele Klüfte vorhanden | Abstand ca. 10 cm |
| IV | sehr viele Klüfte vorhanden, Störzone | Abstand ca. 5 cm |

Ebenfalls einen Einfluss auf den Kluftfaktor hat der Winkel β zwischen der Tunnelachse und der Kluftfläche.

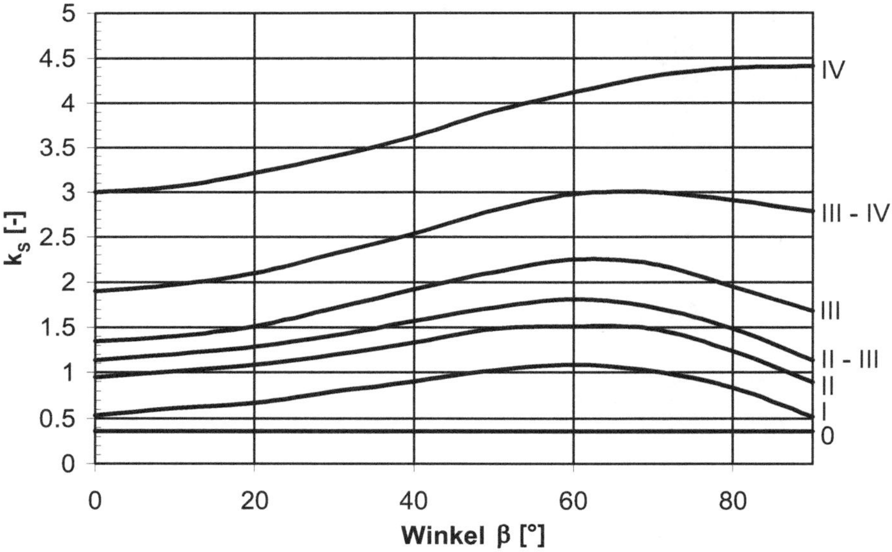


**Bild 5-1: Einfluss des Winkels β [°] zwischen der Tunnelachse und den Kluftflächen auf den Kluftfaktor $k_S$ [-] [48]**

Die **maximale Penetration $i_b$ [mm/U]** ist von der Bohrbarkeit (Drilling Rate Index DRI) des Gesteins und dem Anpressdruck pro Disk abhängig [48].

Die **Bohrbarkeit DRI [-]** wird aus den unten stehenden Diagrammen herausgelesen.

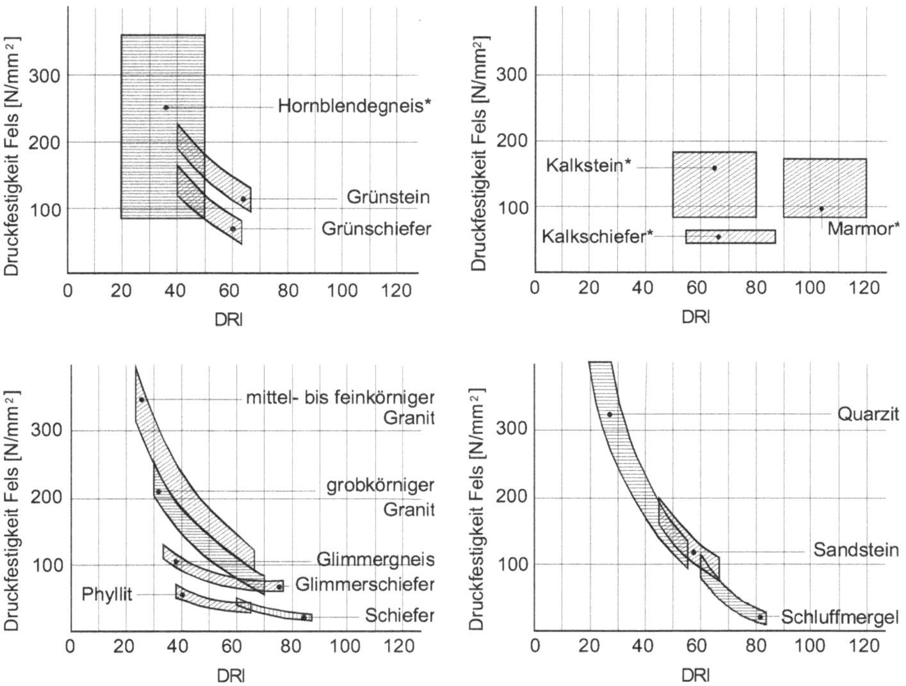


***) Diese Felsarten weisen eine hohe Streuung der Druckfestigkeitsbereiche und der DRI-Werte auf. Hier wird eine genauere Untersuchung der Bohrbarkeit angeraten.**

**Bild 5-2: Bohrbarkeit DRI [-] [48]**

## Anpresskraft pro Disk $F_i$ [kN]

| | |
|---|---|
| $F_i = \frac{F_A}{n}$ | [kN] |
| $F_A = F_{Vorschub} - F_{ZR}$ | [kN] |

| | | |
|---|---|---|
| $F_i$ | Durchschnittliche Anpresskraft pro Disk | [kN] |
| $F_A$ | Effektive Anpresskraft des Bohrkopfes | [kN] |
| $F_{Vorschub}$ | Vorschubpressenkräfte | [kN] |
| $F_{ZR}$ | Reibungskräfte am Bohrkopfmantel | [kN] |
| n | Anzahl der Disken am Bohrkopf | [-] |

Zur Ermittlung der erforderlichen Gripperspannkräfte siehe [2].

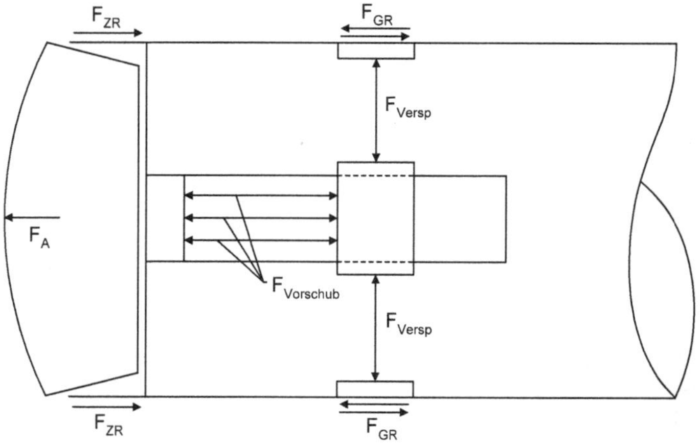


| | | |
|---|---|---|
| $F_{Versp}$ | Verspannkraft der Gripper | [kN] |
| $F_{GR}$ | Reibungskräfte der Gripper | [kN] |

**Bild 5-3: Kräfte beim Einsatz einer Tunnelbohrmaschine**

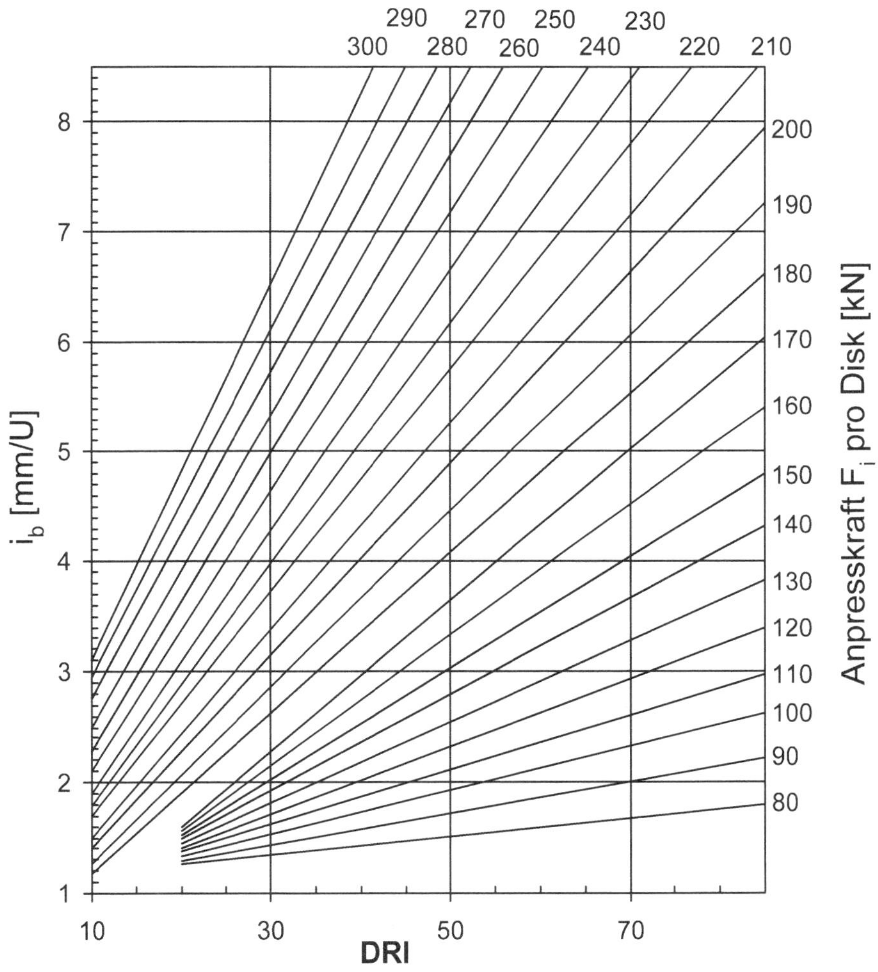


**Bild 5-4: Diagramm zur Bestimmung der maximalen Penetration $i_b$ [48]**

### Einflussfaktor der Meisselgrösse $k_M$ [-]

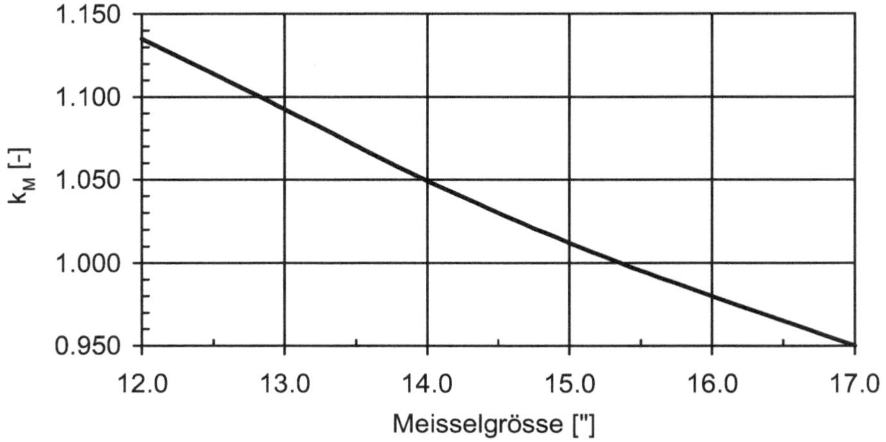


**Bild 5-5: Einflussfaktor der Meisselgrösse [48]**

### Maximale Bohrkopfumdrehungen für Diskenabrollgeschwindigkeit von v = 110 m/min [2]:

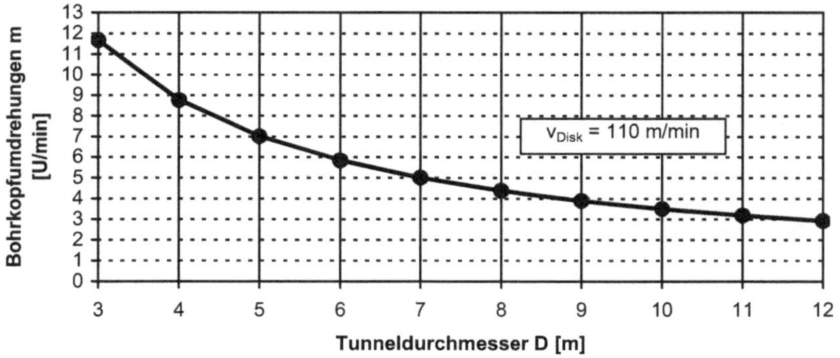


**Bild 5-6: Maximale Bohrkopfumdrehungen m für die Diskenabrollgeschwindigkeit v = 110 m/min**

## 5.2 Teilschnittmaschinen [2]

**Nutzabbauleistung $Q_N$ [fm³/h]**

| | |
|---|---|
| $Q_N = Q_0 \times k_S \times k_2 \times k_3 \times \eta_G$ | [fm³/h] |
| $k_S = k_C \times k_P$ | [-] |
| $k_2 = f_4 \times f_5$ | [-] |
| $k_3 = \eta_1 \times \eta_2$ | [-] |

| | | |
|---|---|---|
| $Q_N$ | Nutzabbauleistung | [fm³/h] |
| $Q_0$ | mittlere Grundabbauleistung, enthält Schwenkwinkelfaktor (Bestreichen der Ortsbrust von einem Punkt) | [fm³/h] |
| $f_1$; $f_2$; $f_3$ | nicht massgebend | [-] |
| $f_4$ | Meisselzustand | [-] |
| $f_5$ | Verfügbarkeits-/Gerätezustandsfaktor | [-] |
| $k_C$ | Zähigkeitsfaktor | [-] |
| $k_P$ | Schichtabstandsfaktor | [-] |
| $k_S$ | Schrämbarkeitsfaktor | [-] |
| $k_2$ | Leistungseinflussfaktor | [-] |
| $k_3$ | Betriebsbeiwert | [-] |
| $\eta_G$ | Geräteausnutzungsgrad (einschliesslich Umsetzen der Maschine an der Ortsbrust) | [-] |
| $\eta_1$ | Bedienungsfaktor | [-] |
| $\eta_2$ | Betriebsbedingungen | [-] |

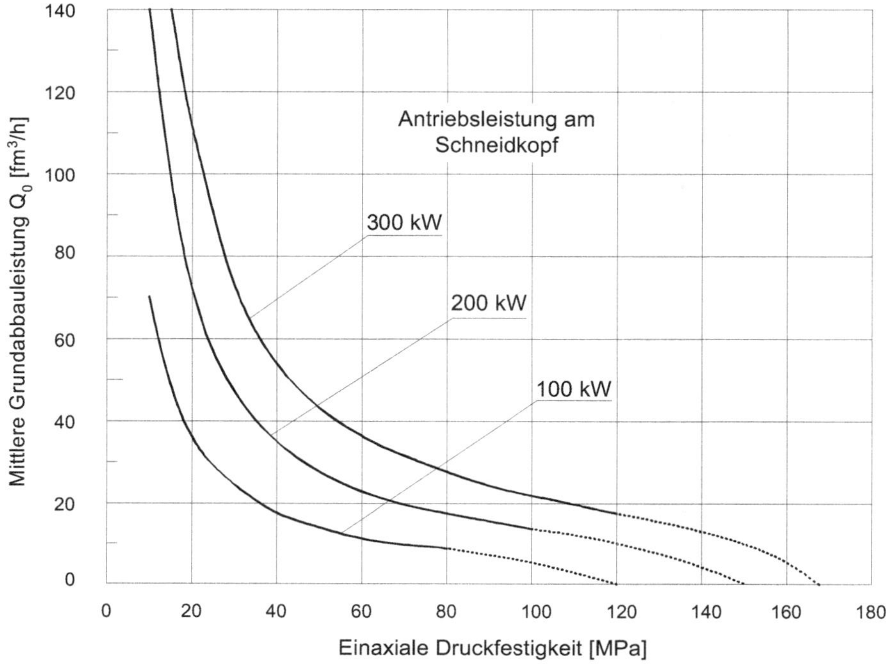


**Bild 5-7: Diagramm zur überschlägigen Ermittlung der mittleren Grundabbauleistung $Q_0$ von TSM**

Bild 5-7 zeigt die mittlere Grundabbauleistung von Teilschnittmaschinen als Funktion der einaxialen Druckfestigkeit und der Antriebsleistung am Schrämkopf. Die Zugfestigkeit $\sigma_z$ des Gesteins wird durch den Zähigkeitsfaktor $k_C$ berücksichtigt.

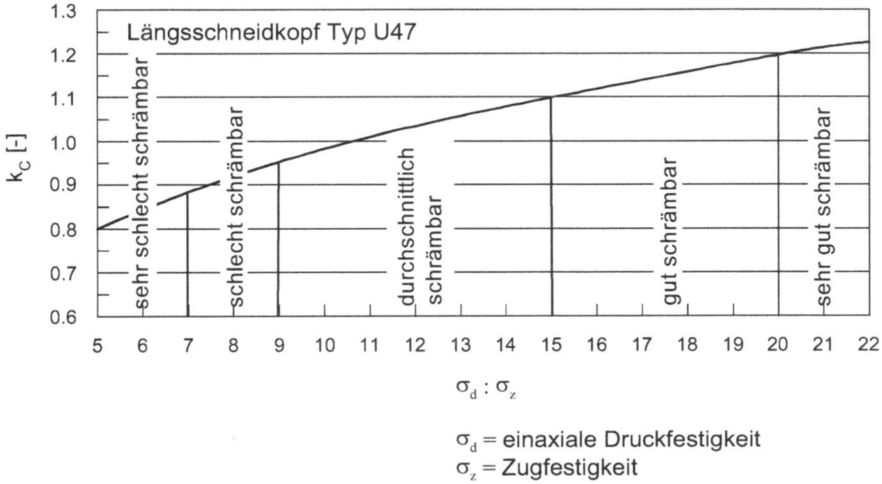


**Bild 5-8: Zähigkeitsfaktor $k_C$ [-] – Einfluss des Spannungsverhältnisses $\sigma_d/\sigma_z$ [49]**

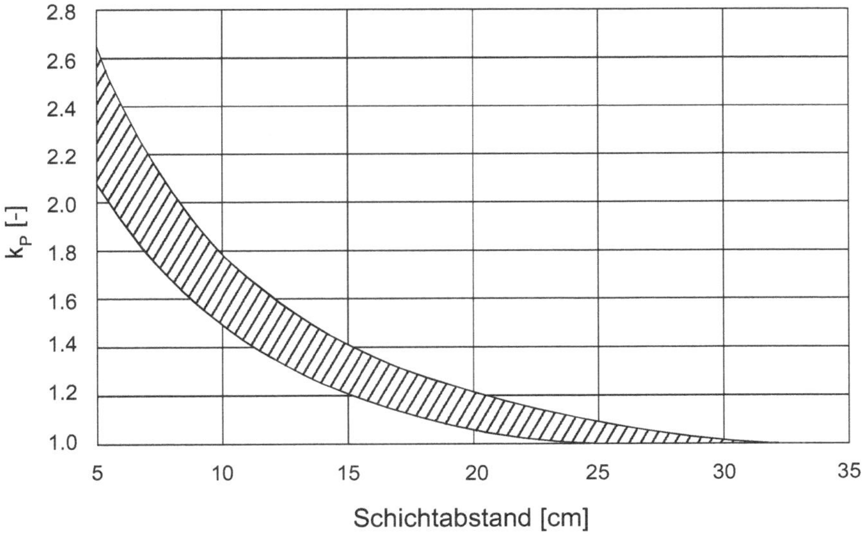


**Bild 5-9: Schichtabstandsfaktor $k_P$ [-] [49]:**

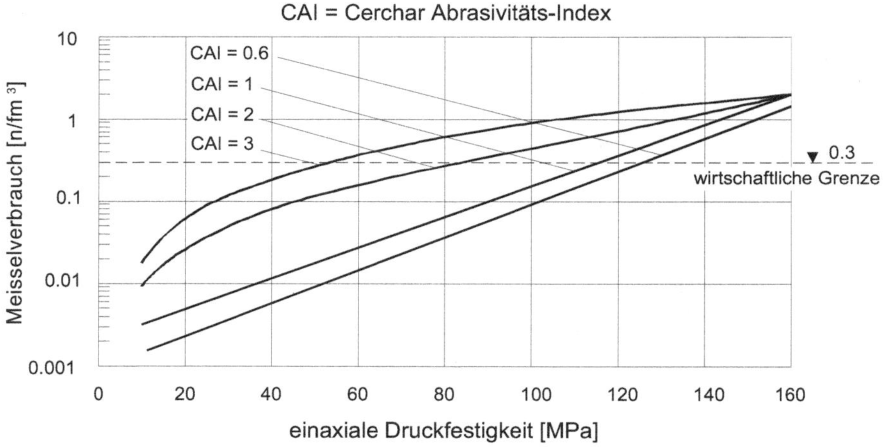


n = Anzahl der Meissel

**Bild 5-10: Meisselverbrauch nach [49]**

## Tagesmeisselverbrauch $N_{AT}$ [n]

| | |
|---|---|
| $N_{AT} = v_m \times Q_N \times T_A$ | [n] |

| | | |
|---|---|---|
| $v_m$ | Meisselverbrauch | $[n/fm^3]$ |
| $Q_N$ | Nutzabbauleistung | $[fm^3/h]$ |
| $T_A$ | Arbeitsstunden pro Tag | [h] |

## Gesamtmeisselverbrauch über die Einsatzzeit $N_{ET}$ [n]

| | |
|---|---|
| $N_{ET} = \sum_i v_{mi} \times V_i$ | [n] |

| | | |
|---|---|---|
| $v_{mi}$ | Meisselverbrauch im Bereich i | $[n/fm^3]$ |
| i | Bereich mit unterschiedlichem CAI und $\sigma_d$ | [-] |
| $V_i$ | Ausbruchvolumen im Bereich i | $[fm^3]$ |

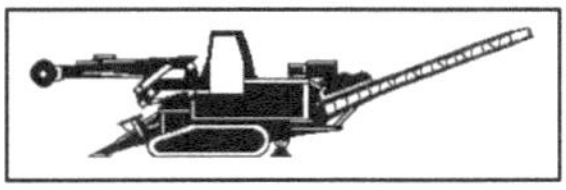

**Optimale Abstimmung: Schrämleistung - Maschinengewicht [2]:**

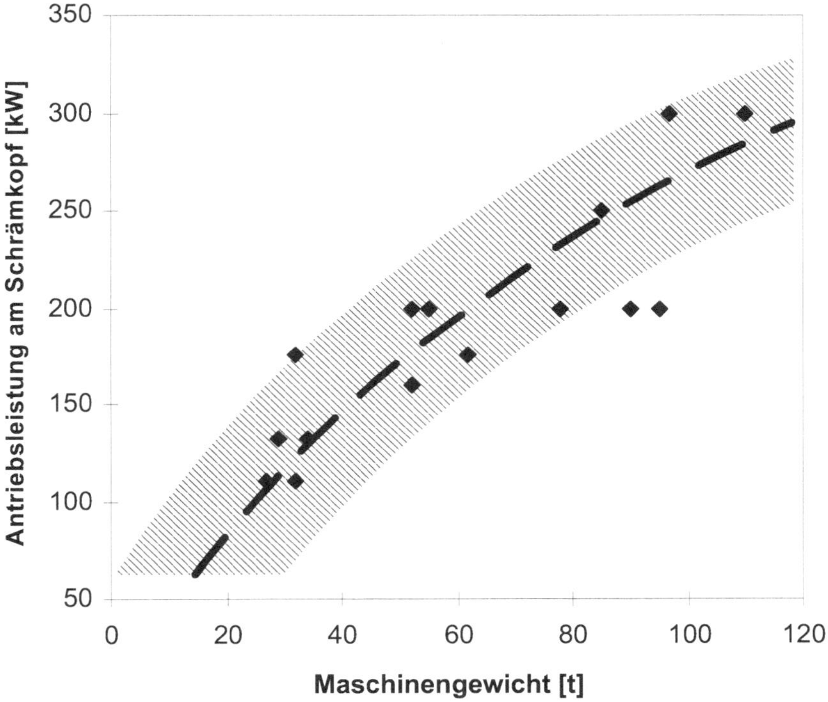


**Bild 5-11: Optimierung Schrämleistung (Schneidkopfantrieb) und Maschinengewicht**

## 5.3 Bohrmaschinen

### Grundpenetration $v_{Bohr,0}$ [m/min]

| | |
|---|---|
| $v_{Bohr,0} = i_b \times k_S \times k_M \times k_{BS}$ | [m/min] |

### Nutzpenetration $v_{Bohr,N}$ [m/min]

| | |
|---|---|
| $v_{Bohr,N} = v_{Bohr,0} \times k_2 \times k_3 \times \eta_G$ | [m/min] |
| $k_2 = f_4 \times f_5$ | [-] |
| $k_3 = \eta_1 \times \eta_2$ | [-] |

| | | |
|---|---|---|
| $v_{Bohr,0}$ | Grundpenetration | [m/min] |
| $i_b$ | Penetrationsrate | [m/min] |
| $k_S$ | Einflussfaktor der Schieferung/Anisotropie | [-] |
| $k_M$ | Faktor für die Wahl des Bohrkopfdurchmessers | [-] |
| $k_{BS}$ | Faktor zur Berücksichtigung der Art der Bohrstifte | [-] |
| $v_{Bohr,N}$ | Nutzpenetration | [m/min] |
| $k_2$ | Leistungseinflussfaktor | [-] |
| $k_3$ | Betriebsbeiwert | [-] |
| $f_1$; $f_2$; $f_3$ | nicht massgebend | [-] |
| $f_4$ | Bohrstift-/Bohrkronenzustandsfaktor | [-] |
| $f_5$ | Verfügbarkeits-/Gerätezustandsfaktor | [-] |
| $\eta_1$ | Bedienungsfaktor | [-] |
| $\eta_2$ | Betriebsbedingungen | [-] |
| $\eta_G$ | Geräteausnutzungsgrad | [-] |

Die erzielbare Bohrleistung ist abhängig von:

- Leistung, Antriebs- bzw. Kraftübertragungsart, Bohrverfahren, Anpressdruck, Schlagimpuls und -frequenz etc.
- Bohrbarkeit des Gesteins, abhängig von Druckfestigkeit, Zähigkeit, Quarzgehalt etc.
- Anisotropie/Schieferung des Gesteins
- Bohrkronenwahl, Stiftform
- Durchmesser der Bohrung

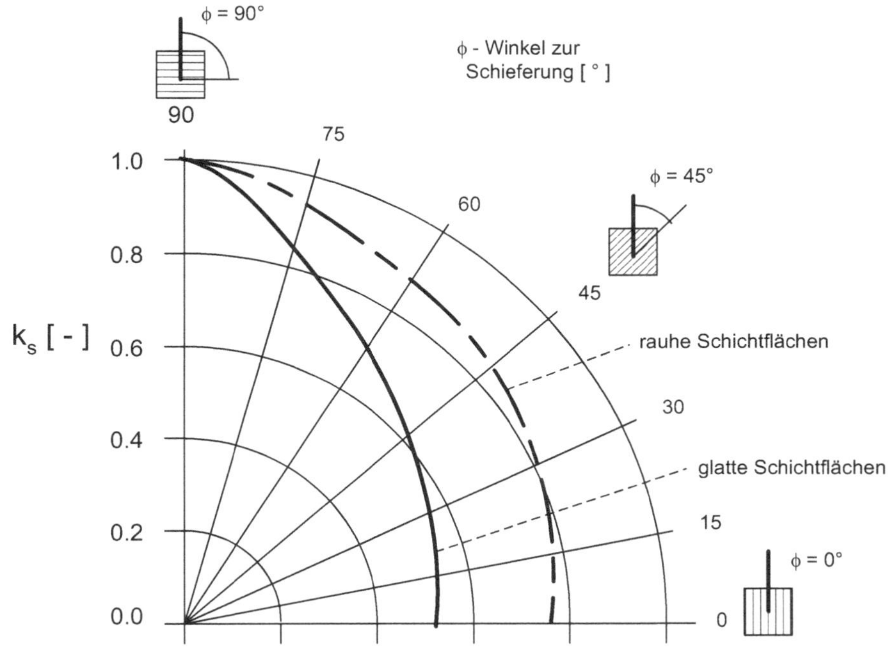


**Bild 5-12: Faktor $k_S$ [-] – Einfluss der Anisotropie bei geschieferten Gebirgen nach [50]**

Zu Bild 5-12:
Verlauf des Einflussfaktors $k_S$ in Abhängigkeit von der Bohrrichtung für ein Quarzphyllit mit ebenen, glatten Schieferungsflächen (hochgradige Anisotropie; durchgehende Linie) und mit welligen Schieferungsflächen (starke Anisotropie; gestrichelte Linie) [50].

**Tabelle 5-1: Faktor $k_M$ [-] – Berücksichtigung der Wahl des Bohrkopfdurchmessers bei gleicher Hammerleistung**

| Bohrkopfdurchmesser Ø [mm] | 45 | 64 | 128 |
|---|---|---|---|
| Anzahl der Bohrstifte [-] | 6 bzw. 9 | 12 | 22 |
| Abminderungsfaktor $k_M$ [-] | 1 | 0.8 – 0.6 | 0.4 – 0.6 |

**Tabelle 5-2: Faktor $k_{BS}$ [-] zur Berücksichtigung der Art der Bohrstifte nach [50]**

| Stiftform | Faktor $k_{BS}$ [-] |
|---|---|
| ballistisch | 1.0 |
| sphärisch | 0.85 |

**Tabelle 5-3: Praxiswerte für die Penetrationsrate $i_b$ [m/min] in Abhängigkeit von der Gesteinsart und der einaxialen Druckfestigkeit nach [51]**

| Drehschlagbohrmaschine: Leistung 20 kW, z.B. Atlas Copco COP 1838 | | |
|---|---|---|
| Gesteinsart | einaxiale Druckfestigkeit $\sigma_c$ [N/mm²] | typische Penetrationsrate $i_b$ [m/min] |
| Granit / Gneis | 150 – 220 | 2.8 – 3.5 |
| Kieselkalk | 200 – 270 | 2.5 – 3.5 |
| Tonstein (Mergel) | 20* – 80 | 2.0 – 3.0 |
| Sandstein (Molasse) | 40* – 150 | 3.0 – 4.0 |
| * Anmerkung: Gebirge mit tonigen Anteilen führt beim Bohren zu Leistungsminderungen durch Verkleben / Verstopfen der Spülöffnungen der Bohrkrone | | |

**Tabelle 5-4: Trendbeziehung Bohrbarkeit – Bohrgeschwindigkeit – Bohrkronenverbrauch nach [52]**

| Bohrbarkeit | Grundpenetration | | Verschleiss / Standzeit | |
|---|---|---|---|---|
| | Bezeichnung | $v_{Bohr,0}$ [m/min] | Bezeichnung | $l_{stand}$ [Bohrmeter/Krone]* |
| leicht | sehr hoch | > 4 | sehr gering | > 2500 |
| normal | hoch | 3 – 4 | gering | 1500 – 2500 |
| schwer | mittel | 2 – 3 | mittel | 1000 – 1500 |
| sehr schwer | gering | 1 – 2 | hoch | 500 – 1000 |
| extrem schwer | sehr gering | < 1 | sehr hoch | 200 – 500 |
| extrem schwer | sehr gering | < 1 | extrem hoch | < 200 |
| * bezogen auf Stiftkronen mit Bohrkronendurchmesser zwischen 43 und 48 mm, hauptsächlich 45 mm | | | | |

## 5.4 Bohren und Sprengen einer Ortsbrust [2]

**Gesamte Bohrzeit $T_B$ [min]**

$$T_B = \sum t_B + \sum \Delta t_{Umsetz} + t_{Vermess} \qquad \text{[min]}$$

$$T_B = \frac{n \times l_B}{n_B \times v_{Bohr,N}} + \frac{n \times \Delta t_{Umsetz}}{n_B} + n \times \Delta t_{Vermess} \qquad \text{[min]}$$

| | | |
|---|---|---|
| $\sum t_B$ | Gesamte Bohrzeit für die Bohrlöcher eines Abschlags | [min] |
| $n$ | Anzahl Bohrlöcher | [-] |
| $l_B$ | Bohrlochtiefe | [m] |
| $n_B$ | Anzahl der Bohrarme am Jumbo (2 bis 3) | [-] |
| $v_{Bohr,N}$ | reine Bohrgeschwindigkeit, abhängig von der Gesteinsfestigkeit, Abrasivität etc. | [m/min] |
| $\Delta t_{Umsetz}$ | Umsetzzeit eines Bohrarms zum nächsten Bohransatzpunkt | [min] |
| $t_{Vermess}$ | Gesamteinmesszeit aller Bohrlöcher, bei automatischen Bohrgeräten $\approx 0$ | [min] |
| $\Delta t_{Vermess}$ | Einmessung und Markierung eines Bohransatzpunkts (bei teil- bzw. vollautomatisierten Jumbos $\Delta t_{Vermess} = 0$) | [min] |

**Zeit für das Umsetzen des Bohrjumbos von einer Ortsbrustseite zur anderen und das Einrichten:**

$T_{Ein} = 15$ min

Die **Sprengzeit** setzt sich zusammen aus der Zeit für das Laden der Bohrlöcher, das Verdrahten, das Prüfen und Zünden der Ladungen sowie aus der Zeit für das anschliessende Lüften.

**Ladezeit $T_L$ [min]**

$$T_L = \frac{n \times l_B}{n_A \times q_A} \qquad \text{[min]}$$

| | | |
|---|---|---|
| $n_A$ | Anzahl der Arbeiter | [-] |
| $q_A$ | Ladeleistung pro Arbeiter (1 – 2 m/min) | [m/min] |

**Verdrahtungszeit $T_V$ [min]**

$$T_V = n \times \bar{t}_{Verd} \quad [min]$$

| | | |
|---|---|---|
| $T_V$ | Verdrahtungszeit | [min] |
| $\bar{t}_{Verd}$ | Verdrahtungszeit pro Bohrloch (0.2 – 0.5 min/Loch) | [min/Loch] |

**Zeit für Prüfen und Zünden $T_{PZ}$ [min]:** $T_{PZ} = 15$ min

**Zeit für das Lüften $T_{Lüft}$ [min]:** $T_{Lüft} = 15$ min

Da die Arbeiten heute weitgehend parallel verlaufen, können sie nicht als einfache Summe abgebildet werden. Beim Einsatz von lafettierten Bohrgeräten und Verwendung von patroniertem oder Emulsionssprengstoff darf bei gebotener Vorsicht bis zum Abstand eines Fünftels der Bohrlochtiefe, **mindestens aber 1 m**, von geladenen Bohrlöchern gebohrt werden [53]. Dies bedeutet, dass das Laden der Bohrlöcher parallel zum Bohren durchgeführt und nach ca. einem Viertel bis der Hälfte der gebohrten Löcher begonnen werden kann. Gleichzeitig kann nach Fertigstellung des Ladevorgangs einer Ortsbrusthälfte bereits mit dem Verdrahten der Zündstufen begonnen werden.

Nachfolgend wird ein solches Beispiel dargestellt, das eine weitgehende Parallelität eines Teils des Sprengvortriebszyklus ermöglicht.

Folgende Arbeiten verlaufen parallel:

**1. Phase:**

- Der Bohrjumbo bohrt Sprenglöcher auf der linken Hälfte der Ortsbrust.
- Das Ankerbohrgerät setzt auf der rechten Tunnelgewölbeseite Anker.

**Zwischenphase:** Gerätewechsel

**2. Phase:**

- Der Bohrjumbo bohrt Sprenglöcher auf der rechten Hälfte der Ortsbrust.
- Das Ankerbohrgerät setzt auf der linken Tunnelgewölbeseite Anker.
- Vom Ankerbohrgerät wird mittels Ladekorb auf der linken Ortsbrusthälfte patronierter oder Emulsionssprengstoff geladen.
- Anschliessend folgt auf der linken Ortsbrusthälfte die Verdrahtung der Sprengladungen.

**3. Phase:**

- Laden der rechten Seite der Ortsbrust vom Ladekorb des Bohrjumbos
- Anschliessend folgt auf der rechten Ortsbrusthälfte die Verdrahtung der Sprengladungen.
- Rückziehen des Bohrjumbos

**4. Phase:**

- Prüfen und Zünden der Ladungen

**5. Phase:**

- Lüften

Des Weiteren folgt das Profilieren des Querschnitts nach dem Sprengen und das anschliessende Schuttern.

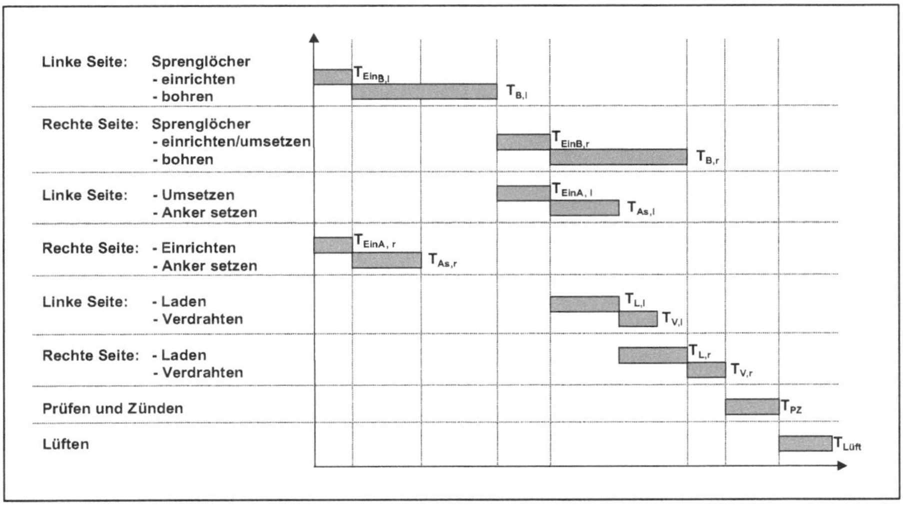


**Bild 5-13: Zeitlicher Ablauf eines parallel verlaufenden Sprengvortriebszyklus**

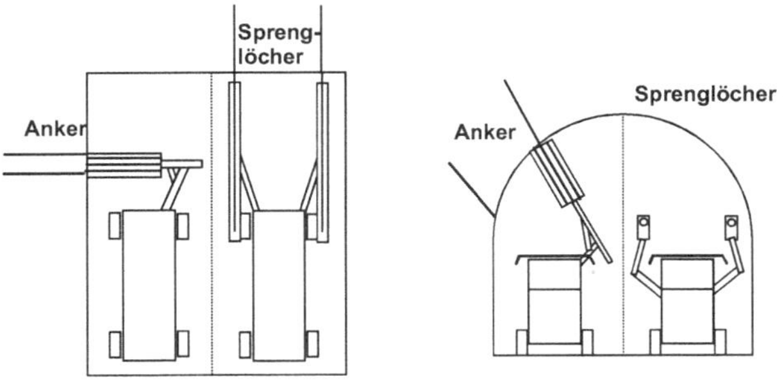


**Bild 5-14: Parallel verlaufender Vortrieb**

## 5.5 Lüftung [2]

Entsprechend SUVA [54] bzw. TBG [55], [56] ist eine ausreichende Lüftung sicherzustellen. Es gelten folgende Mindestanforderungen:

- Dauernde Bereitstellung von Atemluft mit einem Sauerstoffanteil von mindestens 20 Vol.-%.
- Die Anteile der gesundheitsschädlichen Staube und Gase dürfen die MAK-Werte (maximale Arbeitsplatzkonzentration) nicht übersteigen.

Abbau durch Sprengen:

- Aufnahme der Arbeit an der Sprengstelle nach frühestens 15 Minuten Lüftungszeit.
- Die Förderleistung der Lüftung muss im grössten ausgebrochenen Profil eine Luftgeschwindigkeit von mindestens 0.30 m/s erzielen (dieser Wert gilt bei einer Sprengpause von 15 Minuten; bei Verlängerung der Wartezeit kann die Leistung der Lüftung im umgekehrten Verhältnis herabgesetzt werden).
- Für die gleichzeitig unter Tag in Betrieb stehenden Fahrzeuge und Maschinen sollen mindestens 4 $m^3$ Frischluft pro Minute und DIN-PS zur Verfügung stehen (berücksichtigt werden nur die Nennleistungen aller Grossgeräte).

Sprengfreier Abbau

- Für jede unter Tag beschäftigte Person sind 1.5 $m^3$ Frischluft pro Minute zuzuführen.
- Für die gleichzeitig unter Tag in Betrieb stehenden Fahrzeuge und Maschinen sollen mindestens 4 $m^3$ Frischluft pro Minute und DIN-PS zur Verfügung stehen (berücksichtigt werden nur die Nennleistungen aller Grossgeräte).

Die Zuführung der Frischluft erfolgt meistens mittels Lutten. Bei diesen, aus einzelnen Luttenelementen von gleich grossem Durchmesser bestehenden Lüftungsaggregaten, können die Druck- und Leckverluste in den verschiedenen Bauphasen direkt aus den Berechnungsdiagrammen abgelesen werden.

Für Lutten mit spürbaren Drucksprüngen infolge Durchmesseränderungen, Umlenkungen, Vereinigungen, Abzweigungen oder Zwischenventilatoren sei auf Norm SIA 196 [57] verwiesen.

Luttengüteklasse S:

neue Lutten, nur sehr geringe Verluste, regelmässig gewartet, meist Luttenspeicher erforderlich (Undichtigkeit ca. 5 $mm^2/m^2$)

Luttengüteklasse A:

neue Lutten, nur geringe Verluste (Undichtigkeit ca. 10 $mm^2/m^2$)

Luttengüteklasse B:

gebrauchte Lutten mit höheren Verlusten, etwas höhere Porosität des Luttenrohrs (Undichtigkeit ca. 20 $mm^2/m^2$)

Die Lutte hat an den Stossstellen der Luttenelemente und durch kleine Beschädigungen immer undichte Stellen. Es ist rechnerisch zulässig, die unvermeidlichen Undichtigkeiten als über die ganze Abschnittlänge gleichmässig verteilt anzunehmen.

Grosse Einzellecks werden mit dieser Berechnungsmethode nicht erfasst, sie lassen sich jedoch leicht feststellen und sollten gedichtet werden.

**Bemessungsverfahren**

Ausgehend von einem sicherzustellenden Luftwechsel (gegeben als Q, u und p) im Tunnelquerschnitt werden die erforderlichen Werte am Ende der Lutte ($Q_0$, $u_0$, $p_0$) bestimmt. Mit Hilfe der Diagramme Bild 5-17 bis Bild 5-19 sind die entsprechenden Kennwerte am Luttenanfang ($Q_1$, $u_1$, $p_1$) festzulegen. Diese Werte bilden die Basis zur nachfolgenden Bemessung des entsprechenden Ventilators.

Es ist darauf zu achten, dass der zulässigen Werte für den Innendruck der Lutte an keiner Stelle der Lutte überschritten werden. Für den Fall der Überschreitung des zulässigen Lutteninnendruckes sind alternativ zu wenigen grösseren Ventilatoren entsprechend dimensionierte, kleinere Ventilatoren im Verlauf der Lutte anzuordnen (Bild 5-15).

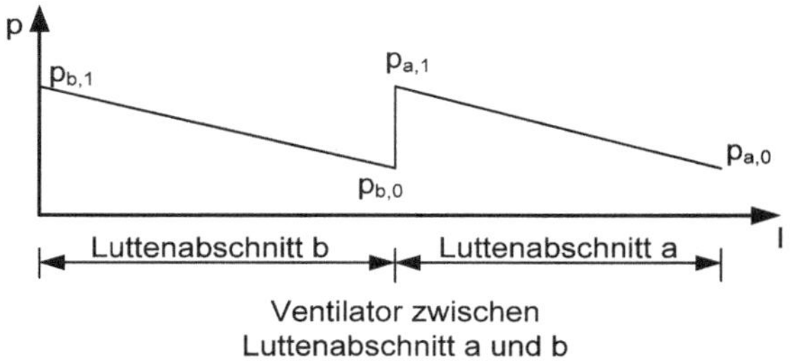


**Bild 5-15: schematischer Druckverlauf bei der Anordnung mehrerer Luttenabschnitte mit Ventilator zwischen den Abschnitten**

Erklärung zu den nachfolgenden Diagrammen:

Gegeben sind die Grössen

- Güte der Lutte (S; A; B)
- Länge der Lutte (L)
- Durchmesser der Lutte (d)
- Statischer Druck $p_{i,1}$ am Luttenabschnittsanfang
- Statischer Druck $p_{i,0}$ am Luttenabschnittsende
- Lage des Luttenabschnittes im Lüftungssystem, ausgedrückt durch den statischen Druck $p_0$ am Luttenende
- Luftmenge $Q_0$ am Abschnittsende

Herausgelesen werden

- die Luftmenge $Q_1$ am Abschnittsanfang relativ zu $Q_0$ am Abschnittsende
- der statische Überdruck $p_1$ in der Lutte beim Ventilator am Abschnitts-anfang

**Berechnung der erforderlichen Ventilationsleistung:**

Kontinuitätsgleichung:

$$Q_1 = Q_0 + \Delta Q\,(f^0, u, p) \qquad [m^3/s]$$

| | | |
|---|---|---|
| $Q_1$ | Erforderliche Ventilatorsaugleistung | $[m^3/s]$ |
| $Q_0$ | Erforderliche Luftmenge am Luttenende | $[m^3/s]$ |
| $\Delta Q\,(f^0, u, p)$ | Leckverlustmenge in Abhängigkeit von $f^0$, u, p | $[m^3/s]$ |
| $f^0$(S; A; B) | Undichtigkeit der Lutte (Klassen S, A und B [57]) | $[mm^2/m^2]$ |

Der **Gesamtdruck am Ventilator $p_{Vent}$ [Pa]** ergibt sich aus der Bernoulli'schen Gleichung [57]:

$$p_{vent} = \frac{\rho}{2} u_1^2 + \sum_i \zeta_i \frac{\rho}{2} u_i^2 + p_1 \qquad \text{[Pa]}$$

$$p_1 = p_0 + \frac{\rho}{2} u_0^2 + \Delta p\left(\lambda, L/d, f^0, u_i\right) \qquad ;\ f^0 = f^0(S; A; B) \qquad \text{[Pa]}$$

| | | |
|---|---|---|
| $p_{Vent}$ | Gesamtdruck am Ventilator (vor Punkt 1) | [Pa] |
| $\frac{\rho}{2} u_1^2$ | Dynamischer Druck am Luttenanfang | [Pa] |
| $\sum_i \zeta_i \frac{\rho}{2} u_i^2$ | Einzelverluste aus Eintritts-, Schutzgitter-, Krümmungs-, Verengungs- und Erweiterungs- verlusten | [Pa] |
| $u_0$ | Luftaustrittsgeschwindigkeit (Punkt 0) | [m/s] |
| $u_1$ | Lufteintrittsgeschwindigkeit (Punkt 1) | [m/s] |
| $p_0$ | Druck am Luttenende | [Pa] |
| $p_1$ | Statischer Druck am Ventilator, zusammengesetzt aus Reibungsverlust der Luttenwand, Leckverlust durch Undichtigkeit und Ausblasverlust (wird mit Hilfe der Diagramme ermittelt). | [Pa] |
| $\frac{\rho}{2} u_0^2$ | Dynamischer Druck am Luttenende | [Pa] |
| $\Delta p(\lambda, L/d, f^0, u_i)$ | Druckverlust entlang der Lutte | [Pa] |
| $\lambda$ | Gemittelter Rohrreibungskoeffizient der Lutte | [-] |
| $A_L$ | Luttenquerschnitt | [$m^2$] |
| $d$ | Durchmesser der Lutte | [m] |
| $L$ | Luttenlänge | [m] |

Die Berechnung von $Q_1$ und $p_1$ mit Hilfe der Diagramme wird wie folgt durchgeführt:

**Ventilatorleistung $Q_1$ [m³/s]**

$$\Pi_0 = \left( \frac{p_0}{\frac{\rho}{2} u_0^2}; \frac{L}{d}; f^0(S;A;B) \right) \Rightarrow \omega = \frac{Q_1}{Q_0}$$

$$Q_1 = \omega \times Q_0 \qquad [m^3/s]$$

$$A_L = \frac{d^2 \times \pi}{4} \qquad [m^2]$$

$$u_1 = \frac{Q_1}{A_L} \qquad [m/s]$$

$$u_0 = \frac{Q_0}{A_L} \qquad [m/s]$$

**Statischer Druck am Ventilator $p_1$ [Pa]**

$$\Pi_0 = \left( \frac{p_0}{\frac{\rho}{2} u_0^2}; \frac{L}{d}; f^0(S;A;B) \right) \Rightarrow \Pi_1 = \frac{p_1}{\frac{\rho}{2} u_0^2}$$

$p_1 = \Pi_1 \frac{\rho}{2} u_0^2$ Der zulässige Luttendruck darf nicht überschritten werden. [Pa]

$p_1 \leq p$ zulässiger Luttendruck [Pa]

Mittels der Parameter $u_1$ und $p_1$ kann $p_{vent}$ bestimmt werden. Zur Ermittlung des optimalen Ventilators muss die Luttenkennlinie p-Q aufgestellt werden. Dies geschieht durch die Wiederholung des obigen Rechengangs für verschiedene Bauabschnittslängen $L_i$ bei konstantem $Q_0$. Die Luttenkennlinie wird in die jeweilige Ventilator-Drosselkurve eingetragen, um das optimale Gerät in Abhängigkeit seiner Umdrehungszahl mit den optimalen Betriebsbedingungen für die verschiedenen Bauabschnittslängen $L_i$ zu ermitteln (siehe analog Pumpen-Rohrleitungskennlinie bei der Flüssigkeitsförderung in Kapitel 4). Aus der Luttenkennlinie bestimmt man $(Q_1^{max}; p_{vent}^{max}) = f(L_{Tunnel}^{max})$ zur Dimensionierung der maximalen elektrischen Anschlussleistung des Ventilators.

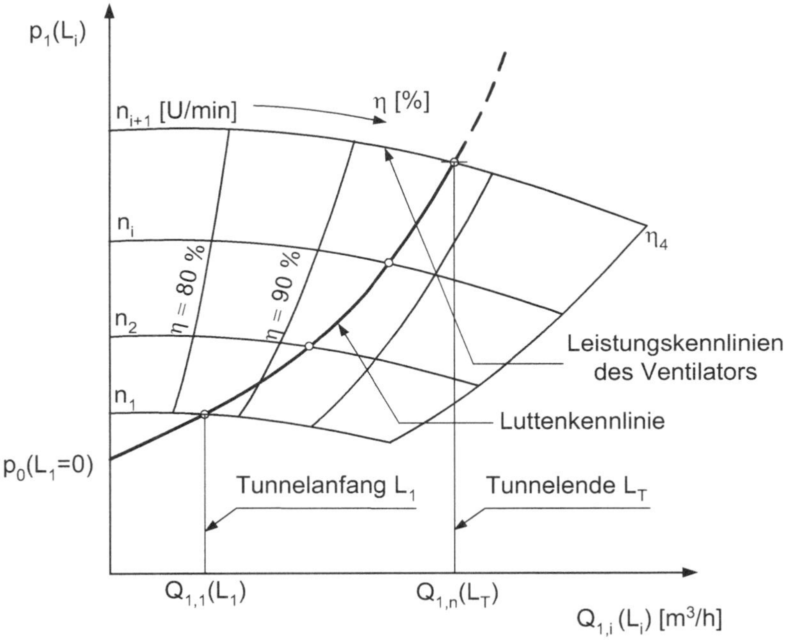


**Bild 5-16: Dimensionierung des Ventilators**

## Elektrische Anschlussleistung des Ventilators N [kW]

$$N = \frac{Q_1}{\eta_{vent}} \times \frac{p_{vent}}{\eta_{Motor}} \times 10^3 \qquad [kW]$$

| | | |
|---|---|---|
| $\eta_{vent}$ | Ventilatorwirkungsgrad | [-] |
| $\eta_{Motor}$ | Motorenwirkungsgrad | [-] |

Berechnungsdiagramm [57] für Lutten der Güteklasse S:

$\lambda = 0.015$ $f^0(S) = 5 \times 10^{-6}\ m^2/m^2 = 5\ mm^2/m^2$

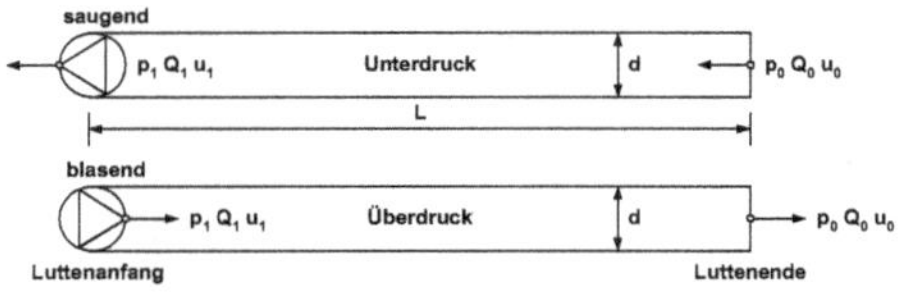


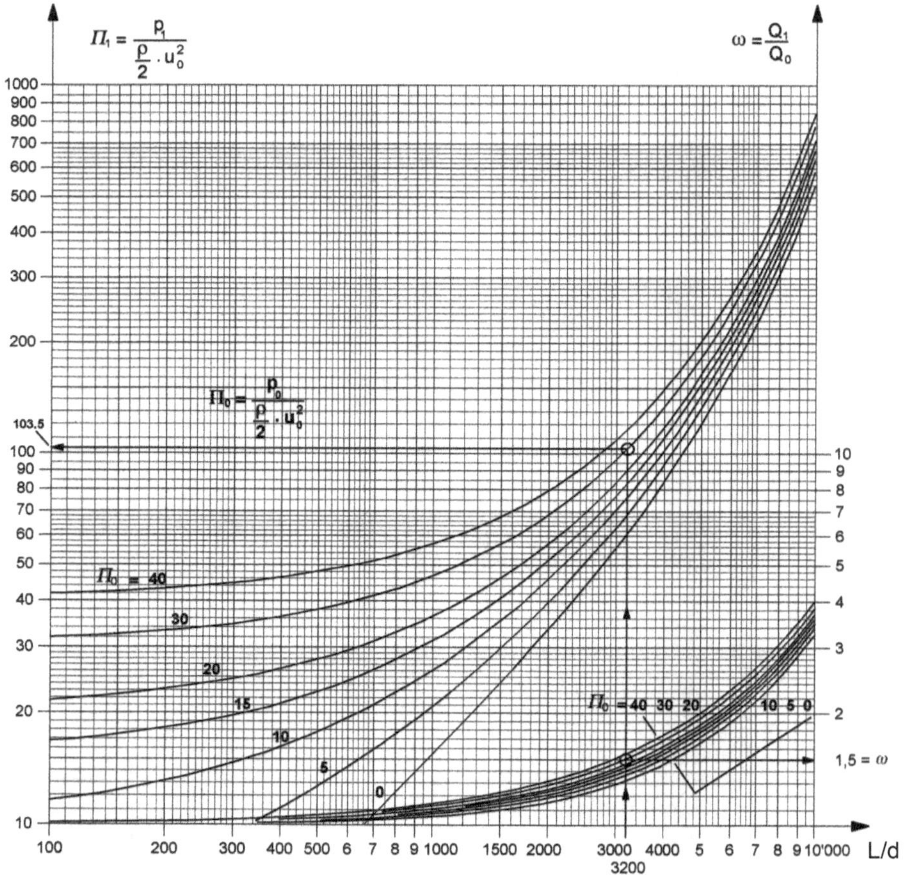


**Bild 5-17: Berechnungsdiagramm [57] für Lutten der Güteklasse S**

Berechnungsdiagramm [57] für Lutten der Güteklasse A:

$\lambda = 0.018$ $f^0(A) = 10 \times 10^{-6}\ m^2/m^2 = 10\ mm^2/m^2$

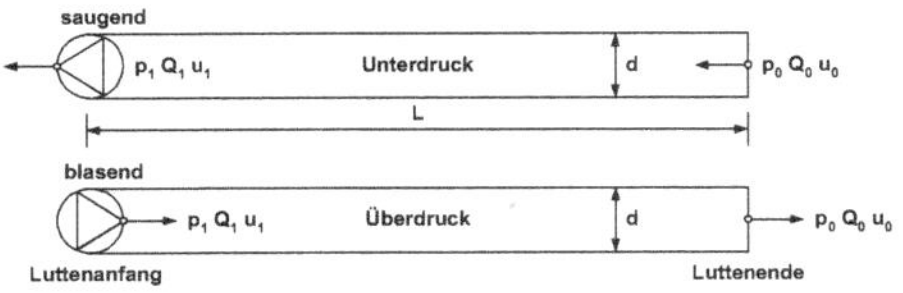


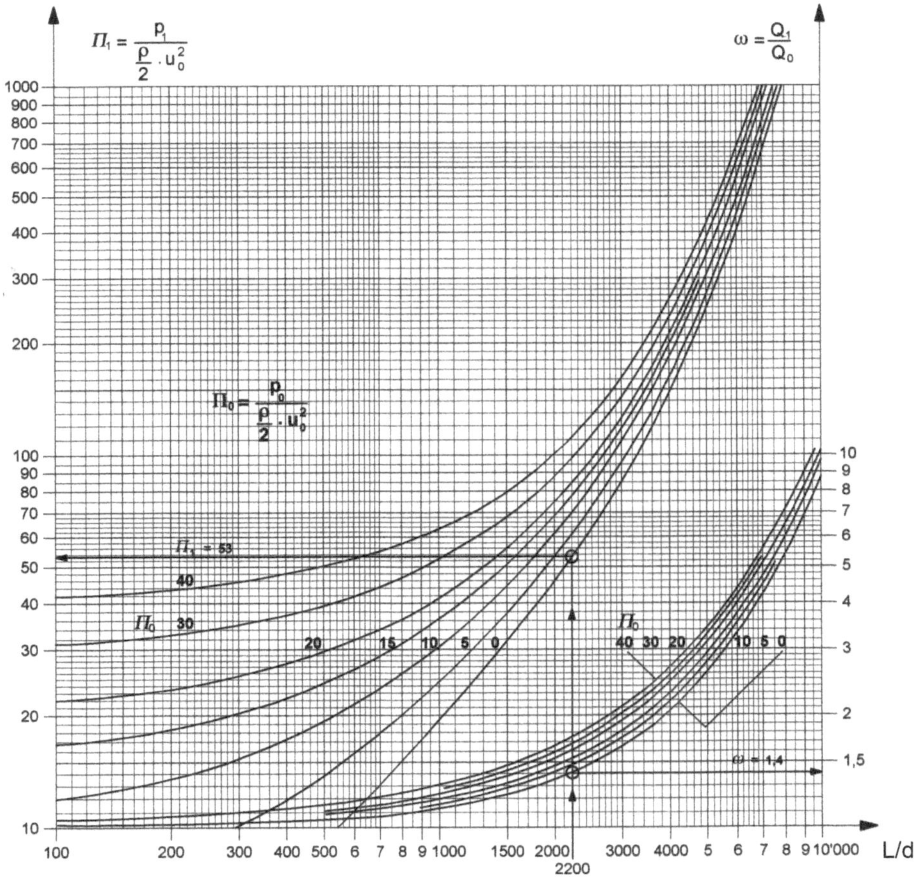


**Bild 5-18: Berechnungsdiagramm [57] für Lutten der Güteklasse A**

Berechnungsdiagramm [57] für Lutten der Güteklasse B:

$\lambda = 0.024$ $f^0(B) = 20 \times 10^{-6}\ m^2/m^2 = 20\ mm^2/m^2$

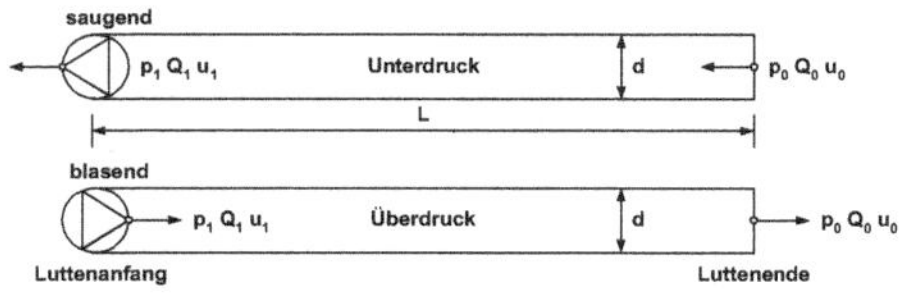


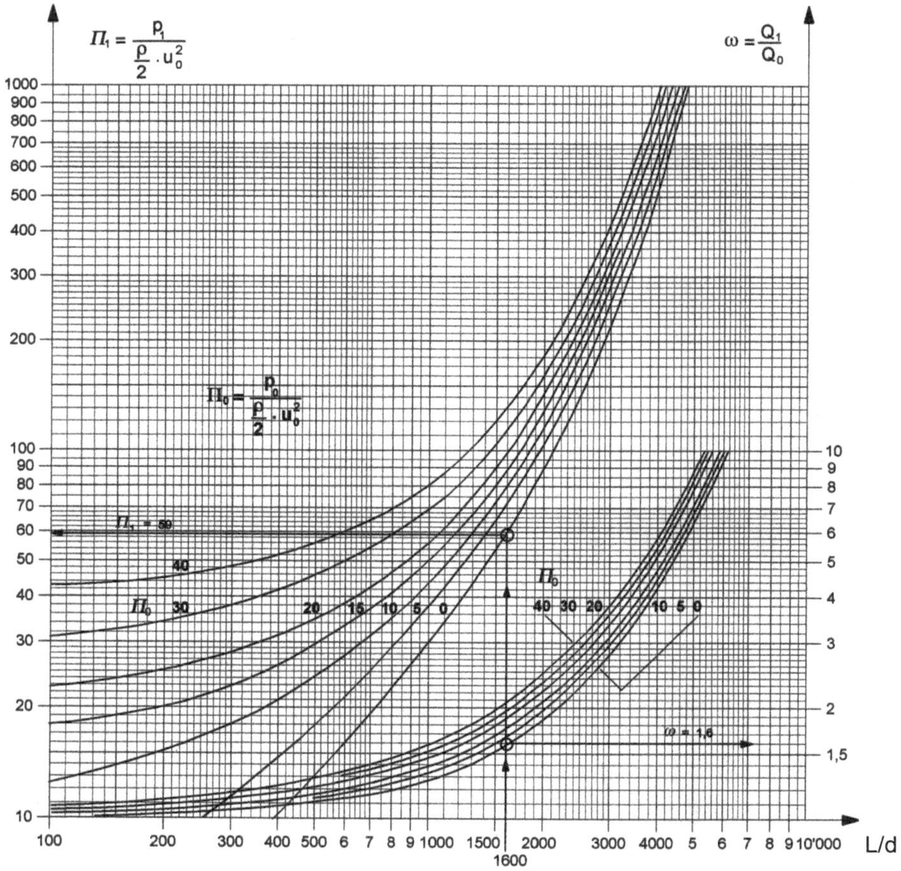


**Bild 5-19: Berechnungsdiagramm [57] für Lutten der Güteklasse B**

# 6 Spezialtiefbau

**Jetgrouting**

**Rammen**

## 6.1 Jetgrouting

Die **Strahlenergie E [J]** des Düsenstrahls repräsentiert die Schneidkraft eines Flüssigkeitsstrahls und beträgt [2]:

| | |
|---|---|
| $E = \frac{m \times v^2}{2}$ | [J] |

| | | |
|---|---|---|
| E | Strahlenergie | [J] |
| m | Injektionsmedium-/suspension | [kg] |
| v | Strahlgeschwindigkeit | [m/s] |

Folgende Beziehungen gelten für den Kontrollbereich des Injektionsdüsenkopfs:

| | |
|---|---|
| Kontinuitätsgleichung: $v_G \times A_G = v_{Dü,aus} \times A_{Dü,aus}$ | [m/s] |

| | | |
|---|---|---|
| $v_G$ | Geschwindigkeit im Bohrgestänge (vor Eintritt in die Düse) | [m/s] |
| $A_G$ | Querschnitt im Bohrgestänge | [m²] |
| $v_{Dü,aus}$ | Austrittsgeschwindigkeit aus der Düse | [m/s] |
| $A_{Dü,aus}$ | Querschnitt am Düsenaustritt | [m²] |

**Druckverlust Δp [kN/m²] in der Düse**

| | |
|---|---|
| $\Delta p = \zeta \times \rho \times \frac{v^2_{Dü,aus}}{2}$ | [kN/m²] |

| | | |
|---|---|---|
| $\Delta p$ | Druckverlust in der Düse | [kN/m²] |
| $\zeta$ | Düsenabhängiger Verlustbeiwert | [-] |
| $\rho$ | Dichte der Injektionssuspension | [kg/m³] |

Bernoulli: $p_G + \frac{\rho}{2} \times v_G^2 = p_{Dü,aus} + \frac{\rho}{2} \times v_{Dü,aus}^2 \times (1 + \zeta)$ [kN/m²]

mit $v_G = v_{Dü,aus} \times \frac{A_{Dü,aus}}{A_G} = v_{Dü,aus} \times \beta$ [m/s]

| | | |
|---|---|---|
| $p_G$ | Injektionsdruck im Bohrgestänge | [kN/m²] |
| $p_{Dü,aus}$ | Injektionsdruck am Düsenaustritt | [kN/m²] |
| $\beta$ | Querschnittsverhältnis aus $A_{Dü,aus}$ und $A_G$ | [-] |

Somit beträgt die **Düsenstrahlaustrittsgeschwindigkeit $v_{Dü,aus}$ [m/s]:**

$$v_{Dü,aus} = \sqrt{\frac{2}{\rho \times (1 + \zeta - \beta^2)} \times (p_G - p_{Dü,aus})}$$

$$= \alpha \times A_{Dü,aus} \times \sqrt{\frac{2}{\rho}} \times \sqrt{(p_G - p_{Dü,aus})} \quad \text{[m/s]}$$

$$\alpha = \frac{1}{A_{Dü,aus}} \times \sqrt{\frac{1}{1 + \zeta - \beta^2}} \qquad \beta = \frac{A_{Dü,aus}}{A_G}$$

| | | |
|---|---|---|
| $\alpha$ | Düsenkorrekturfaktor | [-] |

**Austrittsmenge an Injektionsgut $Q_{Suspension}$ [m³/s]**

$$Q_{Suspension} = \frac{\pi}{4} \times d^2 \times v_{Dü,aus} \quad \text{[m}^3\text{/s]}$$

| | | |
|---|---|---|
| $Q_{Suspension}$ | Injektionsvolumenstrom am Austritt | [m³/s] |
| d | Düsendurchmesser | [m] |

Pumpendruck - manometrischer Druck

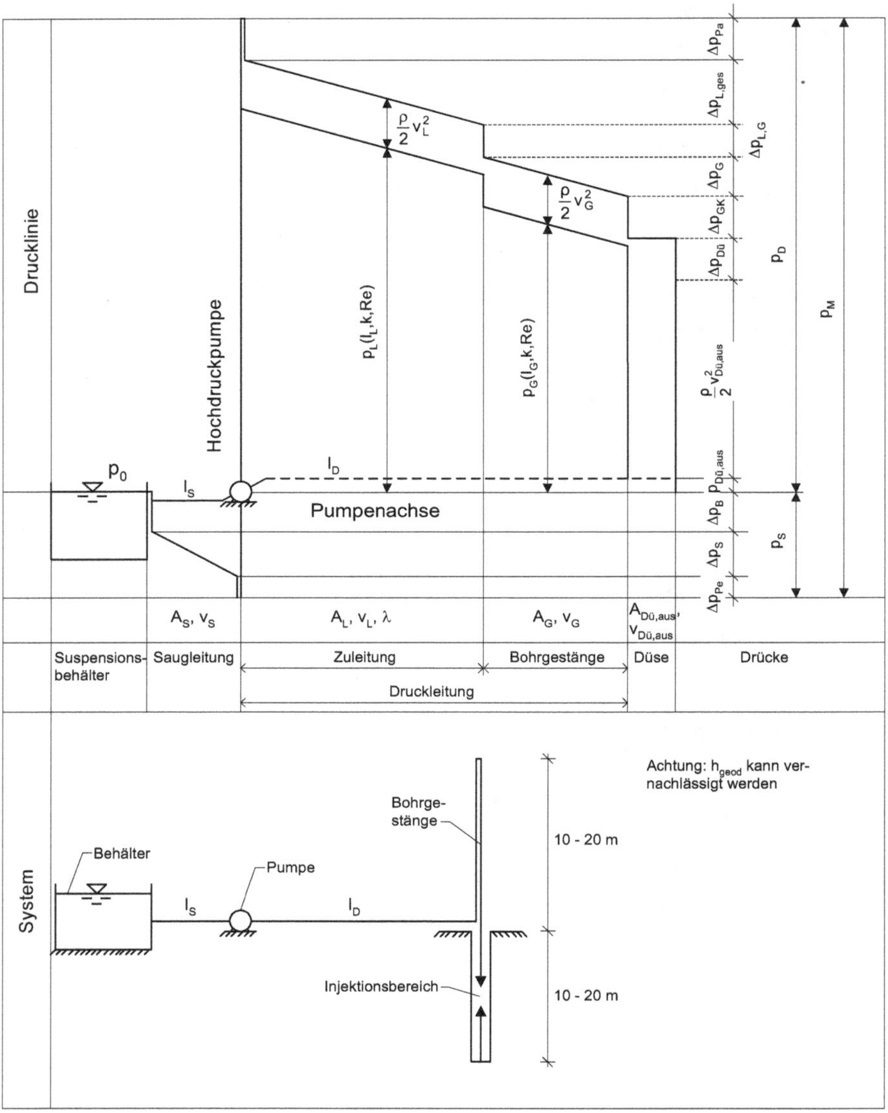


**Bild 6-1: Ermittlung des erforderlichen manometrischen Pumpendrucks**

## Saugleitungsdruck $p_S$ [kN/m²]

| | |
|---|---|
| $p_S = p_0 + \Delta p_B + \Delta p_S + \Delta p_{Pe}$ | [kN/m²] |
| $Q_{Suspension} = A_S \times v_S$ | [m³/s] |

| | | |
|---|---|---|
| $p_S$ | Druck in der Saugleitung | [kN/m²] |
| $p_0$ | Druck im Suspensionskessel (meist atmosphärisch) | [kN/m²] |
| $\Delta p_B$ | Druckverlust am Austritt aus dem Behälter | [kN/m²] |
| $\Delta p_S$ | Druckverlust in der Saugleitung (siehe „Flüssigkeitsförderung“) | [kN/m²] |
| $\Delta p_{Pe}$ | Druckverlust beim Eintritt in die Pumpe | [kN/m²] |
| $A_S$ | Querschnitt der Saugleitung | [m²] |
| $v_S$ | Geschwindigkeit in der Saugleitung | [m/s] |

## Druckleitungsdruck $p_D$ [kN/m²]

$$p_D = \Delta p_{Pa} + \Delta p_{L,ges} + \Delta p_{L/G} + \Delta p_G + \Delta p_{GK} + \Delta p_{Dü} + \frac{\rho}{2} v_{Dü,aus}^2 + p_{Dü,aus} \qquad [\text{kN/m}^2]$$

$$Q_{Suspension} = A_G \times v_G = A_{Dü,aus} \times v_{Dü,aus} = A_L \times v_L = A_S \times v_S \qquad [\text{m}^3/\text{s}]$$

$$v_S = \frac{A_{Dü,aus}}{A_S} v_{Dü,aus}; \quad v_L = \frac{A_{Dü,aus}}{A_L} v_{Dü,aus}; \quad v_G = \frac{A_{Dü,aus}}{A_G} v_{Dü,aus};$$

| | | |
|---|---|---|
| $p_D$ | Druck in der Druckleitung | [kN/m²] |
| $\Delta p_{Pa}$ | Druckverlust beim Austritt aus der Pumpe | [kN/m²] |
| $\Delta p_{L,ges}$ | Druckverlust in der Zuleitung von der Pumpe zum Bohrgestänge (siehe „Flüssigkeitsförderung“) | [kN/m²] |
| $\Delta p_{L/G}$ | Übergangsverlust Zuleitung – Bohrgestänge | [kN/m²] |
| $\Delta p_G$ | Druckverlust im Injektionsgestänge (siehe Kapitel „Flüssigkeitsförderung“) | [kN/m²] |
| $\Delta p_{GK}$ | Druckverlust durch die Strahlumlenkung (90°) am Fusspunkt des Gestänges in die Düse | [kN/m²] |
| $\Delta p_{Dü}$ | Druckverlust durch Querschnittsänderung in der Düse | [kN/m²] |
| $p_{Dü,aus}$ | Austrittsdruck aus der Düse im Bohrloch | [kN/m²] |

| | | |
|---|---|---|
| $A_L$ | Querschnitt in der Zuleitung | $[m^2]$ |
| $v_L$ | Geschwindigkeit in der Zuleitung | [m/s] |

**Pumpendruck – manometrischer Druck $p_M$ $[kN/m^2]$**

$$\Delta p_{L,ges} = \Delta p_L + \frac{\rho}{2} v_{Dü,aus}^2 \left(\frac{A_{Dü,aus}}{A_L}\right)^2 \sum_i \zeta_{L,i} \qquad [kN/m^2]$$

$$p_M = p_S + p_D \qquad [kN/m^2]$$

$$p_M = p_0 + \Delta p_S + \Delta p_L + \Delta p_G + p_{Dü,aus} + \frac{\rho}{2} v_{Dü,aus}^2 \left\{ \left(\frac{A_{Dü,aus}}{A_S}\right)^2 (\zeta_B + \zeta_{Pe}) + \left(\frac{A_{Dü,aus}}{A_L}\right)^2 \left(\zeta_{Pa} + \sum_i \zeta_{L,i}\right) + \left(\frac{A_{Dü,aus}}{A_G}\right)^2 (\zeta_{L/G} + \zeta_{GK}) + (1 + \zeta_{Dü}) \right\}$$

| | | |
|---|---|---|
| $p_M$ | Manometrischer Druck | $[kN/m^2]$ |
| $\Delta p_L$ | Druckverlust durch Rohrreibung in der Zuleitung | $[kN/m^2]$ |
| $\zeta_B$ | Verlustbeiwert für den Austritt aus dem Behälter in die Saugleitung | [-] |
| $\zeta_{Pe}$ | Verlustbeiwert für den Eintritt in die Pumpe | [-] |
| $\zeta_{Pa}$ | Verlustbeiwert für den Austritt aus der Pumpe | [-] |
| $\zeta_{L,i}$ | Beiwerte für lokale Verluste in der Zuleitung (z.B. durch Krümmer, Kreisbögen) | [-] |
| $\zeta_{L/G}$ | Verlustbeiwert für den Übergang von Zuleitung zum Gestänge (z.B. Querschnittsverengung etc.) | [-] |
| $\zeta_{GK}$ | Verlustbeiwert für die Strahlumlenkung (90°) am Fusspunkt des Gestänges in die Düse | [-] |
| $\zeta_{Dü}$ | Verlustbeiwert für die Querschnittsveränderung an der Düse | [-] |

Anmerkung:

Zur Berücksichtigung von Viskosität und $\rho_{FF}$ der Suspension siehe Flüssigkeitsförderung von Flüssigkeits-Feststoff-Gemischen in Kapitel 4.

## Kolbenpumpendimensionierung

Siehe „Flüssigkeitsförderung“ in Kapitel 4.

Folgende Pumpendrücke sind für die verschiedenen Injektionsverfahren notwendig [2]:

| | | | |
|---|---|---|---|
| Niederdruckverfahren | chemische Verfestigungen | bis ca. | 4 bar |
| Mitteldruckverfahren | Soilfracturing-Verfahren | bis ca. | 100 bar |
| Hochdruckverfahren | HDI-Verfahren | bis ca. | 600 bar |
| Höchstdruckverfahren | Gesteinszertrümmerung | bis ca. | 4000 bar |

Die Hochdruckinjektion muss auf folgende Bodenparameter eingestellt werden:

- Druckfestigkeit, E-Modul
- Kohäsion, Scherfestigkeit
- Kornverteilung, Kornaufbau
- Permeabilität, Wassersättigungsgrad

Daraus werden die folgenden Düsenstrahlparameter ermittelt [2]:

- Schneidleistung, Durchflussmenge, Ziehgeschwindigkeit
- Strahlgeschwindigkeit, Druck, Düsenform und -durchmesser
- Reichweite
- Injektionsmedium
- Einwirkzeit
- Rückflussmenge des gelösten Bodens sowie Bohrkopf- und Bohrgestängedurchmesser

Die Anwendungsgrenzen des HDI-Verfahrens werden von der maximalen vorhandenen Energie bestimmt. Die Hochdruckinjektionen werden mit Pumpendrücken von 300 – 600 bar durchgeführt. Die Düsen haben meist einen Durchmesser von 1.5 – 4.0 mm. Die Strahlgeschwindigkeiten liegen zwischen 150 und 300 m/s. Bei den vorgenannten Anwendungsparametern ist bei Verwendung von Zementsuspensionen ein Energiebedarf von ca. 250 kW notwendig.

Der Einwirkbereich des Düsenstrahls hängt ab von:

- der Strahlaustrittsgeschwindigkeit
- der Festigkeit des zu erodierenden Bodens
- dem Entspannungsdruck des abfliessenden Rückflussmaterials

Eine Verbesserung des Wirkungsradius wird durch Zugabe von Luftdruck (3 – 6 bar) erzielt; dadurch wird das erodierende Bodenmaterial aufgeschäumt und die Penetrationstiefe des Suspensionsstrahls erhöht.

Die Suspensionsmischung hat oft folgende Charakteristik [58]:

- Wasser-Zementfaktor W/Z = 0.4 – 1.0
- Zement und Füller 600 – 1000 l
- Rohdichte der Injektionssuspension $\rho$ = 1.5 – 1.7 t/m$^3$
- Rohdichte der fertigen Injektionsbodensäule $\rho_{Soilcrete}$ = 1.6 – 2.1 t/m$^3$
- Druckfestigkeit der fertigen Injektionsbodensäule $f_{Soilcrete}$ = 2 – 15 N/mm$^2$

Der Durchmesser einer Säule kann empirisch wie folgt bestimmt werden:

Das Volumen des ausgespülten Bodens entspricht der **Durchflussmenge der Rückspülflüssigkeit $Q_{Rücklauf}$ [m$^3$/s]**

$$Q_{Rücklauf} = \frac{(\rho_{Rücklauf} - \rho_S)}{(\rho_{Boden} - \rho_{Rücklauf})} \times (Q_{Suspension}) \qquad [m^3/s]$$

Das Volumen des ausgespülten Bodens beim Triplex-Verfahren ergibt sich aus der Berücksichtigung der eingebrachten Volumina von Wasser und Injektionssuspension wie folgt:

$$Q_{Rücklauf} = \frac{(\rho_{Rücklauf} - \rho_{S+W})}{(\rho_{Boden} - \rho_{Rücklauf})} \times (Q_{Suspension} + Q_{Wasser}) \qquad [m^3/s]$$

Die **mittlere Rohdichte $\rho_{S+W}$ [t/m$^3$]** der beim Triplex-Verfahren eingebrachten Flüssigkeiten (Wasser und Suspension) ergibt sich zu:

$$\rho_{S+W} = \frac{(Q_W \times \rho_W + Q_{Suspension} \times \rho_S)}{(Q_W + Q_{Suspension})} \qquad [t/m^3]$$

## Ziehgeschwindigkeit und Injektionssäulendurchmesser

$$Q_{Suspension} \approx Q_{Injektion} + Q_{Rücklauf}$$

$$Q_{Injektion} = Q_{Suspension} - Q_{Rücklauf}$$

$$Q_{Injektion} = Q_{Suspension} \times \left(1 - \frac{\rho_{Rücklauf} - \rho_S}{\rho_{Boden} - \rho_{Rücklauf}}\right)$$

$$V_{Injektion} = V_{Boden} \times \eta_{Füll}$$

$$Q_{Injektion} = V_{Injektion} \times v_{Ziehen}$$

$$V_{Boden} = D^2 \times \frac{\pi}{4}$$

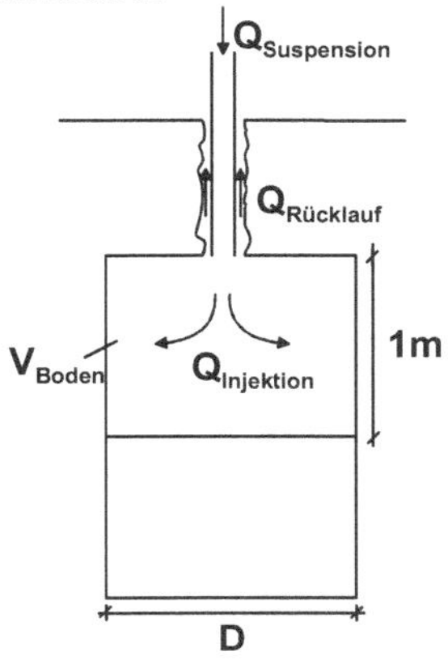


**Bild 6-2: Erstellung einer Säule**

## Ziehgeschwindigkeit $v_{Ziehen}$ [m/s]

$$v_{Ziehen} = \frac{Q_{Injektion}}{V_{Injektion}} = \frac{Q_{Suspension} \times \left(1 - \frac{\rho_{Rücklauf} - \rho_S}{\rho_{Boden} - \rho_{Rücklauf}}\right)}{D^2 \times \frac{\pi}{4} \times \eta_{Füll}} \quad [m/s]$$

## Injektionssäulendurchmesser D [m]

$$D = \sqrt{\frac{Q_{Suspension} \times \left(1 - \frac{\rho_{Rücklauf} - \rho_S}{\rho_{Boden} - \rho_{Rücklauf}}\right)}{v_{Ziehen} \times \frac{\pi}{4} \times \eta_{Füll}}} \quad [m]$$

| | | |
|---|---|---|
| $Q_{Rücklauf}$ | Durchflussmenge der Rückspülflüssigkeit | $[m^3/s]$ |
| $Q_{Suspension}$ | Durchflussmenge der Suspension (Gesamtmenge) | $[m^3/s]$ |

| | | |
|---|---|---|
| $Q_{Injektion}$ | Suspensionsvolumenstrom, der in das Bodenvolumen $V_{Boden}$ injiziert wird | $[m^3/s]$ |
| $Q_{Wasser}$ | Durchflussmenge des Wassers | $[m^3/s]$ |
| $\rho_{Rücklauf}$ | Dichte der Rückspülflüssigkeit | $[t/m^3]$ |
| $\rho_S$ | Dichte der Suspension | $[t/m^3]$ |
| $\rho_W$ | Dichte des Wassers | $[t/m^3]$ |
| $\rho_{Boden}$ | Dichte des vorhandenen Bodens | $[t/m^3]$ |
| $v_{Ziehen}$ | Ziehgeschwindigkeit des Injektionsgestänges | [m/s] |
| $\eta_{Füll}$ | Füllanteil der Zementinjektion am Bodenvolumen (20 – 30 %) | [%] |
| $V_{Boden}$ | Bodenvolumen der Injektionssäule pro Meter Länge | $[m^3/m]$ |
| $V_{Injektion}$ | Suspensionsmenge pro Meter Bodenvolumen der Injektionssäule | $[m^3/m]$ |

## 6.2 Rammen

### Grundrammleistung für Pfähle $Q_0$ [m/h]

$$Q_0 = \frac{\Delta l_{S,m}}{100} \times n_{Gerät} \quad [m/h]$$

| | | |
|---|---|---|
| $Q_0$ | Grundrammleistung für Pfähle | [m/h] |
| $\Delta l_{S,m}$ | mittlere Eindringtiefe pro Schlag | [cm] |
| $n_{Gerät}$ | Schläge pro Stunde | [$h^{-1}$] |

### Nutzrammleistung $Q_N$ [m/h]

$$Q_N = Q_0 \times k_1 \times k_2 \times k_3 \times \eta_G \quad [m/h]$$

$$k_1 = 1 \quad [-]$$

$$k_2 = f_5 \quad [-]$$

$$k_3 = \eta_1 \times \eta_2 \quad [-]$$

| | | |
|---|---|---|
| $Q_N$ | Nutzrammleistung | [m/h] |
| $Q_0$ | Grundrammleistung für Pfähle | [m/h] |
| $k_1$ | nicht massgebend | [-] |
| $k_2$ | Leistungseinflussfaktor | [-] |
| $k_3$ | Betriebsbeiwert | [-] |
| $\eta_1$ | Bedienungsfaktor | [-] |
| $\eta_2$ | Betriebsbedingungen | [-] |
| $f_5$ | Verfügbarkeits-/Gerätezustandsfaktor | [-] |
| $\eta_G$ | Geräteausnutzungsgrad | [-] |

## Schlagrammen

Ermittlung der **erforderlichen Schlagenergie $E_{erf}$ [kNm]** [59]

$$E_{vorh} = m_B \times g \times h \qquad [kNm]$$

$$E_{erf} = \frac{F_{dyn} \times (\Delta l_S(x) + \frac{\Delta_{elast}}{2})}{\eta_R \times 100} \qquad [kNm]$$

$$F_{stat}(x) = A_S \times q_S + A_M(x) \times \tau_M \cong A_S \times q_S + U \times x \times \tau_M \qquad [kN]$$

$$F_{dyn} = \frac{F_{stat}}{\mu_{dyn}} \qquad [kN]$$

$$\Delta_{elast} = F_{dyn} \times \frac{L}{E_P \times A_S} \qquad [cm]$$

$$\eta_R = \frac{m_B + k^2 \times m_P}{m_B + m_P} \qquad [-]$$

| | | |
|---|---|---|
| $E_{vorh}$ | Energie des Rammbärs pro Schlag | [kNm] |
| $m_B$ | Fallmasse des Rammbärs | [t] |
| $g$ | Erdbeschleunigung | [m/s$^2$] |
| $h$ | Fallhöhe des Rammbärs | [m] |
| $E_{erf}$ | erforderliche Energie zum Einrammen des Pfahls/ Rammguts | [kNm] |
| $F_{dyn}$ | dynamischer Eindringwiderstand | [kN] |
| $\Delta l_S$ | bleibende Eindringtiefe pro Rammschlag | [cm] |
| $x$ | Tiefe der Pfahl-/Rammgutspitze | [m] |
| $\Delta_{elast}$ | elastische Deformation des Pfahls/Rammguts | [cm] |
| $\eta_R$ | Wirkungsgrad des Rammstosses [0.1 – 0.5] | [-] |
| $F_{stat}$ | statischer Eindringwiderstand des Rammguts | [kN] |
| $A_S$ | Querschnittsfläche des Pfahls/Rammguts | [cm$^2$] |
| $q_S$ | Grundbruch-/Pfahlspitzenwiderstand | [kN/cm$^2$] |
| $A_M$ | Mantelfläche des Pfahls/Rammguts | [m$^2$] |
| $\tau_M$ | Mantelreibung (Haftreibung) des Pfahls/Rammguts | [kN/m$^2$] |
| $U$ | Umfang des Pfahls/Rammguts | [m] |
| $\mu_{dyn}$ | Widerstandsbeiwert des Bodens | [-] |
| $L$ | Pfahllänge/Rammgutlänge | [cm] |
| $E_P$ | Elastizitätsmodul des Pfahls/Rammguts | [kN/cm$^2$] |
| $k$ | Stossziffer | [-] |
| $m_P$ | Pfahl-/Rammgutmasse | [t] |

## Selektion der Schlagramme durch Iteration

Bedingung für die Ermittlung der erforderlichen Schlagenergie bei der Endtiefe des Rammguts:

$\Delta l_S(L) \approx 0$; Iteration für Gerät i = 1 bis k:

$$E_{erf\,i} = \frac{F_{dyn} \times (\Delta l_S(L) + \frac{\Delta_{elast}}{2})}{\frac{m_{B,i} + k^2 \times m_P}{m_{B,i} + m_P} \times 100} = \frac{F_{dyn}^2 \times (\frac{1}{2} \times \frac{L}{E_P \times A_S})}{\frac{m_{B,i} + k^2 \times m_P}{m_{B,i} + m_P} \times 100} \quad [kNm]$$

Iterationslauf i = 1 bis k:

Für i = 1: Annahme eines Rammgeräts mit der Fallmasse $m_{B,1}$

$$E_{erf\,i} = \frac{(A_S \times q_S + U \times L \times \tau_M)^2 \times \frac{L}{E_P \times A_S}}{2 \times \mu_{dyn}^2 \times (m_{B,i} + k^2 \times m_P) \times 100} \times (m_{B,i} + m_P) \quad [kNm]$$

Bedingung prüfen:

$E_{erf\,i} \leq E_{vorh\,i} \Rightarrow m_{B,i} \times g \times h_i$

wenn

$E_{erf\,i} > E_{vorh\,i}$ dann i = i + 1 mit Geräteparameter der nächsten Leistungsstufe

$m_{B,i+1} \times h_{i+1} > m_{B,i} \times h_i$ bis i = k mit

$E_{erf,k} \leq E_{vorh,k} = m_{B,k} \times g \times h_k$

$\Rightarrow n_{Gerät,k}$ [h⁻¹]

| | | |
|---|---|---|
| $i$ | Iterationsschritt | [-] |
| $k$ | maximale Anzahl von Iterationsschritten | [-] |
| $n_{Gerät}$ | Schläge des Rammbärs pro Stunde | [$h^{-1}$] |

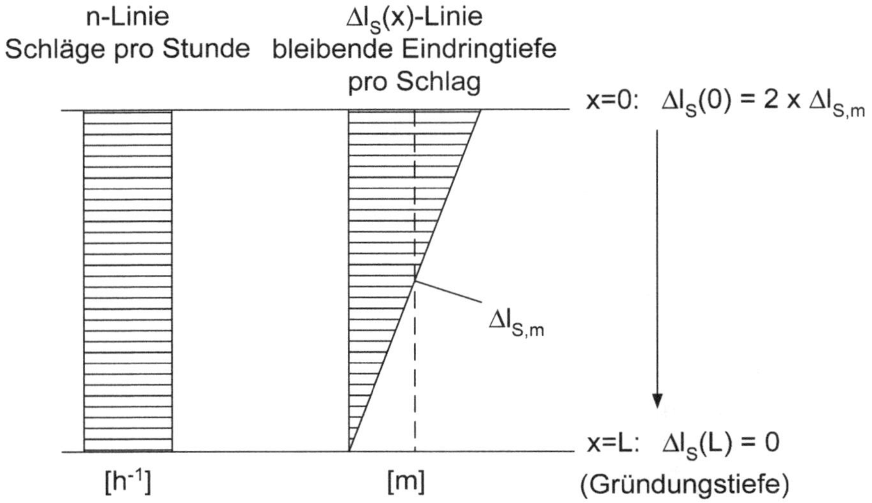


**Bild 6-3: Schematische Darstellung der ideellen/statischen Eindringung des Pfahls**

Bei Freifall-, Diesel- und Hydraulikbären kann die Ermittlung der **erforderlichen Energie zum Einrammen des Pfahls $E_{erf}$** durch Iteration der obigen Gleichungen vorgenommen werden. In einem weiteren Schritt kann nun die mittlere bleibende Eindringtiefe $\Delta l_{S,m}$ pro Rammschlag ermittelt werden. Daraus kann dann die Grundrammleistung $Q_0$ berechnet werden.

Im Allgemeinen kann davon ausgegangen werden, dass Diesel- bzw. Hydraulikbären eine höhere Energie des Rammbärs $E_{vorh}$ aufweisen als lediglich durch die Gleichung rechnerisch ermittelt. Dies ist bedingt durch die Ausnutzung der Explosionsenergie bzw. des besseren kraftschlüssigen Verbunds zwischen Rammkissen und Pfahl. Auch tragen die ständigen Bewegungen des Systems zur Verringerung der Eindringwiderstände (dynamische statt statische Reibung) bei schnellerer Schlagfrequenz, wie den Diesel- und Hydraulikrammen, und zu einer höheren erreichbaren bleibenden Eindringtiefe pro Rammschlag $\Delta l_{S,m}$ bei.

**Bestimmung der mittleren Eindringtiefe $\Delta l_{S,m}$ [cm] und der Grundrammleistung $Q_0$ [m/h]**

$$E_{vorh} = E_{erf} \qquad [kNm]$$

$$m_B \times g \times h =$$

$$= \frac{\frac{A_S \times q_S + U \times x \times \tau_M}{\mu_{dyn}} \times \left( \Delta l_S(x) + \left( \frac{A_S \times q_S + U \times x \times \tau_M}{\mu_{dyn}} \times \frac{L}{2 \times E_P \times A_S} \right) \right)}{\frac{m_B + k^2 \times m_P}{m_B + m_P} \times 100}$$

$$\chi = 100 \times m_B \times g \times h \times \eta_R \times \mu_{dyn}$$

$$\alpha = A_S \times q_S$$

$$\beta = U \times \tau_M$$

$$\gamma = \frac{2 \times E_P \times A_S}{L} \times \mu_{dyn}$$

$$\Delta l_S(x) = \frac{\left( \chi - \frac{\alpha^2}{\gamma} \right) - x \times \frac{\beta}{\gamma} \times (\beta \times x + 2 \times \alpha)}{x \times \beta + \alpha} \quad \text{mit } 0 \le x \le L$$

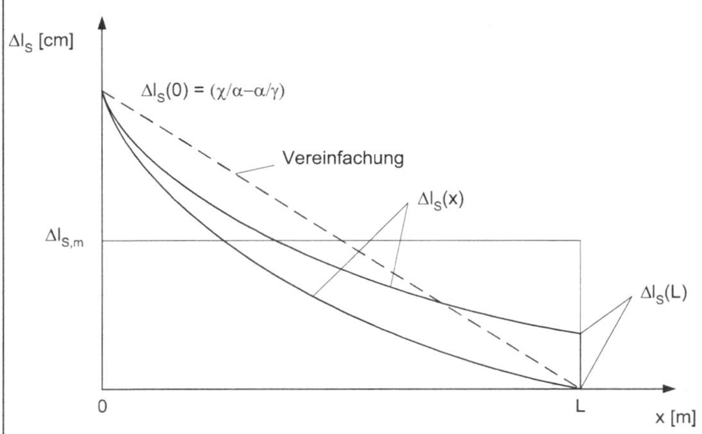

Für x = 0: $l_S(0) = 2 \times \Delta l_{S,m}$

$$E_{vorh} = \frac{A_S \times q_S \times \left(2 \times \Delta l_{S,m} + \frac{q_S \times L}{2 \times \mu_{dyn} \times E_P}\right) \times (m_B + m_P)}{\mu_{dyn} \times (m_B + k^2 \times m_P) \times 100} \quad \text{[kNm]}$$

**Daraus lässt sich $\Delta l_{S,m}$ ermitteln:**

$$\Delta l_{S,m} = \frac{1}{2} \times \left(\frac{E_{vorh} \times \mu_{dyn} \times (m_B + k^2 \times m_P) \times 100}{(m_B + m_P) \times A_S \times q_S} - \frac{q_S \times L}{2 \times \mu_{dyn} \times E_P}\right) \quad \text{[cm]}$$

**Grundrammleistung $Q_0$ [m/h]**

Bei bekannter Schlagzahl $n_{Gerät}$ [$h^{-1}$] des Rammgeräts lässt sich die Grundrammleistung $Q_0$ berechnen:

$$Q_0 = \frac{\Delta l_{S,m} \times n_{Gerät}}{100} \quad \text{[m/h]}$$

**Die mittlere Schlagzahl pro Pfahl $n_{Pfahl}$ [-]**

$$n_{Pfahl} = \frac{L}{\Delta l_{S,m}} \quad \text{[-]}$$

**Rammzeit $T_R$ pro Pfahl [h]**

$$T_R = \frac{n_{Pfahl}}{n_{Gerät}} = \frac{L}{100 \times Q_0} \quad \text{[h]}$$

# Rammen

## Zeitaufwand pro Pfahl $T_{Pfahl}$ [h]

$$T_{Pfahl} = \sum_i \left(T_R + \frac{T_{Rüst}}{60}\right)_i \qquad [h]$$

$$T_{Rüst} = T_{P,um} + T_{P,auf} + T_{P,aus} + T_{P,verl} \qquad [h]$$

| | | |
|---|---|---|
| $T_{Pfahl}$ | Zeitaufwand pro Pfahl | [h] |
| $T_{Rüst}$ | Rüstzeit | [min] |
| $T_{P,um}$ | Zeit für das Umsetzen des Geräts zum nächsten Rammpfahl | [min] |
| $T_{P,auf}$ | Zeit für das Aufnehmen des angelieferten Pfahls | [min] |
| $T_{P,aus}$ | Ausrichten des Pfahls am Mäkler | [min] |
| $T_{P,verl}$ | Verlängern des Pfahls | [min] |

## Anzahl der Pfähle pro Tag $n_{AT}$ [$AT^{-1}$]

$$n_{AT} = \left(\frac{T_{AT}}{T_{Pfahl}}\right) \qquad [AT^{-1}]$$

| | | |
|---|---|---|
| $n_{AT}$ | Anzahl der gerammten Pfähle pro Arbeitstag, ganzzahlig aufgerundet | [$AT^{-1}$] |
| $T_{AT}$ | Arbeitsstunden pro Arbeitstag | [h/AT] |

## Gesamtrammzeit T [AT]

$$T = n / n_{AT} \qquad [AT]$$

| | | |
|---|---|---|
| T | Rammzeit für alle Pfähle | [AT] |
| n | Gesamtanzahl Rammpfähle | [-] |

## Leistung über die Einsatzzeit $Q_{ET}$ [m/AT]

$$Q_{ET} = n \times L_m / T = \sum_i L_i / T \qquad [m/AT]$$

| | | |
|---|---|---|
| n | Gesamtanzahl Rammpfähle | [-] |
| $L_m$ | Mittlere Pfahllänge | [m] |
| $L_i$ | Einzelpfahllänge | [m] |

**Tabelle 6-1: Grundbruch-/Pfahlspitzenwiderstand $q_S$ [kN/cm²] und Mantelreibung $\tau_M$ [kN/m²] [59]**

| Bodenart | Grundbruch-/ Pfahlspitzenwiderstand $q_S$ [kN/cm²] | | Mantelreibung $\tau_M$ [kN/m²] | |
|---|---|---|---|---|
| | Rechteck-profil | I – Träger-profil | Rechteck-profil | I – Träger-profil |
| Ton, weich | – | – | 15 | bis 25 |
| Ton, steif | – | – | 30 | bis 45 |
| Klei, sandig | – | – | – | bis 50 |
| Mergel, halbfest | – | – | – | bis 55 |
| Feinsand | 0.70 – 1.20 | 0.30 – 0.50 | 50 – 70 | 40 – 80 |
| Mittelsand | 0.70 – 1.20 | 0.30 – 0.50 | 50 – 70 | 30 – 70 |
| Grobsand | 0.45 – 0.65 | 0.30 – 0.50 | 40 – 70 | 30 – 50 |
| Kies | 0.70 – 1.25 | 0.30 – 0.50 | 50 – 70 | 30 – 60 |

**Tabelle 6-2: Widerstandsbeiwert $\mu_{Dyn}$ [-] des Bodens [58]**

| Beschreibung des Bodens | Widerstandsbeiwert $\mu_{Dyn}$ [-] |
|---|---|
| gut rammbar | ≈ 1.0 |
| mittelmässig rammbar | ≈ 0.7 |
| schwierig rammbar | ≈ 0.5 |

**Tabelle 6-3: Stossziffer k [-] nach [59]**

| Bär – Schlaghaube – Pfahlkopf | Stossziffer k [-] |
|---|---|
| Stahl – Stahl (ohne Schlaghaube) | ≈ 0.6 |
| Stahl – Holz – Stahl | ≈ 0.5 |
| Stahl – Holz (ohne Schlaghaube) | ≈ 0.4 |
| Stahl – Holz - Stahlbeton | ≈ 0.3 |

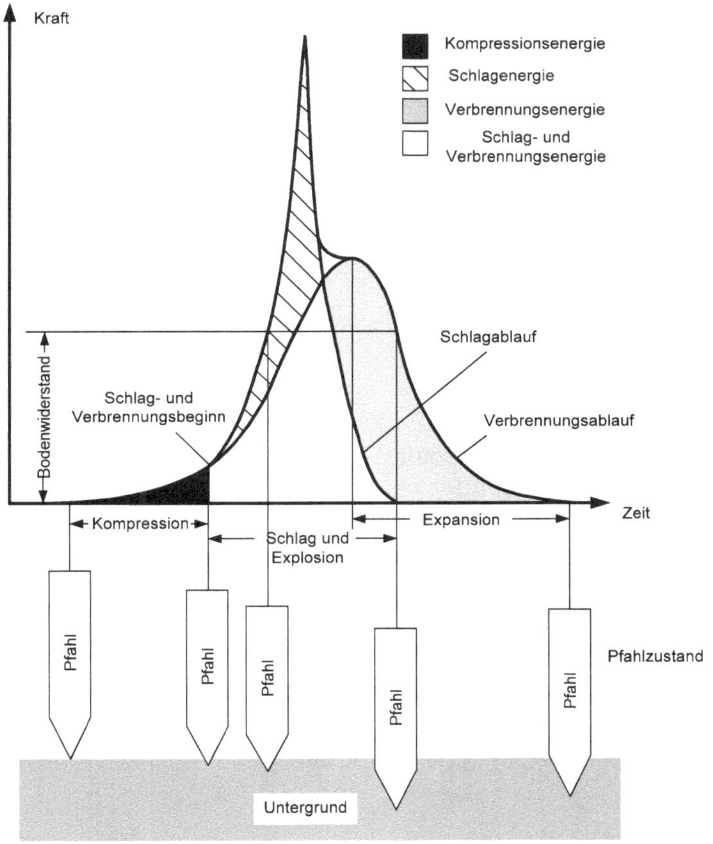


**Bild 6-4: Kraft–Zeit–Diagramm für Dieselbären (Explosionsrammen) [61]**

## Grundrammleistung für Spundbohlen $Q_0$ [m²/h]

$$Q_0 = \frac{b \times l}{t} \qquad [m^2/h]$$

| | | |
|---|---|---|
| $Q_0$ | Grundrammleistung für Spundbohlen | [m²/h] |
| b | Breite der Spundbohle | [m] |
| l | Einbindetiefe der Spundbohle | [m] |
| t | Rammzeit pro Spundbohle | [h] |

**Nutzrammleistung $Q_N$ [m²/h]**

$$Q_N = Q_0 \times k_1 \times k_2 \times k_3 \times \eta_G \qquad [m^2/h]$$

$$k_1 = 1 \qquad [-]$$

$$k_2 = f_5 \qquad [-]$$

$$k_3 = \eta_1 \times \eta_2 \qquad [-]$$

| | | |
|---|---|---|
| $Q_N$ | Nutzrammleistung | [m/h] |
| $Q_0$ | Grundrammleistung | [m/h] |
| $k_1$ | nicht massgebend | [-] |
| $k_2$ | Leistungseinflussfaktor | [-] |
| $k_3$ | Betriebsbeiwert | [-] |
| $\eta_1$ | Bedienungsfaktor | [-] |
| $\eta_2$ | Betriebsbedingungen | [-] |
| $f_5$ | Verfügbarkeits-/Gerätezustandsfaktor | [-] |
| $\eta_G$ | Geräteausnutzungsgrad | [-] |

Der Berechnungsablauf zur Ermittlung von

- Zeitaufwand pro Spundbohle
- Anzahl der gesetzten Spundbohlen pro Tag
- Gesamtrammzeit
- Leistung über die Einsatzzeit

kann vom vorigen Kapitel „Rammen von Rammpfählen“ übernommen werden.

## Vibrationsrammen

Prinzip der wirkenden **Fliehkräfte F [kN] einer Vibrationsramme mit mehreren Unwuchten**

Kräfte einer Unwucht:

$$F_i = m_i \times \omega^2 \times r \qquad [kN]$$

mit

$$\omega = 2 \times \pi \times f \qquad [s^{-1}]$$

$$f = \frac{1}{T} \qquad [Hz]$$

$$a = \omega^2 \times r \qquad [m/s^2]$$

$$F_{i,V} = m_i \times \omega^2 \times r \times \sin\varphi \qquad [kN]$$

$$F_{i,H} = m_i \times \omega^2 \times r \times \cos\varphi \qquad [kN]$$

| | | |
|---|---|---|
| $F_i$ | Fliehkraft einer Unwucht i | [kN] |
| $m_i$ | Masse der Unwucht i | [t] |
| $\omega$ | Kreisfrequenz der Unwucht | [$s^{-1}$] |
| r | Abstand des Massenschwerpunktes der Unwucht i von der Auflagerung | [m] |
| f | Frequenz der Vibrationsramme/Unwucht | [Hz] |
| T | Umlaufzeit der Unwucht | [s] |
| a | radiale Beschleunigung | [$m/s^2$] |
| $\varphi$ | Winkel der Unwuchtstellung | [°] |
| $F_{i,V}$ | vertikaler Anteil der Fliehkraft einer rotierenden Unwucht i | [kN] |
| $F_{i,H}$ | horizontaler Anteil der Fliehkraft einer rotierenden Unwucht i | [kN] |
| i | Bezeichnung der Unwucht i | [-] |

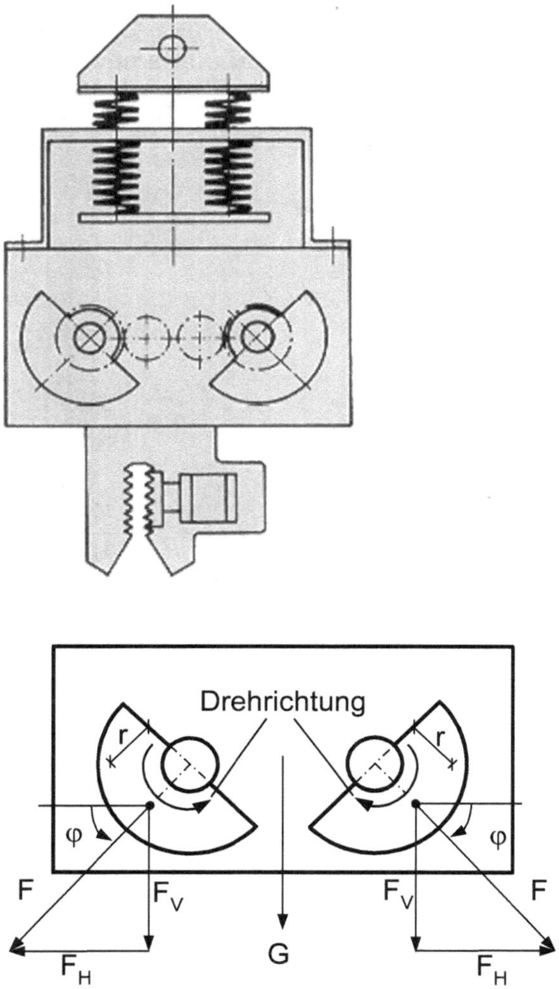


**Bild 6-5: Vibrationsramme und wirkende Kräfte nach [62]**

## Dynamische Grössen der Vibrationsramme

Summe der Unwuchtkräfte:

$$F_{VZ} = \sum_{i=1}^{n} F_{i,V} = \sum_{i=1}^{n} m_i \times r_i \times \omega^2 \times \sin\varphi = M_{stat} \times \omega^2 \times \sin\varphi \qquad [kN]$$

$$M_{stat} = \sum_{i=1}^{n} m_i \times r_i \qquad [tm]$$

$$F_{HZ} = \sum_{i=1}^{n} F_{i,H} = 0 \qquad [kN]$$

Gesamte vertikale Kraft des Rammbärs:

$$F_{V,tot} = G + F_{VZ} = m_{Bär} \times g + \sum_{i=1}^{n} m_i \times r_i \times \omega^2 \times \sin\varphi$$

$$= m_{Bär} \times g + M_{stat} \times \omega^2 \times \sin\varphi \qquad [kN]$$

Dynamische Masse des Rammsystems:

$$m_{dyn} = m_{Bär} + m_{Rammgut} + m_{Boden} \qquad [t]$$

$$m_{Boden} = f(\varphi'; c'; \gamma'; w) \qquad [t]$$

Effektive Beschleunigung der Rammmassen:

$$a_{max} = \omega^2 \times r = \omega^2 \times \frac{\sum_{i=1}^{n} m_i \times r_i}{m_{dyn}} \qquad [m/s^2]$$

für $r_i = r = const.$ gilt

$$a_{max} = \omega^2 \times r \times \frac{\sum_{i=1}^{n} m_i}{m_{dyn}} \qquad [m/s^2]$$

| | | |
|---|---|---|
| $F_{VZ}$ | Summe der vertikalen Anteile der Fliehkräfte | [kN] |
| $F_{i,V}$ | vertikaler Anteil der Fliehkraft einer rotierenden Unwucht i | [kN] |
| $m_i$ | Masse der Unwucht i | [t] |
| $r_i$ | Abstand des Massenschwerpunktes der Unwucht i vom Auflager | [m] |
| $\omega$ | Kreisfrequenz der Vibrationsramme | [$s^{-1}$] |

| | | |
|---|---|---|
| $\varphi$ | Winkel der Unwuchtstellung | [°] |
| $M_{stat}$ | statisches Moment der Vibrationsramme | [tm] |
| $F_{HZ}$ | Summe der horizontalen Anteile der Fliehkräfte | [kN] |
| $F_{i,H}$ | horizontaler Anteil der Fliehkraft einer rotierenden Unwucht i | [kN] |
| $F_{V,tot}$ | Summe aller vertikal wirkenden Kräfte | [kN] |
| G | Eigengewicht der Vibrationsramme | [kN] |
| $m_{Bär}$ | Masse der Vibrationsramme | [t] |
| g | Erdbeschleunigung | [m/s²] |
| $m_{dyn}$ | dynamische Masse des Rammsystems | [t] |
| $m_{Rammgut}$ | Masse des Rammgutes | [t] |
| $m_{Boden}$ | Masse des mitschwingenden Bodens | [t] |
| $\varphi'$ | Reibungswinkel des Bodens | [°] |
| c' | Kohäsion des Bodens | [kN/m²] |
| $\gamma'$ | Spezifisches Gewicht des Bodens | [kN/m³] |
| w | Wassergehalt des Bodens | [%] |
| $a_{max}$ | effektive Beschleunigung | [m/s²] |
| i | Bezeichnung der Unwucht | [-] |
| n | Anzahl der Unwuchtmassen $n = \{ n \mid n = 2 \times m; m \in \mathbb{N} \}$ | [-] |

## Selektion der Vibrationsramme

Erforderliche vertikale Fliehkraft $F_{VZ,erf}$ [kN] der Vibrationsramme aus Bsp: Zum Rammen eines Rammgutes mit 4.5 t Gewicht ist bei einer Eindringtiefe von 30 m sowie dicht gelagerten Sanden und Kiesen eine vertikale Fliehkraft von ca. 2280 kN erforderlich.
Bild 6-6:

$$F_{VZ,erf} = \begin{Bmatrix} l_{max}, m_{Rammgut} \\ \left(q_S^{dyn} \times A_S + \tau_M \times A_M\right) \Rightarrow \text{Rammbarkeit} = I \div IV \end{Bmatrix} \quad [kN]$$

Erforderliche Mindesteigenfrequenz $\omega_{erf}$ der Vibrationsramme aus Tabelle 6-4:

$\omega_{erf}$ = f(Bodenart)

Bestimmung der Vibrationsramme – Iterationsablauf i=1 bis k

Iterationsschritt i:

Gerätewahl i mit: $M_{Stat,i}$ und $\omega_i > \omega_{erf}$

Ermittlung der vorhandenen maximalen Unwuchtkräfte mit $\varphi = 90 \Rightarrow \sin\varphi = 1$:

$$F_{VZ,i} = M_{Stat,i} \times \omega_i^2$$

$$\omega_{erf,i} = \sqrt{\frac{F_{VZ,erf}}{M_{stat,i}}}$$

Bedingungen prüfen:

$$F_{VZ,erf} \leq F_{VZ,i} \wedge \omega_i > \omega_{erf,i}$$

falls: $F_{VZ,i} < F_{VZ,erf} \wedge \omega_i > \omega_{erf,i}$ oder
$F_{VZ,i} < F_{VZ,erf} \wedge \omega_i < \omega_{erf,i}$ oder
$F_{VZ,i} > F_{VZ,erf} \wedge \omega_i < \omega_{erf,i}$ dann nächste Iteration i=i+1

Letzte Iteration i=k

falls: $F_{VZ,k} > F_{VZ,erf} \wedge \omega_i > \omega_{erf,i}$

| | | |
|---|---|---|
| $F_{VZ,erf}$ | Erforderliche vertikale Fliehkraft der Vibrationsramme, um das Rammgut in die spezifischen Böden einzubringen (s. Bild 6-6) | [kN] |
| $\omega_{erf}$ | Eigenfrequenzbereiche der Böden bzw. erforderlicher Kreisfrequenzbereich der Vibrationsramme (s. Tabelle 6-4) | $[min^{-1}]$ |
| i | Iterationsschritt | [-] |
| k | Letzter Iterationsschritt | [-] |
| $M_{Stat,i}$ | Statisches Moment der Vibrationsramme i | [tm] |
| $\omega_i$ | Maximale Eigenfrequenz der Vibrationsramme i (Eigenfrequenzbereich) | $[min^{-1}]$ |

Für einen optimalen Rammvorgang sollte die Frequenz der Vibrationsramme im Bereich nahe der Eigenfrequenz des Bodens gewählt werden.

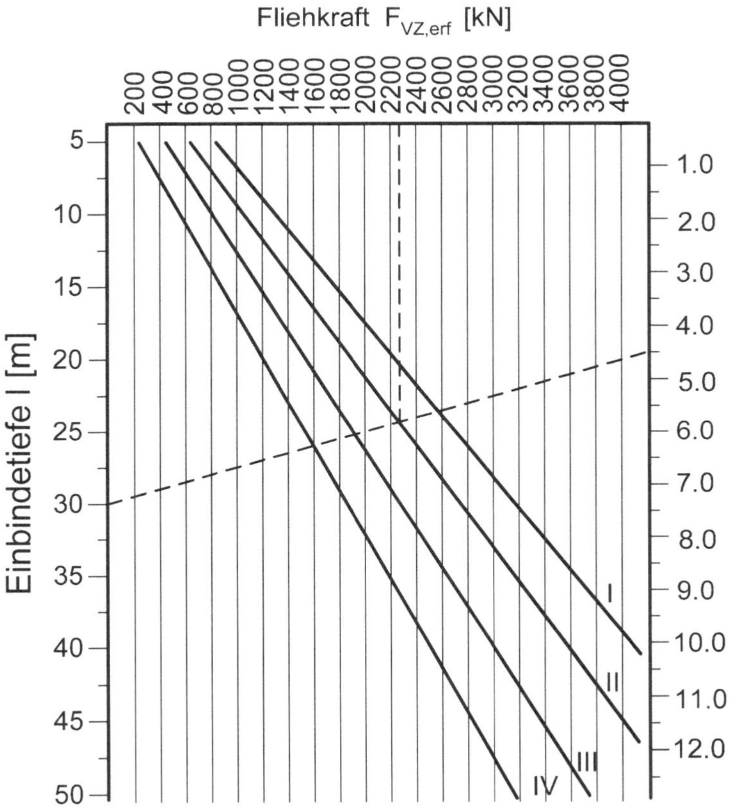


| Kurve | Rammbarkeit | Sand- und Kies-lagerung | bindige und schluffige Böden |
|---|---|---|---|
| I | sehr schwer | sehr dicht | sehr hart |
| II | schwer | dicht | hart |
| III | mittelschwer | mittel | plastisch |
| IV | leicht | locker | weich |

Bsp: Zum Rammen eines Rammgutes mit 4.5 t Gewicht ist bei einer Eindringtiefe von 30 m sowie dicht gelagerten Sanden und Kiesen eine vertikale Fliehkraft von ca. 2280 kN erforderlich.

**Bild 6-6: Diagramm zur Bestimmung der erforderlichen vertikalen Fliehkraft $F_{VZ,erf}$ [61]**

Tabelle 6-4: Eigenfrequenzen ausgesuchter Bodenarten nach [59]

| Bodenart | f [Hz] | ω [$min^{-1}$] |
|---|---|---|
| Moorboden | 10 – 13 | 3800 – 4900 |
| Mittelsand | 15 – 18 | 5650 – 6800 |
| Lehmiger Boden | 21 – 23 | 7900 – 8700 |
| Lehm feucht | 19 – 20 | 7150 – 7550 |
| Lehm trocken | 20 – 22 | 7550 – 8300 |
| Sand fest | 26 – 28 | 9800 – 10550 |
| Schluffsand | 19 – 20 | 7200 – 7550 |
| Löss trocken | 23 – 24 | 8700 – 9050 |

Funktionsweise von Vibrationsrammen: Herkömmliche und Vibrationsrammen mit variabler, computergesteuerter Fliehkraft.

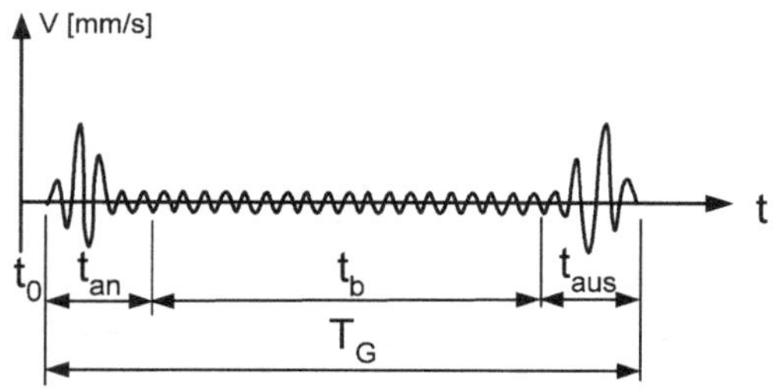


**Bild 6-7: Herkömmliche Vibrationsrammen**

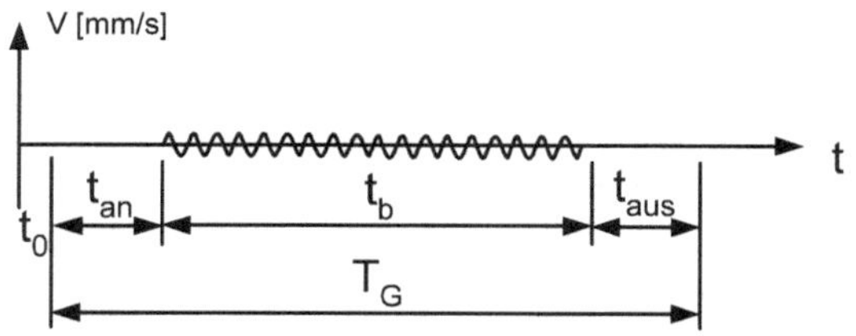


**Bild 6-8: Vibrationsrammen mit variabler Fliehkraft**

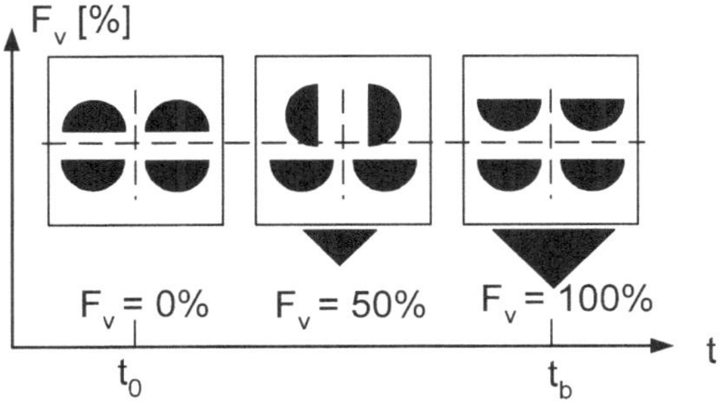


**Bild 6-9: Variable vertikale Fliehkraft – Prinzip der Unwuchtstellung**

Legende zu Bild 6-7, Bild 6-8 und Bild 6-9:

| | |
|---|---|
| $t_{an}$ – Anlaufphase | $t_b$ – Betriebsphase; |
| $t_{aus}$ – Auslaufphase | $T_G$ – Gesamtbetriebszeit |

# 7 Hochbau

Krane

Betonanlagen

Stahlbetonarbeiten

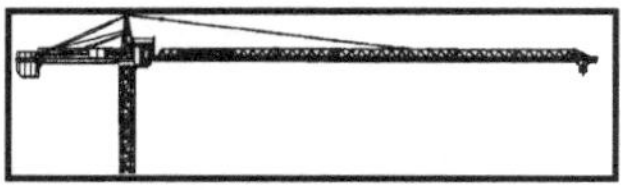

## 7.1 Krane

**Theoretische Leistung $Q_T$ [t/h] und Nutzleistung $Q_N$ [t/h] von Kranen**

| | |
|---|---|
| $Q_T = \frac{(m_{max} - m_0) \times 3600}{t_S}$ | [t/h] |
| $Q_N = Q_T \times k_1 \times k_2 \times k_3 \times \eta_G$ | [t/h] |
| $M \leq m_{max} - m_0$ | [t] |
| $k_1 = 1$ | [-] |
| $k_2 = f_2 \times f_5$ | [-] |
| $k_3 = \eta_1 \times \eta_2$ | [-] |

| | | |
|---|---|---|
| $Q_T$ | theoretische Leistung | [t/h] |
| $Q_N$ | Nutzleistung/Dauerleistung | [t/h] |
| $m_{max}$ | zulässige Hubmasse | [t] |
| $m_0$ | Masse der Lasthalterung (Haken-, Betonkübelgewicht etc.) | [t] |
| $M$ | geförderte Menge (maximal: $m_{max}$ - $m_0$) | [t] |
| $t_S$ | Grundspielzeit | [s] |
| $f_2$ | Hebe- und Absetzgenauigkeit | [-] |
| $f_5$ | Gerätezustandsfaktor | [-] |
| $\eta_1$ | Bedienungsfaktor | [-] |
| $\eta_2$ | Betriebsbedingungen | [-] |
| $k_1$ | Ladefaktor | [-] |
| $k_2$ | Leistungseinflussfaktor | [-] |
| $k_3$ | Betriebsbeiwert | [-] |
| $\eta_G$ | Geräteausnutzungsgrad (0.5 – 0.85) | [-] |

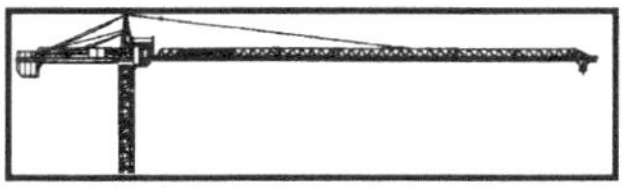

**Tabelle 7-1: Anhaltswerte zur Ermittlung der Grundspielzeit $t_S$ [s] nach [63]**

| Zeit | Einheit | Bewegung | Wert |
|---|---|---|---|
| $t_H$ | [s/m] | Hub- bzw. Senkzeit des Hakens | 1 – 20 |
| $t_{sch}$ | [s/α°] | Schwenkzeit des Krans | 0.1 – 0.2 |
| $t_K$ | [s/m] | Fahrzeit der Laufkatze | 1 – 3 |
| $t_A$ | [s] | Zeit für das Anhängen der Last bzw. Füllen des Betonkübels | 30 – 180 |
| $t_E$ | [s] | Zeit für das Entleeren des Kübels bzw. Abhängen von Lasten | 30 – 180 |

Die Grundspielzeit $t_S$ [s] ergibt sich je nach Einsatzbedingungen aus sequentiellen und parallelen Vorgängen.

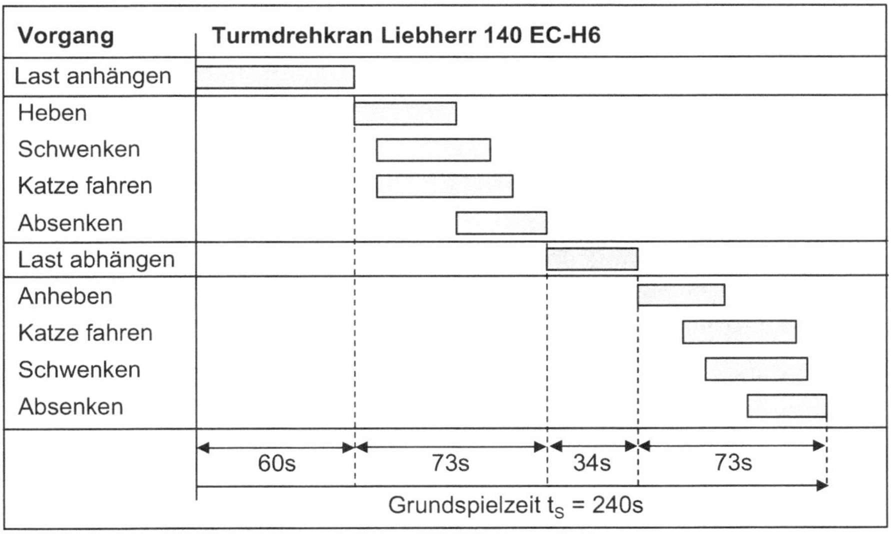


**Bild 7-1: Beispiel für eine Grundspielzeit $t_S$ [s] des Turmdrehkrans 140 EC-H6 von Liebherr**

**Tabelle 7-2: Richtwerte zur Abschätzung: Anzahl Arbeitskräfte/Kran [18], [63], [64]:**

| Bauwerkstyp | Beschäftigte pro Kran |
|---|---|
| Mauerwerksbau | 15 |
| Betonbau, Betonieren mittels Rohrförderung | 20 – 30 |
| Betonbau, Betonieren mit Kran | 15 – 20 |
| Fertigteilmontage | 3 – 5 |

Richtwerte zur Abschätzung: Kranförderleistung im Hochbau – Baustoffbedarf / $m^3$-Bruttogebäuderauminhalt [63]:

**Tabelle 7-3: Richtwerte zur Abschätzung der Kranförderung im Hochbau [63], [64]:**

| | |
|---|---|
| Baustoffbedarf pro $m^3$-Bruttogebäuderauminhalt | 0.35 – 0.65 t |
| durchschnittliche Förderleistung | 300 – 500 t/(Schicht u. Monat) |

**Tabelle 7-4: Kranaufwandswerte [63]**

| Vorgang | Aufwand |
|---|---|
| Konventionelle Deckenschalung | 0.02 – 0.09 h/$m^2$ |
| Deckenschaltische | 0.02 – 0.03 h/$m^2$ |
| Stützenschalung | 0.02 – 0.05 h/$m^2$ |
| Grossflächige Wandschalung | 0.04 – 0.08 h/$m^2$ |
| Bewehrung – Matten | 0.30 – 0.60 h/t |
| Bewehrung – Stabstahl | 0.20 – 0.35 h/t |
| Fertigteilplatten | 0.15 – 0.20 h/St. |
| Fertigteilstützen | 0.50 – 0.90 h/St. |
| Fundamente betonieren | 0.05 – 0.09 h/$m^3$ |
| Wände betonieren | 0.08 – 0.15 h/$m^3$ |
| Stützen betonieren | 0.15 – 0.35 h/$m^3$ |
| Decken betonieren | 0.06 – 0.12 h/$m^3$ |
| Mauerwerksbau | 0.15 – 0.25 h/$m^3$ |

## 7.2 Betonanlagen

### Betonmischer

| | |
|---|---|
| $Q_N = V_N \times n \times k_2 \times k_3 \times \eta_G$ | [fm³/h] |
| $Q_0 = V_N \times n$ | [fm³/h] |
| $\tilde{Q}_0 = V_N \times n \times k_V$ | [lm³/h] |
| $\tilde{Q}_N = V_N \times n \times k_V \times k_2 \times k_3 \times \eta_G$ | [lm³/h] |
| $V_{N,lose} = V_N \times k_V$ | [lm³/h] |
| $k_V = \frac{1}{\delta_{Bet,i}}$ | [-] |
| $(f_1; f_2; f_3; f_4) = 1$ | [-] |
| $k_2 = f_5$ | [-] |
| $k_3 = \eta_1 \times \eta_2$ | [-] |

| | | |
|---|---|---|
| $V_N$ | Nenninhalt des Mischers ≙ Volumen des mit einem Arbeitsspiel herstellbaren Frischbetons im verdichteten Zustand (Verdichtungsmass 1.45) [65] | [fm³] |
| $V_{N,lose}$ | Volumetrischer Inhalt des Mischers in losem Zustand | [lm³] |
| $Q_0$ | Grundmischleistung verdichteter Beton | [fm³/h] |
| $Q_N$ | Nutzmischleistung verdichteter Beton | [fm³/h] |
| $\tilde{Q}_0$ | Grundmischleistung unverdichteter Beton | [lm³/h] |
| $\tilde{Q}_N$ | Nutzmischleistung unverdichteter Beton | [lm³/h] |
| $n$ | Spiele pro Stunde | [h⁻¹] |
| $\delta_{Bet,i}$ | Verdichtungsfaktor (Tabelle 7-5) | [fm³/lm³] |
| $f_5$ | Gerätezustandsfaktor | [-] |
| $\eta_1$ | Bedienungsfaktor | [-] |
| $\eta_2$ | Betriebsbedingungen im Verladebereich auf den Transporter | [-] |
| $k_V$ | Ladefaktor des Mischers | [-] |
| $k_2$ | Leistungseinflussfaktor | [-] |
| $k_3$ | Betriebsbeiwert | [-] |
| $\eta_G$ | Geräteausnutzungsgrad | [-] |

Anzahl der Arbeitsspiele pro Stunde n [$h^{-1}$] [3]:

- Trommelmischer $< 20$
- Zwangsmischer $< 30$

**Tabelle 7-5: Verdichtungsfaktor $\delta_{Bet,i}$ [-] [66]:**

| $\delta_{Bet,i}$ | **Bezeichnung** | **Ausbreitmass** |
|---|---|---|
| $\delta_{Bet,i} \leq 0.83$ | steifer Beton | --- |
| $\delta_{Bet,i} = 0.83 - 0.93$ | plastischer Beton | 35 – 41 cm |
| $\delta_{Bet,i} = 0.93 - 0.98$ | weicher Beton | 42 – 48 cm |
| $\delta_{Bet,i} \approx 1$ | fliessfähiger Beton | 49 – 60 cm |

Geräteausnutzungsgrad $\eta_G$ [-]

$\eta_G = 0.8 - 0.9$

# Betonanlagen

## Betonpumpen

| | |
|---|---|
| $P = \dfrac{\tilde{Q}_T \times p}{36 \times \eta_W}$ | [kW] |
| $\tilde{Q}_0 = \tilde{Q}_T \times \varphi_k$ | [m³/h] |
| $\tilde{Q}_N = \tilde{Q}_T \times \varphi_k \times k_2 \times k_3 \times \eta_G$ | [m³/h] |
| $Q_N = \tilde{Q}_T \times k_1 \times k_2 \times k_3 \times \eta_G$ | [fm³/h] |
| $Q_N = \tilde{Q}_0 \times \delta_{Bet,i} \times k_2 \times k_3 \times \eta_G$ | [fm³/h] |
| $k_1 = \delta_{Bet,i} \times \varphi_k$ | [-] |
| $(f_1; f_4) = 1$ | [-] |
| $k_2 = f_2 \times f_3 \times f_5$ | [-] |
| $k_3 = \eta_1 \times \eta_2$ | [-] |

| | | |
|---|---|---|
| $P$ | Pumpenleistung (Motor) | [kW] |
| $\tilde{Q}_T$ | theoretische, volumetrische Förderleistung – unverdichteter Beton | [m³/h] |
| $\tilde{Q}_0$ | Grundförderleistung (unverdichteter Beton unter Berücksichtigung der Kolbenfüllung) | [m³/h] |
| $\tilde{Q}_N$ | Nutzförderleistung – unverdichteter Beton | [m³/h] |
| $Q_N$ | Nutzförderleistung – verdichteter Beton | [fm³/h] |
| $p$ | massgebender Betondruck an der Betonpumpe | [bar] |
| $\eta_W$ | Wirkungsgrad der Pumpe (~ 0.7) | [-] |
| $\delta_{Bet,i}$ | Verdichtungsfaktor des Betons (Tabelle 7-5) | [-] |
| $\varphi_k$ | Kolbenfüllungsgrad | [-] |
| $f_2$ | Beschickung des Trichters<br>3/4 bis voll: $f_2 = 1$<br>1/2 bis 3/4: $f_2 = 0.8$ | [-] |
| $f_3$ | Entleerungsgenauigkeit/Umsetzhäufigkeit des Betonverteilerschlauchs:<br>Decke: $f_3 = 1$<br>kleine Stützen: $f_3 = 0.5 – 0.7$<br>Wände: $f_3 = 0.7 – 1.0$ | [-] |
| $f_5$ | Gerätezustandsfaktor $\approx 1$ | [-] |
| $\eta_1$ | Bedienungsfaktor am Betonverteilerschlauch (Mensch) | [-] |

| | | |
|---|---|---|
| $\eta_2$ | Betriebsbedingungen am Betonverteilerschlauch | [-] |
| $k_1$ | Beladungsfaktor der Pumpe | [-] |
| $k_2$ | Leistungseinflussfaktor (Beschickung) | [-] |
| $k_3$ | Betriebsbeiwert | [-] |
| $\eta_G$ | Geräteausnutzungsgrad (z.B. durch effektiven Betrieb der Pumpe von nur 45 min/h: 0.75) | [-] |

**Tabelle 7-6: Grenzwerte von Betonpumpen**

| | | |
|---|---|---|
| Förderleistung von Betonpumpen | 140 | $m^3/h$ |
| Förderweite | 1200 | m |
| Förderhöhe | 450 | m |

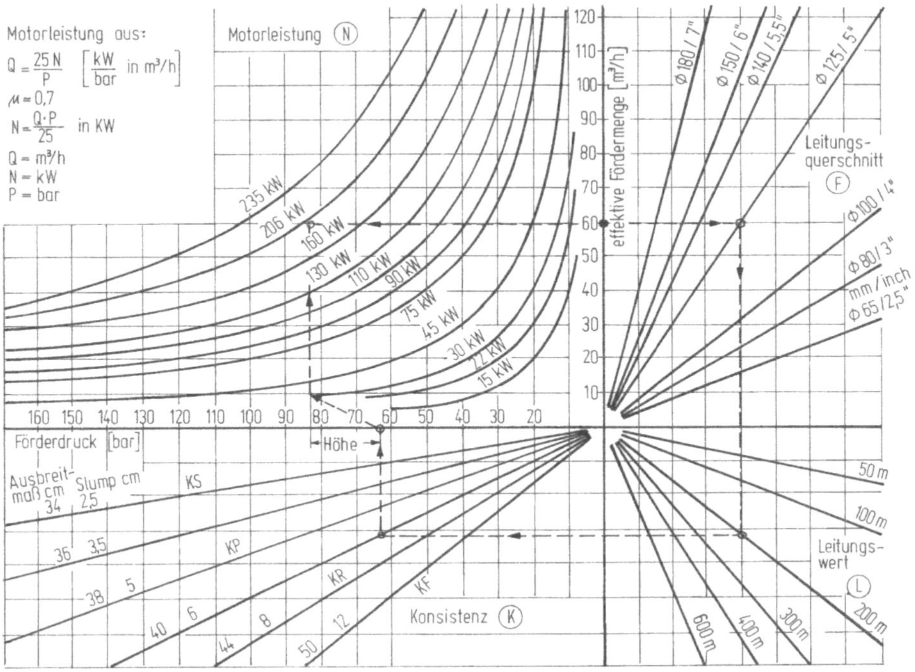


**Bild 7-2: Grundförderleistung $Q_0$ [m³/h] [67]**

## 7.3 Stahlbetonarbeiten

Zur Berechnung der Leistung bei Stahlbetonarbeiten muss man die Aufwandswerte für die Arbeitsgänge Schalen, Bewehren und Betonieren systematisch ermitteln. Eine mögliche Einteilung der Arbeitsgänge in weitere Tätigkeiten ist in Bild 7-3 dargestellt. Die Aufwandswerte für die einzelnen Tätigkeiten können der Fachliteratur [68] entnommen werden bzw. sind bei den Kalkulationsabteilungen der Baufirmen intern vorhanden.

| | Arbeitsgänge | Tätigkeiten |
|---|---|---|
| Stahlbetonarbeiten | Schalen | Vorbereitung |
| | | Einschalen |
| | | Ausschalen |
| | | Nachbehandlung |
| | Bewehren | Vorfertigung |
| | | Einbau |
| | Betonieren | Mischen |
| | | Einbringen |
| | | Verdichten |
| | | Oberflächenbehandlung |

**Bild 7-3: Einteilung der Arbeitsgänge und Tätigkeiten von Stahlbetonarbeiten**

# Stahlbetonarbeiten

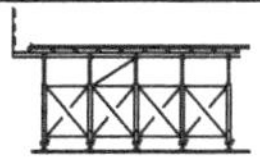

Der reale Gesamtstundenaufwand wird auf Basis des theoretischen Gesamtstundenaufwands unter Berücksichtigung der Abminderungsfaktoren bestimmt.

**Realer und theoretischer Gesamtstundenaufwand [h]**

$$T_{N,k} = \frac{1}{k_2} \cdot \frac{1}{k_3} \cdot \frac{1}{\eta_G} \cdot T_{T,k} \qquad [h]$$

| | | |
|---|---|---|
| $T_{N,k}$ | Realer Gesamtstundenaufwand des Arbeitsvorganges k | [h] |
| $T_{T,k}$ | Theoretischer Gesamtstundenaufwand des Arbeitsvorganges k | [h] |
| $k_2$ | Technische Abminderungsfaktoren<br>z.B. Alter der Schalung | [-] |
| $k_3$ | Betriebsbeiwert mit<br>$\eta_1$ = Bedienungsfaktor (Qualifikation der Arbeiter)<br>$\eta_2$ = Betriebsfaktor (AVOR, Wetter, Platzverhältnisse) | [-] |
| $\eta_G$ | Geräteausnutzungsgrad (Konzentration, Nebenarbeiten, Zigarettenpausen) | [-] |
| k | Arbeitsvorgänge: k = S: Schalen<br>k = A: Bewehrungseinbau<br>k = Bet: Betonarbeiten | [-] |

## Schalungstechnik

### Theoretischer Gesamtstundenaufwand zum Schalen $T_{T,s,1}$ [h]

$$T_{T,S,1} = \sum_j \left(\sum_i a_{Si,j} \times A_j\right) + \sum_k \left(a_{Z,k} \times Z_k\right) \qquad \text{[h]}$$

| | | |
|---|---|---|
| $T_{T,S,1}$ | Theoretischer Gesamtstundenaufwand des Ein- und Ausschalens | [h] |
| $a_{Si,j}$ | Aufwandswert für die einzelnen Tätigkeiten i, für Systemschalungen: i = e: Einschalen und Ölen<br>i = a: Ausschalen und Reinigen | [h/m²] |
| $A_j$ | Fläche des geschalten Bauteils | [m²] |
| $a_{Z,k}$ | Zuschlag für Sonderarbeiten (Ecken, Aussparungen, Beischalarbeiten etc.) | [h/LE] |
| $Z_k$ | Leistungseinheiten für die Sonderarbeit, z.B. LE = $m^2$, LE = Stück etc. | [LE] |
| j | unterschiedliche Schalbereiche, z.B. Unterzüge, Hauptdeckenflächen oder Wände und Stützen. | [-] |
| k | Sonderarbeiten | [-] |

### Theoretischer Gesamtaufwand zur Schalungsvorbereitung und Demontage $T_{T,s,2}$ [h]

$$T_{T,S,2} = \sum_i a_{V,i} \times A_S \qquad \text{[h]}$$

| | | |
|---|---|---|
| $T_{T,S,2}$ | Theoretischer Gesamtaufwand zur Schalungsvorbereitung/Demontage | [h] |
| $a_{V,i}$ | Aufwandswert zur Montage bzw. Demontage der Schalung als Grosselemente, Deckentische etc. | [h/m²] |
| i | i = M: Montage/Zusammenbau<br>i = D: Demontage | [-] |
| $A_S$ | Fläche der vorbereiteten bzw. demontierten Schalung | [m²] |

**Theoretischer Gesamtstundenaufwand für die Schalungsarbeiten $T_{T,S}$ [h]**

$$T_{T,S} = T_{T,S,1} + T_{T,S,2} \quad [h]$$

| | | |
|---|---|---|
| $T_{T,S}$ | Theoretischer Gesamtstundenaufwand für die Schalungsarbeiten | [h] |
| $T_{T,S,1}$ | Theoretischer Gesamtaufwand des Einschalens und Ausschalens | [h] |
| $T_{T,S,2}$ | Theoretischer Gesamtaufwand zur Schalungsvorbereitung/Demontage | [h] |

## Bewehrungseinbau

### Theoretischer Gesamtstundenaufwand zum Einbau der Bewehrung auf der Baustelle für ein Bauteil oder Bauwerk $T_{T,A}$ [h]

$$T_{T,A} = \sum_j T_{T,A,j} \qquad [h]$$

Theoretischer Gesamtstundenaufwand für Bewehrungsarbeiten des Durchmessers j:

$$T_{T,A,j} = (a_{A,b} + a_{A,ab} + a_{A,v})_j \times m_{A,j} + a_R \times A_S \qquad [h]$$

$$T_{T,A,j} = (\sum_i a_{A,i})_j \times m_{A,j} + a_R \times A_S \qquad [h]$$

$$m_{A,j} = \frac{l_j \times g_{A,j}}{1000} \qquad [t]$$

| | | |
|---|---|---|
| $T_{T,A}$ | Theoretischer Gesamtaufwand zum Einbau der Bewehrung für ein Bauteil oder Bauwerk | [h] |
| $T_{T,A,j}$ | Theoretischer Gesamtaufwand zum Einbau der Bewehrung Ø = j | [h] |
| $a_{A,i}$ | Aufwandswert für die Tätigkeiten beim Einbau der Bewehrung, Tätigkeit: i = b: Biegen; i = ab: Abladen; i = v: Verlegen | [h/t] |
| $m_{A,j}$ | Masse der einzubauenden Bewehrung eines bestimmten Durchmessers Ø = j | [t] |
| $a_R$ | Aufwandswert für Reinigung der Schalung vor dem Betonieren | [h/m²] |
| $A_S$ | Schalungsfläche | [m²] |
| $l_j$ | Gesamtlänge der Bewehrung des Durchmessers Ø = j | [m] |
| $g_{A,j}$ | Masse der Bewehrung eines Durchmessers Ø = j pro m | [kg/m] |
| j | Durchmesser Ø der Bewehrung | [mm] |

### Theoretischer Gesamtstundenaufwand zum Einbau von Spanngliedern auf der Baustelle $T_{T,Sp}$ [h]

$$T_{T,Sp} = \sum_j T_{T,Sp,j} \qquad [h]$$

Theoretischer Gesamtstundenaufwand für den Spanngliedereinbau des Typs j:

$$T_{T,Sp,j} = (\sum_i a_{Sp,i})_j \times l_{Sp,j} + \sum_k a_{Sp,k} \times n \qquad [h]$$

| | | |
|---|---|---|
| $T_{T,Sp}$ | Theoretischer Gesamtstundenaufwand zum Einbau der Spannglieder in ein Bauteil oder Bauwerk | [h] |
| $T_{T,Sp,j}$ | Gesamtaufwand zum Einbau der Spannglieder des Typs j | [h] |
| $a_{Sp,i}$ | Aufwandswert für den Einbau der Spannglieder, Tätigkeiten: i = h: Hüllrohr und Anker verlegen; i = l : Litzen einschiessen | [h/m] |
| $l_{Sp,j}$ | Länge der Spannstähle des Typs j | [m] |
| $a_{Sp,k}$ | Aufwandswert für Tätigkeiten: k = v: Vorspannen; k = p: Verpressen; k = a: Anker einbetonieren | [h/Stk] |
| n | Anzahl der Spannglieder | [-] |
| j | Spannglied Typ | [-] |

Für die Berechnung des Stundenaufwands für Bewehrungsarbeiten ist es notwendig, zuvor die Bewehrungsarbeiten systematisch und auf das Bauwerksteil bezogen zu untergliedern. In einem zweiten Schritt sind die Aufwandswerte aus gängigen Katalogen zu entnehmen oder Erfahrungswerte zu nutzen und in die Formel einzusetzen.

| Richtung | Bauteil | | Form | Grad der Vorfertigung |
|---|---|---|---|---|
| horizontal | Fundamente | - Platten | flächig | - Teppichbewehrung<br>- konventionell |
| | | - Einzel | Korb | - Korb-/Balken-<br>bewehrung<br>- konventionell |
| | Decken | | flächig | - Teppichbewehrung<br>- konventionell |
| | Unterzüge | | stab-<br>förmig | - vorgefertigt<br>- konventionell |
| | Anschlussbewehrungen<br>für Wände, Stützen etc. | | | - konventionell |
| vertikal | Wände | | flächig | - Matten, vorgefertigt<br>- konventionell |
| | Stützen | | stab-<br>förmig | - vorgefertigt<br>- konventionell |
| | Anschlussbewehrung für<br>Decken, Wände | | | - konventionell |

**Bild 7-4: Systematische Untergliederung von Armierungsarten**

# Stahlbetonarbeiten

## Betonarbeiten

### Theoretischer Gesamtstundenaufwand für Betonarbeiten $T_{T,Bet}$ [h]

$$T_{T,Bet} = T_{T,R} + \sum_j (a_{Bet,j} \times V_{Bet,j} + \sum_i a_{Zu,i,j} \times A_{Bet,i,j}) \qquad [h]$$

| | | |
|---|---|---|
| $T_{T,Bet}$ | Theoretischer Gesamtstundenaufwand für Betonarbeiten | [h] |
| $T_{T,R}$ | Theoretische Rüstzeit für die Betonierarbeiten (Verlegen der Pumpleitung/Kübel an Kran anhängen bzw. reinigen, Anschluss Rüttler etc.) | [h] |
| $a_{Bet,j}$ | Aufwandswert für den Einbau des Betons im Bauteil j | [h/m³] |
| $V_{Bet,j}$ | Gesamtbetonvolumen des Bauteils j | [m³] |
| $a_{Zu,i,j}$ | Zusatzaufwand für Oberflächenbehandlung, Tätigkeiten: i = g : Abgleichen der Betonhöhe<br>i = z : Abziehen der Oberfläche<br>i = r : Abreiben/Glätten der Oberfläche | [h/m²] |
| $A_{Bet,i,j}$ | Oberfläche des nachzubearbeitenden Betons des Bauteils j | [m²] |

# Stahlbetonarbeiten

Die **reale Dauer der einzelnen Arbeitsvorgänge $D_{N,k}$ [h]** kann anhand der Gruppen- oder Kolonnenleistungen hergeleitet werden:

Dauer der Arbeitsvorgänge:

$$D_{N,k} = \frac{T_{N,k}}{n} = \frac{m_{LE}}{q_{N,Grup}} \qquad [h]$$

| | | |
|---|---|---|
| $D_{N,k}$ | Reale Dauer der Arbeitsgänge k | [h] |
| $T_{N,k}$ | Realer Gesamtstundenaufwand für die Arbeitsvorgänge k | [h] |
| $m_{LE}$ | Menge der herzustellenden Leistungseinheiten | [LE] |
| $q_{N,Grup}$ | Reale Gruppenleistung | [LE/h] |
| k | Arbeitsvorgänge: k = S: Schalen<br>k = A: Bewehrungseinbau<br>k = Bet: Betonarbeiten | [-] |
| n | Leistungsmitglieder der Gruppe | [-] |
| LE | Leistungseinheit, z.B. $m^2$; $m^3$; Stück | |

Beispiele für Gruppengrössen:

n = 4 – 5 Aufstellen der Grossflächenschalungen wie Wandelemente oder Deckentische

n = 4 – 6 Verlegen von Bewehrung für Decken und Wände

n = 4 Betonieren von Wänden und Decken, Betonierpumpe 1 Person, Verteilen auf Decke/Wand ca. 3 Personen

# 8 Faktoren

**Muldeninhalt Transportfahrzeuge $V_{FSAE}$ [m$^3$]**
**Nenninhalt des Grabgefässes $V_{SAE}$ [m$^3$]**
**Schüttdichte $\rho_S$ [t/lm$^3$]**
**Lösefaktor $\alpha$ [fm$^3$/lm$^3$]**
**Füllfaktor $\varphi$ [-]**
**Bedienungsfaktor $\eta_1$ [-]**
**Betriebsfaktor $\eta_2$ [-]**
**Abbau-/Grabtiefenfaktor $f_1$ [-]**
**Schwenkwinkeleinfluss-/Fahrwegfaktor $f_2$ [-]**
**Entleerungsgenauigkeitsfaktor $f_3$ [-]**
**Schneiden-/Zahnzustandsfaktor $f_4$ [-]**
**Verfügbarkeits-/Gerätezustandsfaktor $f_5$ [-]**
**Geräteausnutzungsgrad $\eta_G$ [-]**
**Kurvenwiderstandsbeiwert $w_k$ [‰]**
**Rollwiderstandsbeiwert $w_{r(W)}$ [‰]**

# Faktoren

## Überblick

Die nachfolgend aufgeführten Faktoren können analog für die Leistungsberechnung bei unterschiedlichen Gerätegruppen verwendet werden. Faktoren, die nur speziell für ein bestimmtes Gerät benötigt werden, sind bei der Leistungsberechnung vom jeweiligen Maschinenhersteller (z.B. [6], [7]) zu erfragen.

| | | [Einheit] |
|---|---|---|
| $V_{FSAE}$ | Muldeninhalt des Fahrzeugs gemäss SAE | [$m^3$] |
| $V_{SAE}$ | Nenninhalt des Grabgefässes gemäss SAE | [$m^3$] |
| $\rho_S$ | Schüttdichte | [$t/lm^3$] |
| $\alpha$ | Lösefaktor | [$fm^3/lm^3$] |
| $\varphi$ | Füllfaktor | [-] |
| $\eta_1$ | Bedienungsfaktor | [-] |
| $\eta_2$ | Betriebsfaktor | [-] |
| $f_1$ | Abbau-/Grabtiefenfaktor | [-] |
| $f_2$ | Schwenkwinkeleinfluss-/Fahrwegfaktor | [-] |
| $f_3$ | Entleerungsgenauigkeitsfaktor | [-] |
| $f_4$ | Schneiden-/Zahnzustandsfaktor | [-] |
| $f_5$ | Verfügbarkeits-/Gerätezustandsfaktor | [-] |
| $\eta_G$ | Geräteausnutzungsgrad | [-] |
| $w_K$ | Kurvenwiderstandsbeiwert | [‰] |
| $w_R$ | Rollwiderstandsbeiwert | [‰] |

# Muldeninhalt des Fahrzeugs [$m^3$] | $V_{FSAE}$

## LKW, SKW, Dumper

Bezüglich des Muldeninhalts eines Fahrzeugs $V_{FSAE}$ sind nach SAE-Norm die gestrichene und die gehäufte Füllung zu unterscheiden. Transportfahrzeuge dürfen im öffentlichen Strassenverkehr mit Schüttgütern nicht über den gestrichenen Muldeninhalt $V_{FSAE,1}$ hinaus beladen werden. Dies gilt auch für das Überqueren einer öffentlichen Strasse mit Baufahrzeugen. Lose, trockene und staubige Bodenmaterialien müssen für den Transport angefeuchtet bzw. abgedeckt werden, um eine Aufwirbelung während der Fahrt zu vermeiden.

| |
|---|
| Fahrzeug im Strassenverkehr: |
| Muldeninhalt = $V_{FSAE,1}$ = gestrichene SAE-Füllung = Wassermass |

Für SKW und Dumper, die nur im Baustellenverkehr eingesetzt werden, kann neben der gestrichenen Füllung nach SAE auch der gehäufte Muldeninhalt $V_{FSAE,2}$ angenommen werden [69]. Die gehäufte Füllung hat eine Böschungsneigung nach SAE-Norm von 1:2.

| |
|---|
| Fahrzeug im Baustellenverkehr: |
| Muldeninhalt = $V_{FSAE,2}$ = gehäufte SAE-Füllung (1:2) |

Der Muldeninhalt gemäss SAE-Norm ist in den Prospekten der Fahrzeughersteller angegeben bzw. kann nach Bild 8-1 berechnet werden.

# Muldeninhalt des Fahrzeugs [m³]

## $V_{FSAE}$

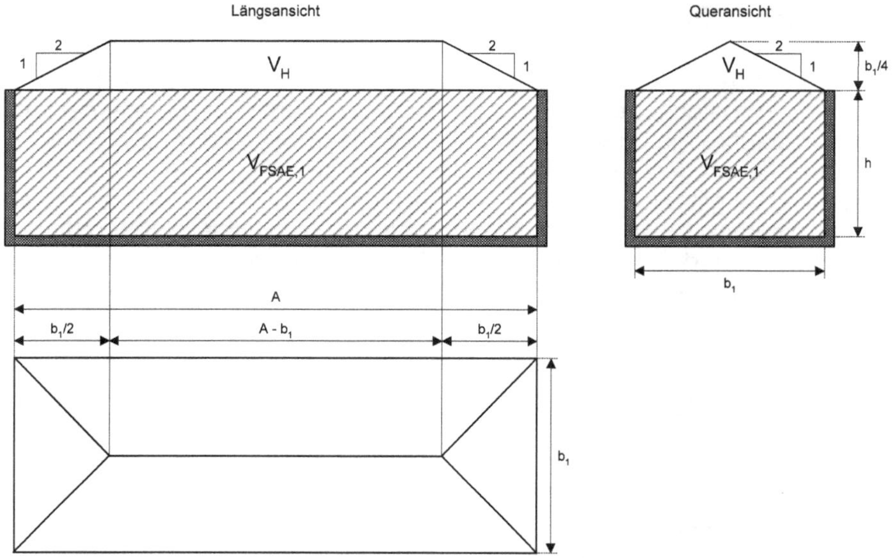


Gestrichene Füllung: $V_{FSAE,1} = b_1 \times A \times h$ [m³]

Gehäufte Füllung: $V_{FSAE,2} = V_{FSAE,1} + V_H$ [m³]

Berechnung von $V_H$: $V_H = (A \times b_1^2) / 8 - (b_1^3 / 24)$ [m³]

**Bild 8-1: Muldeninhalt eines Fahrzeugs gemäss SAE-Norm [69]**

# Nenninhalt Grabgefäss [m³] | $V_{SAE}$

Der Nenninhalt $V_{SAE}$ des Hochlöffels, des Tieflöffels und der Ladeschaufel ist definiert als deren gehäufte Füllung mit einer allseitigen Böschungsneigung nach SAE-Norm. Er wird vom Gerätehersteller angegeben oder kann mit Hilfe der nachfolgenden Gleichungen für Tieflöffel sowie Hochlöffel und Ladeschaufel errechnet werden [69], [70].

## Dimensionierung von Baggerlöffeln

Die Grösse von Grab- und Ladewerkzeugen und somit auch das maximale Fassungsvermögen $V_{SAE}$ können mit nachstehender Überschlagsformel überschlägig aus der Motorleistung P (kW) des Baggers berechnet werden [8]:

$$V_{SAE} \leq 0.015 \times P \qquad [m^3]$$

In diese Formel geht die Lagerungsfestigkeit des Materials nicht ein. Die Formel ist nur anwendbar für locker gelagertes Material wie z.B. Sand. Fester gelagertes bzw. schwieriger zu lösendes Material wie z.B. fester Ton erfordert höhere Motorleistungen. Für eine entsprechende Lade- und Reissleistung muss das Gerät auch ein ausreichendes Gewicht aufweisen, um die Reaktionskräfte aufzunehmen.

# Nenninhalt Grabgefäss [m³] | $V_{SAE}$

## Tieflöffel

Der Nenninhalt (Kubikmeter Volumen) des Tieflöffels wird nach SAE-Norm berechnet, da die europäischen CECE-Richtlinien veraltet sind und keine Gültigkeit mehr haben [69], [70], [71].

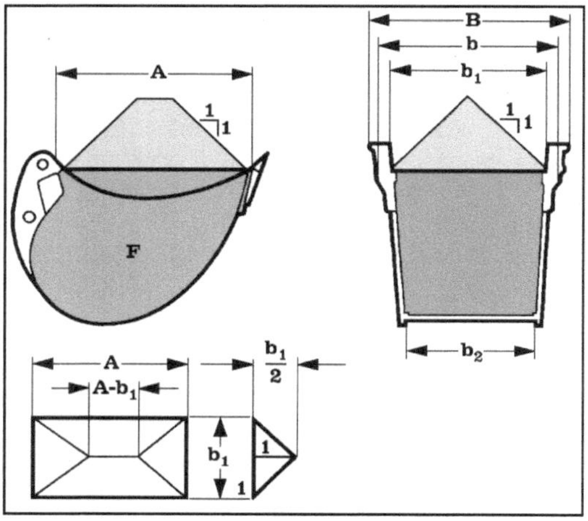


| | |
|---|---|
| A | Öffnungsweite |
| B | Schnittbreite |
| b | Löffelbreite |
| $b_1$ | Innnenbreite vorn |
| $b_2$ | Innenbreite hinten |
| F | Löffelquerschnittsfläche |
| $V_{SAE}$ | Nenninhalt des Tieflöffels |

**Bild 8-2: Geometrie eines Tieflöffels gemäss SAE-Norm [6]**

$$V_{SAE} = F \times \frac{b_1 + b_2}{2} + \frac{A \times b_1^2}{4} - \frac{b_1^{\,3}}{12} \qquad [m^3]$$

# Nenninhalt Grabgefäss [m³]

# $V_{SAE}$

## Hochlöffel und Ladeschaufel

Für die Berechnung des Nenninhalts (Kubikmeter Volumen) von Hochlöffel und Ladeschaufel ist die Neigung der Häufung bei den beiden Normen SAE und CECE identisch [69], [70], [71]:

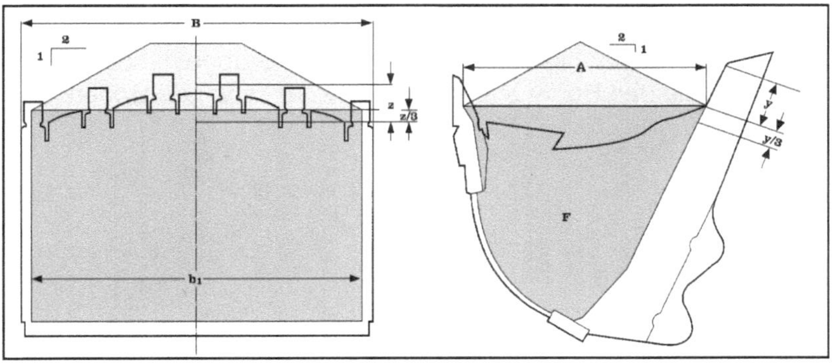


**Bild 8-3: Geometrie einer Ladeschaufel [6]**

| | |
|---|---|
| A | Öffnungsweite |
| B | Schnittbreite |
| $b_1$ | Innenbreite |
| F | Löffelquerschnittsfläche |
| y | Höhe des Überlaufblechs |
| z | Vorsprung der Schneidelippe |
| $V_{SAE}$ | Nenninhalt der Ladeschaufel |

$$V_{SAE} = F \times b_1 + \frac{A \times b_1^2}{8} - \frac{b_1^3}{24} \qquad [m^3]$$

# Schüttdichte [t/lm³] | $\rho_S$

Die Schüttdichte $\rho_S$ dient zur Berechnung des Transportvolumens bzw. Transportgewichts von Transportfahrzeugen. Sie gibt die Dichte von losem z.B. auf eine LKW-Mulde geschüttetem bzw. gelöstem Material an.

Die Schüttdichte $\rho_S$ für verschiedene Bodenarten und Schüttgüter kann Tabelle 8-1 entnommen werden. Jedoch ist dabei zu beachten, dass Schwankungen auftreten infolge

- des Feuchtigkeits- bzw. Wassergehalts des Bodens,
- des Grads des Lösens aus der natürlichen Lagerung (z.B. bei bindigen Böden), abhängig von der Grösse des Grabgefässes,
- der Körnungslinie des Bodens, insbesondere bei bindigen Böden.

# Schüttdichte [t/lm³]

$\rho_S$

**Tabelle 8-1: Schüttdichte $\rho_S$ und Lösefaktor $\alpha$ für diverse Bodenarten nach [7]**

| | Boden- und Felsklasse nach DIN 18300 | Boden | | Rohdichte $\rho_{fest}$* Mittelwert [t/fm³] | Schüttdichte $\rho_s$* Mittelwert [t/lm³] | Schüttdichte $\rho_s$* Bandbreite [t/lm³] (0.9 – 1.5 – 2.0 – 2.3) | Lösefaktor $\alpha$ Mittelwert [fm³/lm³] | Lösefaktor $\alpha$ [fm³/lm³] Bandbreite (0.5 – 1.0) |
|---|---|---|---|---|---|---|---|---|
| 1 | Oberboden | Mutterboden | | 1.37 | 0.95 | | 0.69 | |
| 2 | Fliessende Böden | —— | | —— | —— | | | |
| 3 | Leicht lösbare Böden | Erde | trocken, gelagert | 1.90 | 1.51 | | 0.75 | |
| | | | nass, ausgehoben | 2.02 | 1.60 | | 0.80 | |
| | | Sand | trocken, lose | 1.60 | 1.42 | | 0.89 | |
| | | | feucht | 1.90 | 1.69 | | 0.89 | |
| | | | nass | 2.08 | 1.84 | | 0.88 | |
| | | Sand und Kies | trocken | 1.93 | 1.72 | | 0.89 | |
| | | | nass | 2.23 | 2.02 | | 0.91 | |
| | | Kies | ungesiebt | 2.17 | 1.93 | | 0.89 | |
| | | | trocken | 1.69 | 1.51 | | 0.89 | |
| | | | trocken 6-50 mm | 1.90 | 1.69 | | 0.89 | |
| | | | nass 6-50 mm | 2.26 | 2.02 | | 0.89 | |
| 4 & 5 | Mittelschwer bis sehr schwer lösbare Böden | Erde | Lehm | 1.54 | 1.25 | | 0.81 | |
| | | Ton | natürlich gewachsen | 2.02 | 1.66 | | 0.82 | |
| | | | trocken | 1.84 | 1.48 | | 0.80 | |
| | | | nass | 2.08 | 1.66 | | 0.80 | |
| | | Ton und Kies | trocken | 1.66 | 1.42 | | 0.86 | |
| | | | nass | 1.84 | 1.54 | | 0.84 | |
| | | Sand und Ton | lose | 2.02 | 1.60 | | 0.79 | |
| | | | verdichtet | 2.40 | 2.02 | | 0.84 | |
| | | Zerfallenes Gestein | 25% Gestein, 75% Erde | 1.96 | 1.57 | | 0.80 | |
| 6 | Leicht lösbarer Fels und vergleichbare Bodenarten | Zerfallenes Gestein | 50% Gestein, 50% Erde | 2.28 | 1.72 | | 0.75 | |
| | | | 75% Gestein, 25% Erde | 2.79 | 1.96 | | 0.70 | |
| | | Schiefer | gebrochen | 1.66 | 1.25 | | 0.75 | |
| 7 | Schwer lösbarer Fels | Sandstein | gebrochen / gesprengt | 2.52 | 1.51 | | 0.60 | |
| | | Granit | gebrochen | 2.73 | 1.66 | | 0.61 | |
| | | Basalt | gebrochen | 2.97 | 1.96 | | 0.66 | |

* Ändert sich entsprechend dem Feuchtigkeitsgehalt, der Korngrösse, dem Verdichtungsgrad usw. Die Materialeigenschaften lassen sich nur durch Tests genau bestimmen.

# Lösefaktor [fm³/lm³] | $\alpha$

Da das natürliche Gefüge des anstehenden Bodens beim mechanischen Lösen, Brechen, Sprengen, Bewegen und Laden aufgerissen und aus seiner gewachsenen Lagerung gelockert wird, wächst das Material volumenmässig an. Die tatsächliche Füllung von Hoch- und Tieflöffel, Lade- und Klappschaufel besteht daher aus mehr oder weniger losem Material. Da die Nutzleistung $Q_N$ eines Erdbaugeräts jedoch immer in Relation zum fertigen Bauprodukt (Leistungsposition), z.B. zum Aufmass der ausgehobenen Baugruben oder Gräben bzw. des aufgeschütteten Damms, betrachtet wird, muss sie in Festkubikmeter pro Zeitstunde [$fm^3/h$] angegeben werden. Den Zusammenhang zwischen den Volumen von gewachsenen und gelockerten Böden beschreibt der Lösefaktor $\alpha$. Er berechnet sich als Quotient aus der Schüttdichte $\rho_S$ des gelockerten oder losen Bodens nach dem mechanischen Lösen und der Rohdichte $\rho_{fest}$ des gewachsenen Bodens in natürlicher Lagerung. In der Literatur wird der Lösefaktor auch als Auflockerung oder als Auflockerungsfaktor bezeichnet.

$$\alpha = \frac{\rho_S}{\rho_{fest}} \qquad [fm^3/lm^3]$$

Die Auflockerung von dicht bzw. kompakt gelagerten Böden ist grösser als die von locker gelagerten Böden. Aus diesem Grund besitzen kompakte Böden wie z.B. Fels nach dem Sprengen im Gegensatz zu den weniger dicht gelagerten kleinere Lösefaktoren. Die Bandbreite des Lösefaktors beläuft sich dabei von $\alpha$ = 1.0 für bereits lose vorkommende Schüttgüter wie z.B. Splitt bis hinunter zu $\alpha$ = 0.6 für aus seiner natürlichen Lagerung gesprengten Fels. Alle nicht wasserlöslichen, vollständig trockenen Schüttgüter, die zum Grossteil aus einer Korngrösse bestehen, lassen sich nicht wesentlich auflockern oder verdichten.

Der Lösefaktor eines bestimmten Bodens stellt allerdings keine konstante Grösse dar, sondern verändert sich je nach Feuchtigkeitsgehalt, Ausgangsverdichtung und Bedienungsqualifikation des Baggerfahrers, welche grossen Einfluss auf die Intensität der Gefügestörung beim Bodenabtrag besitzt. Der Einsatz grosser Grabgefässe und ein zügiges, gleichmässiges Abtragen führen zu einer niedrigeren Auflockerung und damit zu einem höheren Lösefaktor als die Verwendung kleinerer Grabgefässe oder der ruckartige Ansatz des Tieflöffels. Daher werden in Tabelle 8-1 die Werte auch in einer Bandbreite angegeben.

# Lösefaktor [fm³/lm³] | α

Wird der abgetragene Boden auf der Baustelle an anderer Stelle wieder eingebaut, so muss bei unterschiedlichen Lagerungsdichten für Abtrags- und Einbaustelle (z.B. bei der Aufschüttung mit grob gesprengtem Fels) in der Kalkulation bzw. der Arbeitsvorbereitung Folgendes beachtet werden:

Soll das Mengenaufmass auf dem Bodeneinbau basieren, dann ist für die Leistungsberechnung neben dem Lösefaktor auch der geforderte Verdichtungsfaktor an der Einbaustelle massgebend.

Anhaltswerte für Verdichtungsfaktoren $\delta_v$ können Tabelle 3-7 entnommen werden. Lösefaktoren $\alpha$ für verschiedene Bodenarten/-klassen nach [7] befinden sich in Tabelle 8-1. Bei der Nutzleistungsermittlung für wiederverwendete Böden im Einbau gilt:

Abbau z.B. durch Hydraulikbagger:

$$Q_{N,fest} = \frac{V_{SAE}}{t_S} \times 3600 \times k_1 \times k_2 \times k_3 \times \eta_G \qquad [fm^3/h]$$

Transport:

$$Q_{N,lose} = Q_{N,fest} \times \frac{1}{\alpha} \qquad [lm^3/h]$$

Einbau:

$$Q'_{N,fest} = Q_{N,lose} \times \delta_v = Q_{N,fest} \times \frac{\delta_v}{\alpha} \qquad [fm^3/h]$$

Beim Einsatz von Verdichtungsgeräten für den Bodeneinbau kann in vielen Fällen ein höherer Verdichtungsgrad gegenüber dem gewachsenen Zustand erzielt werden, d.h. $\frac{\delta_v}{\alpha} < 1$ [6].

# Füllfaktor [-] | φ

Je nach Bodenstruktur und Feuchtigkeitsgehalt variiert aufgrund des sich ändernden inneren Reibungswinkels und/oder der Kohäsion der Neigungswinkel der über die Löffeloberkante hinausgehenden Aufhäufung und damit der effektive Inhalt des Grabgefässes. Da dieses Phänomen von der SAE-Norm abweicht, muss bei der Leistungsberechnung als Korrekturbeiwert der Füllfaktor φ berücksichtigt werden. Der Füllfaktor φ ist definiert als Quotient aus dem effektiven Inhalt und dem Nenninhalt des Grabgefässes gemäss SAE-Norm:

$$\varphi = \frac{\text{effektiver Inhalt}}{\text{Nenninhalt nach SAE - Norm}} \qquad [-]$$

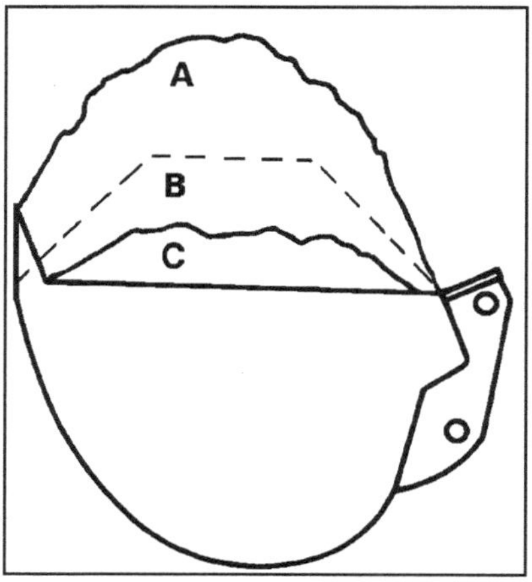


**A** Füllfaktor φ = 1.2, effektiver Inhalt, z.B. bei feuchtem Ton

**B** Füllfaktor φ = 1.0, Grabgefäss gefüllt nach SAE-Norm

**C** Füllfaktor φ = 0.75, effektiver Inhalt, z.B. bei gesprengtem Fels

**Bild 8-4: Füllfaktor für den Tieflöffel [7]**

Bei bindigen Böden, z.B. feuchtem Ton, kann der Füllfaktor φ deutlich über 1.0 betragen, wohingegen der effektive Inhalt des Grabgefässes bei geschichtetem oder gesprengtem Fels den SAE-Norminhalt deutlich unterschreitet (Bild 8-4).

Neben der Bodencharakteristik beeinflussen auch die Eigenschaften des Grabgeräts und des Grabgefässes den Füllfaktor φ. Ein hohes Eindringvermögen, eine hohe wirksame Ausbrechkraft sowie neue Grabzähne und Löffelschneiden führen zu einer besseren effektiven Füllung und damit zu einem höheren Füllfaktor φ. Bei neuen und daher langen Zähnen liegt das effektive Fassungsvermögen des Grabgefässes am stärksten über dessen Fassungsvermögen nach SAE-Norm. Mit zunehmendem Zahn- und Schneidenverschleiss sinkt das effektive Fassungsvermögen ab [8]. Diese technischen Einflussfaktoren werden gesondert durch die Faktoren $f_i$ berücksichtigt.

Die in den Tabellen angegebenen Füllfaktoren werden nur erreicht, wenn das Grabgefäss vor der Füllung leer gewesen ist. Deshalb ist besonders darauf zu achten, dass sich das Grab- und Ladegefäss bei jedem Arbeitsspiel auch vollständig entleert. In bindigen Böden oder in Sandböden mit stark bindigen Anteilen sowie bei der Arbeit mit schmalen Grabgefässen (z.B. Drainagelöffeln) ist die vollständige Entleerung nicht immer gewährleistet, da Bodenreste an den Grabgefässwänden haften bleiben und so das SAE-Nominalvolumen stetig verringern. Entleerungshilfen oder die regelmässige Reinigung des Grabgefässes durch Anschlagen des Löffels schaffen hier Abhilfe [8], allerdings verringert sich dann die Geräteausnutzung.

**Tabelle 8-2: Werte für den Füllfaktor φ bei Tieflöffeln nach [6]**

| Tieflöffel | | | | |
|---|---|---|---|---|
| Boden- und Felsklasse nach DIN 18300 | | Boden | Füllfaktor φ [-] Mittelwert | Füllfaktor φ [-] Bandbreite 0.6 – 1.0 – 1.2 |
| 1 | Oberboden | Mutterboden | 1.20 | |
| 2 | Fliessende Böden | —— | —— | |
| 3 | Leicht lösbare Böden | Sand, Kies-Sand-Gemisch, erdfeucht<br>Nassbaggerung Sand, Kies | 1.05<br>0.80 | |
| 4 | Mittelschwer lösbare Böden | Bindige Böden, Lehm, Ton<br>sandiger Lehm, erdfeucht | 1.05 | |
| 5 | Schwer lösbare Böden | Harter Ton | 0.90 | |
| 6 | Leicht lösbarer Fels und vergleichbare Bodenarten | Fels, gut gesprengt<br>Fels, grob gesprengt | 0.90<br>0.80 | |
| 7 | Schwer lösbarer Fels | Fels, schichtig gelagert, Direktabbau | 0.75 | |

# Füllfaktor [-] | φ

**Tabelle 8-3: Werte für den Füllfaktor φ bei Hochlöffeln und Klappschaufeln nach [6]**

| Hochlöffel / Klappschaufel | | | | |
|---|---|---|---|---|
| Boden- und Fels-klasse nach DIN 18300 | | Boden | Füllfaktor φ [-] Mittelwert | Füllfaktor φ [-] Bandbreite 0.6 1.0 1.2 |
| 1 | Oberboden | Mutterboden | 1.05 | |
| 2 | Fliessende Böden | ——— | —— | |
| 3 | Leicht lösbare Böden | Lehmiger Sand, lehmiger Kiessand, erdfeucht | 1.05 | |
| 4 | Mittelschwer lösbare Böden | Bindige Böden, Lehm, Ton sandiger Lehm, erdfeucht | 1.05 | |
| 5 | Schwer lösbare Böden | Harter Ton | 1.00 | |
| 6 | Leicht lösbarer Fels und vergleichbare Bodenarten | Fels, gut gesprengt<br>Fels, grob gesprengt | 0.95<br>0.85 | |
| 7 | Schwer lösbarer Fels | Fels, schichtig gelagert, Direktabbau | 0.80 | |

**Tabelle 8-4: Füllfaktor φ [-] für LKW im Strassenverkehr mit $V_{FSAE,1}$ und LKW, Dumper und SKW im Baustellenverkehr mit $V_{FSAE,2}$**

| | Böden | Muldeninhalt | Füllfaktor φ |
|---|---|---|---|
| Strassenverkehr LKW | Bindige Böden | $V_{FSAE,1}$ | 1.00 – 1.10 |
| | Rollige Böden | | 0.90 – 1.00 |
| Baustellenverkehr LKW, Dumper, SKW | Bindige Böden | $V_{FSAE,2}$ | 1.00 – 1.10 |

# Bedienungsfaktor [-] | $\eta_1$

Bei der Ermittlung des SAE-Füllinhalts der Grab- und Ladegefässe sowie bei den angegebenen Füllfaktoren $\varphi$ wurde davon ausgegangen, dass die Arbeiten von bedienungstechnisch ausreichend qualifizierten Maschinenführern durchgeführt werden. Weicht die Qualifikation des Maschinenführers von der eines geübten Fahrers ab, so ist dies bei der Leistungsberechnung mit dem Bedienungsfaktor $\eta_1$ zu berücksichtigen. Ungeübte Anfänger können die Nutzleistung gegenüber geübten Fahrern wesentlich unterschreiten. Die Skala der Qualifikationsunterschiede mit den Auswirkungen auf die Nutzleistung kann folgender Tabelle entnommen werden:

**Tabelle 8-5: Bedienungsfaktoren $\eta_1$ [8]**

| **Bedienungsfaktor** | $\eta_1$ |
|---|---|
| Vorführer | 1.10 |
| geübter Fahrer (sehr gut) | 1.00 |
| durchschnittlicher Fahrer | 0.80 |
| ungeübter Anfänger | 0.65 |

Die Beurteilung eines Maschinenführers hinsichtlich seiner Qualifikation und bedienungstechnischen Erfahrung ist schwierig. Der Beurteilende sollte selbst über eine ausreichende Erfahrung und gute bedienungstechnische Kenntnisse und Fertigkeiten verfügen. Neben den Gerätebewegungen können so zusätzlich die Steuermanipulationen des Maschinenführers in die Bewertung einfliessen bzw. korrigiert und erlernt werden.

Werden Defizite bei Maschinenführern im Umgang mit Baumaschinen festgestellt, so sollten folgende alternative bzw. additive Massnahmen ergriffen werden:

- Externe Schulungen durch Maschinenhersteller, besonders bei neuen Geräten. Sie stellen sicher, dass die Geräte richtig benutzt und instandgehalten werden.
- Intern wechselnder Einsatz auf verschiedenen Erdbaustellen unter Anleitung eines erfahrenen Maschinenführers. Erst dadurch kann der Maschinenführer die Praxis und Routine erlangen, das Gerät unter den wechselnden Randbedingungen verschiedenster Baustellen optimal zu bedienen und die Leistung des Geräts voll auszuschöpfen.

Neben den bedienungstechnischen Qualifikationen des Geräteführers hat die Motivation in Abhängigkeit von Betriebsklima, Leistungsanerkennung, Prämien etc. einen ganz entscheidenden Einfluss auf seine Leistung. Diese eher arbeitspsychologischen Einflüsse werden in dem Bedienungsfaktor mitberücksichtigt, wie bereits im Kapitel 1.1 „Leistungsbegriffe" erläutert wurde.

# Betriebsfaktor [-] | $\eta_2$

Im Betriebsfaktor $\eta_2$ werden die Bedingungen für den Einsatz der Geräte auf der Baustelle berücksichtigt.

Die Betriebsbedingungen werden beeinflusst durch:
- Optimale Abstimmung der Geräte in der Prozesskette
- Wetter und Sichtverhältnisse
- Zustand der Bewegungsoberfläche für die Lade- und Transportgeräte
- Platzverhältnisse für die optimalen Bewegungsabläufe der Geräte

Sehr gute Betriebsbedingungen zeichnen sich wie folgt aus:

gute Arbeitsvorbereitung
gute Abstimmung der Geräte aufeinander
keine besonderen örtlichen Erschwernisse
keine Abhängigkeit vom Wetter
gute Instandhaltung der Geräte durch den Bauhof

**Tabelle 8-6: Betriebsfaktor $\eta_2$**

| **Betriebsbedingungen** | $\eta_2$ |
|---|---|
| sehr gut | 1.00 |
| gut | 0.95 |
| mittel | 0.85 |
| schlecht | 0.70 – 0.80 |

Der Betriebsfaktor beinhaltet auch Unterbrechungen, die infolge von Organisationsmängeln oder bei der Zusammenarbeit mehrerer Maschinen entstehen können, z.B. durch ungenügende Abstimmung von Baugeräten in einer Prozesskette. Die Betriebsbedingungen werden durch örtliche Erschwernisse, wie z.B.

- schlechte Sichtverhältnisse
- Hindernisse in der Arbeitsumgebung, z.B. Grabenverbau,

beeinträchtigt. Zusätzlich kann das Wetter starken Einfluss auf die Betriebsbedingungen haben:

- Im Erdbau ist der Einfluss des Wetters auf den Wassergehalt und die Konsistenz des Bodens für die Durchführung der Arbeiten von besonderer Bedeutung. Der Wassergehalt und die Konsistenz der Böden werden z.B. durch Regen verändert. Dies betrifft vor allem bindige und tonige Böden. Pneu-Transportfahrzeuge können nicht befestigte Baustrassen so stark aufweichen und destabilisieren, dass sich schlechte Betriebsbedingungen einstellen. Bei stark bindigen und tonigen Böden sollte das Planum bei Einsetzen von Regen nicht mehr befahren werden, da sonst die natürliche Tragstruktur des Bodens zerstört wird. Das fertige Planum solcher Böden sollte immer mit Quergefälle versehen und abgewalzt/verdichtet werden. Dadurch kann Regen auf dem schnellstmöglichen Weg abgeleitet werden, ohne das Planum aufzuweichen.

- Die Konsistenz des Bodens kann sich auch durch Frosteinwirkung verändern. Weiche bindige Böden erhalten eine temporäre Stabilisierung bzw. Verfestigung und sind dadurch ohne Zusatzmassnahmen befahrbar. Jedoch verschlechtert sich im Abbau die Lösbarkeit des Bodens für Grabgeräte, da der Boden durch die natürliche Froststabilisierung eine Verfestigung erfahren hat. Vorsicht ist beim Auftauen dieser Böden hinsichtlich der Befahrbarkeit und Destabilisierung geboten, da die Böden erst auf der Oberfläche auftauen und damit Wasser freisetzen, das nicht in den immer noch gefrorenen Boden abfliessen kann.

# Abbau-/Grabtiefenfaktor [-] $f_1$

Für jedes Grabgefässvolumen existiert eine optimale Grabtiefe bzw. Abbauhöhe. Unter- oder überschreitet die vorhandene Abgrabungstiefe oder -höhe diesen optimalen Wert, so ist dies in der Leistungsberechnung durch den Abbau-/Grabtiefenfaktor $f_1$ leistungsmindernd zu berücksichtigen [5]. Die optimale Wand- und Grabtiefe hängt im Wesentlichen von der Sitz-/Sichtposition des Maschinenführers und der Grösse und Kinematik des Geräts, die durch den Löffelinhalt charakterisiert sind, ab.

**Tabelle 8-7: Optimale Wandhöhen [72]**

| | | Löffelinhalt [m³] | | | | | | |
|---|---|---|---|---|---|---|---|---|
| Optimale Wandhöhe bei: | | 0.8 | 1.0 | 1.5 | 2.0 | 2.5 | 3.0 | 4.0 |
| Rolligem Material | [m] | 1.9 | 2.0 | 2.4 | 2.6 | 2.8 | 3.0 | 3.5 |
| Schüttfähigem Material | [m] | 2.4 | 2.6 | 3.2 | 3.5 | 3.8 | 4.2 | 4.9 |
| Stark bindigem Material | [m] | 2.8 | 3.0 | 3.8 | 4.1 | 4.5 | 5.0 | 6.2 |

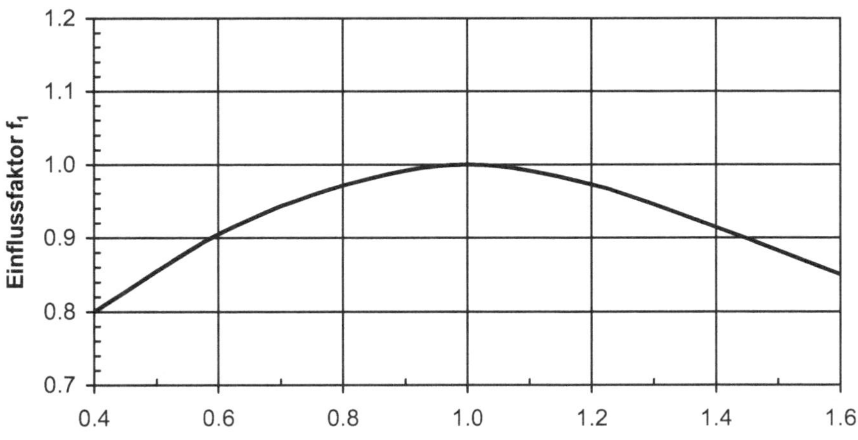


**Bild 8-5: Verhältnis tatsächlicher Wandhöhe zu optimaler Wandhöhe [72]**

# Abbau-/Grabtiefenfaktor [-] $f_1$

Der optimale Abbau-/Grabtiefenfaktor $f_1$ verlangt ein weitgehend behinderungsfreies Arbeiten. Dann kann der Baggerfahrer bereits während des Rückschwenkens des Oberwagens ohne zusätzlichen Zeitaufwand den Baggerausleger auf das Niveau der Grabtiefe absenken. Befinden sich dagegen in unmittelbarer Nähe höhere Hindernisse, die zwingend zu überschwenken sind, so muss zumindest ein Teil des damit verbundenen vertikalen Zusatzwegs zur effektiven Grabtiefe addiert werden.

Auch die Komplexität und die Platzverhältnisse innerhalb des Grabenverbaus sowie die Wirkungen unterschiedlicher Sichtverhältnisse haben Einfluss auf die Nutzleistung [8]. Die Abweichungen von den optimalen Betriebsbedingungen finden Berücksichtigung im Betriebsfaktor $\eta_2$.

# Schwenkwinkeleinfluss-/ Fahrwegfaktor [-] | $f_2$

Der Schwenkwinkeleinfluss-/Fahrwegfaktor $f_2$ berücksichtigt die Abweichung vom 90°-Schwenkwinkel vom Füllen bis zum Entleeren des Grab- und Ladegefässes bzw. die Abweichung des tatsächlichen Rangierwegs vom optimalen Rangierweg beim Einsatz von Rad- und Kettenladern. Er charakterisiert die optimale Position im Grundriss zwischen Lade- und Transportgerät.

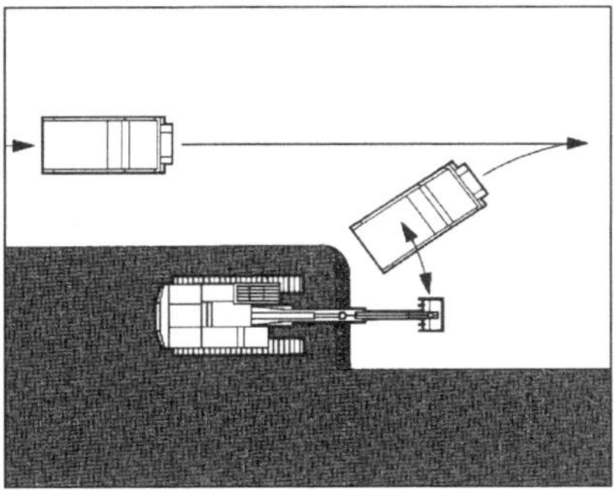

**Bild 8-6: Optimale Schwenkbewegung beim Beladen des LKW [6]**

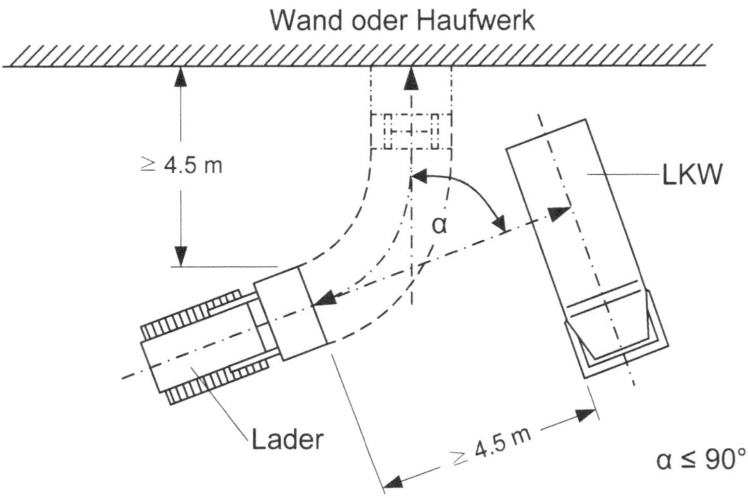


**Bild 8-7: Optimaler Rad-/Raupenlader – LKW-Betrieb [5]**

# Schwenkwinkeleinfluss-/ Fahrwegfaktor [-] | $f_2$

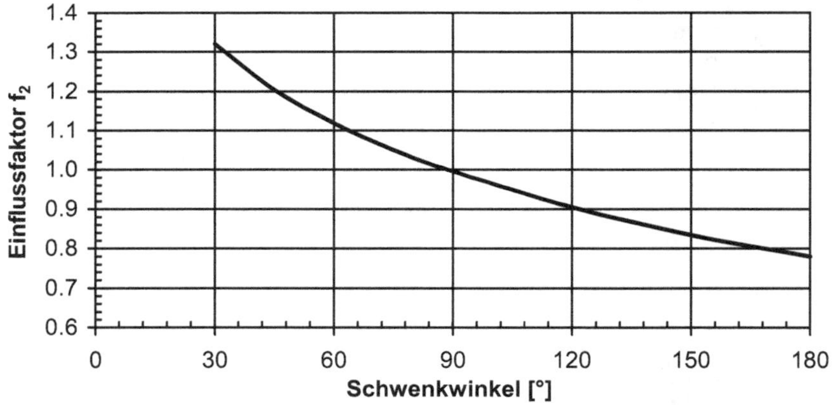


**Bild 8-8: Einflussfaktor $f_2$ des Schwenkwinkels bzw. Fahrwegs [72]**

Um eine grosse Nutzleistung zu erreichen, sollten Bagger stets mit einem möglichst kleinen Schwenkwinkel und Rad- und Kettenlader mit einem möglichst kleinen Rangierweg arbeiten. Optimal sind Schwenkwinkel zwischen 0° und 45°, die aber nicht auf jeder Baustelle realisierbar sind, bzw. Fahrwegwinkel $\leq 90°$. Vorzugsweise sollte die Schwenkbewegung bei Baggern nach links erfolgen, da die Position der Fahrerkabine auf der linken Seite des Oberwagens es dem Baggerfahrer erlaubt, den gesamten Schwenkbereich im Voraus zu überblicken. Auf der rechten Seite des Oberwagens befinden sich der Ausleger sowie die Aufbauten, daher ist die Sicht über diese Seite stark eingeschränkt. Der Baggerfahrer kann deshalb nach rechts nur mit erhöhter Vorsicht und wesentlich langsamer schwenken. In der Arbeitsvorbereitung muss bei Erdarbeiten mit Bagger-LKW-Einsatz die Links-Schwenkseite berücksichtigt werden, um die optimale Leistung zu erzielen. Dies gilt auch für LKW-, SKW- und Dumperfahrer, denen die optimale Schwenkseite des Baggers bekannt sein muss, um die richtige Beladungsposition einnehmen zu können.

Bereits in der Arbeitsvorbereitung sind Baustrassen und Bauabläufe sowie die damit einhergehenden Maschinenpositionen festgelegt, welche die optimale Schwenkrichtung sowie den Schwenkwinkel bzw. Fahrweg und Fahrwinkel bestimmen und damit die erzielbare Nutzleistung maximieren. Nachträgliche Änderungen an der Bauablaufplanung und der Baustelleneinrichtung sind in der Bauausführungsphase nur mit grossem Aufwand zu bewerkstelligen, da die hohe technologische Vernetzung der Prozesse untereinander häufig eine komplette und aufwendige Überarbeitung der Ablaufplanung erforderlich macht [8].

# Entleerungsgenauigkeitsfaktor [-] $f_3$

Der Entleerungsgenauigkeitsfaktor $f_3$ berücksichtigt die Leistungsminderung, die durch das gezielte Entleeren des Grabgefässes z.B. in eine LKW-Mulde gegenüber dem ungezielten Entleeren auf eine räumlich nicht begrenzte Halde entsteht. Das ungezielte Entleeren wird als Bezugsgrösse mit dem Faktor $f_3 = 1.0$ angesetzt.

Untersuchungen und Messungen in der Baustellenpraxis haben gezeigt, dass der Entleerungsgenauigkeitsfaktor $f_3$ für das zielgenaue Entleeren vom Volumenverhältnis von Transportgefäss und Grabgefäss abhängt.

Da das Lösen, Ausheben, Verladen und Transportieren von Bodenmaterial normalerweise durch eine Produktionskette aus Ladegerät und Transportfahrzeugen erfolgt, kommt der Faktor $f_3$ fast immer zur Anwendung. Je kleiner der Quotient aus geometrischem bzw. effektivem Fassungsvermögen von Fahrzeugmulde und Grabgefäss ist, desto exakter muss der Baggerfahrer arbeiten, um die ausgehobenen Bodenmassen auf der Mulde des Transportfahrzeugs ohne Verluste und lastausgeglichen zu verteilen. Die lastausgeglichene Beladung erfordert dann unter Umständen ein sehr sorgfältiges Verteilen des Materials über die gesamte Muldenfläche durch wiederholte Teilentleerungen.

Besondere Sorgfalt ist bei der Auswahl und Abstimmung der richtigen Grösse des Transportfahrzeugs auf das Ladegerät geboten. Wird das Volumen des Transportgefässes im Vergleich zum Grab- bzw. Ladegefässvolumen zu klein gewählt, führt dies zu häufigen Fahrzeugwechseln, die wiederum zu Stillstandzeiten beim Ladegerät als Leitgerät der Produktionskette führen können.

Für die Ermittlung des Entleerungsgenauigkeitsfaktors $f_3$ ist zunächst die Bestimmung des folgenden Volumenverhältnisses erforderlich:

$$\text{Volumenverhältnis} = \frac{\text{Volumen des Transportgeräts}}{\text{Volumen der Löffelgrösse}} = \frac{V_{FSAE}}{V_{SAE}}$$

# Entleerungsgenauigkeits-faktor [-] | $f_3$

Mit Hilfe von Bild 8-9 lässt sich nun der Entleerungsgenauigkeitsfaktor $f_3$ in Abhängigkeit vom Volumenverhältnis ablesen:

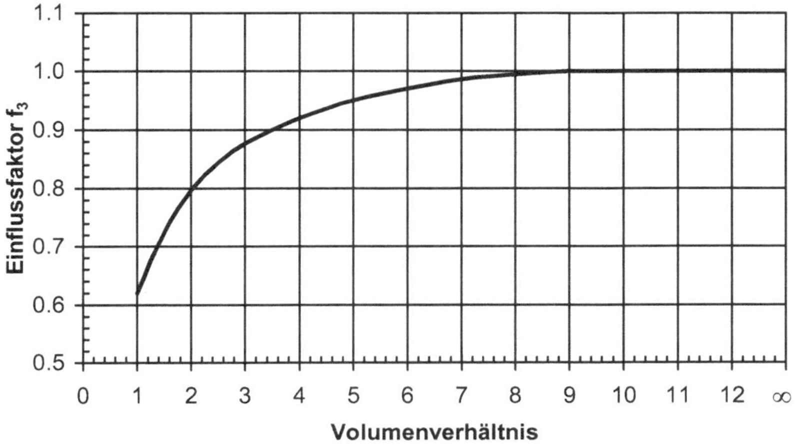


**Bild 8-9: Entleerungsgenauigkeitsfaktor $f_3$ [72]**

# Schneiden-/ Zahnzustandsfaktor [-] | $f_4$

Der Zustand der Löffelschneiden bzw. der Grabzähne beeinflusst die Leistungsfähigkeit von Löse- und Ladegeräten. Abgenutzte Bagger- bzw. Laderzähne können die Leistung eines Ladegeräts je nach Bodenart um bis zu 20 % senken. Im Allgemeinen können folgende Werte angenommen werden:

**Tabelle 8-8: Schneiden-/Zahnzustandsfaktor $f_4$ [-] nach [8]**

| Schneiden-/Zahnzustandsfaktor | $f_4$ [-] |
|---|---|
| Neuzustand | 1.00 |
| mittlerer Verschleiss | 0.90 |
| hoher Verschleiss | 0.80 |

# Verfügbarkeits-/ Gerätezustandsfaktor [-] | $f_5$

Die Verfügbarkeit von Baumaschinen ist abhängig von der präventiven Wartung und Instandhaltung der Maschine. Mit wachsender Anzahl der Betriebsstunden und zunehmendem Alter von Baugeräten steigen die Instandsetzungserfordernisse. In den Wartungszeiten infolge Verschleisses oder den Reparaturzeiten aufgrund von Maschinendefekten stehen die Baumaschinen für den Baustelleneinsatz nicht zur Verfügung. Bei neuen Baumaschinen bzw. sehr kurzen Einsatzzeiten spielt der Instandhaltungszustand nur eine untergeordnete Rolle. Bei diesen Einsätzen kann die Leistungsberechnung ohne Minderung durch plötzliche Maschinenausfälle mit dem Faktor $f_5$ = 1.0 vorgenommen werden. Bei allen anderen Leistungsberechnungen, vor allem bei Langzeiteinsätzen, kann entweder auf eigene Erfahrungswerte, z.B. aus der Maschinenkartei des eigenen Unternehmens, in der für jede Maschine jeweils Ursache und Umfang der Ausfallszeiten festgehalten sind, oder auf die Werte aus Tabelle 8-9 für den Gerätezustandsfaktor $f_5$ in Abhängigkeit von den bisher geleisteten Betriebsstunden zurückgegriffen werden:

**Tabelle 8-9: Gerätezustandsfaktor $f_5$ [-] [8]**

| Gerätezustandsfaktor | $f_5$ [-] |
|---|---|
| – 1000 Betriebsstunden | 1.00 |
| 1000 – 1500 Betriebsstunden | 0.93 |
| 1500 – 2000 Betriebsstunden | 0.85 |
| 2000 – 3500 Betriebsstunden | 0.75 |
| 3500 – 5000 Betriebsstunden | 0.65 |

Muss innerhalb einer Produktionskette eine bekanntermassen technisch sehr anfällige bzw. alte Maschine als Leitgerät eingesetzt werden und entsteht damit im Falle eines Ausfalls eine Gefährdung des planmässigen Baufortschritts, so sollte zur Kompensation immer eine „Springermaschine“ als Ersatz zur Verfügung stehen oder bekannt sein, wo schnellstens ein Ersatzgerät gemietet werden kann. Besser ist in jeder Hinsicht der Einsatz von sorgfältig gewarteten und technisch zuverlässigen Baumaschinen. Aber auch hier sollte vor Arbeitsbeginn festgelegt sein, woher bei einem Maschinenausfall schnellstmöglich ein Ersatzgerät bezogen und die Reparartur durchgeführt werden kann [8]. Um ein Maximum der Maschinenausnutzung während der planmässigen Betriebsstunden zu gewähren, soll eine festgelegte Wartungs- und Reparaturzeit ausserhalb der Einsatzzeit unbedingt vorgesehen sein.

# Geräteausnutzungsgrad [-] $\eta_G$

Der Geräteausnutzungsgrad wird durch technische Bedingungen sowie durch die physische und psychische Gesamtbelastung und die Belastungsfähigkeit des Geräteführers bestimmt. Daher kann man im Allgemeinen davon ausgehen, dass die Geräte nicht 60 Minuten pro Stunde im Einsatz sind. Beim Bagger ist es z.B. aufgrund technischer Bedingungen erforderlich, das Gerät nach Erreichen des maximalen/optimalen kinematischen Bewegungsbereichs seines Arms bzw. Arbeitsbereichs umzusetzen. Je komplizierter die Bedienvorgänge bzw. die Umweltbedingungen sind, umso konzentrierter muss der Geräteführer arbeiten. Arbeiten bei engen Grabenverhältnissen und naher Bebauung bzw. Verkehrswegen erfordern höhere Konzentration und vorsichtigere Bewegungungsabläufe als das Ausheben einer Baugrube im offenen Gelände. Diese technischen Bedingungen sowie die hauptsächlich psychische Belastung des Maschinenführers reduzieren die rechnerische Leistung durch z.B. Nebenarbeiten oder Kurzpausen. Auch das Umsetzen der Geräte im Arbeitsbereich während des Arbeitsfortschritts findet durch diesen Faktor (z.B. beim Grabenaushub) Berücksichtigung.

Folgende Reduktionsfaktoren werden bei Lade- und Aushubgeräten angesetzt:

**Tabelle 8-10: Geräteausnutzungsgrad $\eta_G$ [-] [5]**

| Geräteausnutzungsgrad | $\eta_G$ [-] |
|---|---|
| offene Baugrube und Entleeren auf Fahrzeug | 0.75 – 0.80 |
| Grabenaushub und Entleeren auf Fahrzeug | 0.60 – 0.75 |
| Aushub im öffentlichen Verkehrsraum | 0.50 – 0.65 |

Unter günstigen Bedingungen kann man mit einem Geräteausnutzungsgrad von 50 Minuten pro Stunde rechnen.

# Kurven-widerstandsbeiwert [‰] | $w_k$

Kurven-/Krümmungswiderstandsbeiwert [‰] für den einzelnen schienengebundenen Wagen [73] (massgebend hierfür ist die stärkste Krümmung der Förderstrecke!):

600 mm Schmalspur:

$$w_k = \frac{370 \times a - 167 \times a^2 + 75}{K} - 1.7 \qquad [‰]$$

900 mm Schmalspur:

$$w_k = \frac{260 \times a - 30 \times a^2 + 112.5}{K} - 1.4 \qquad [‰]$$

| | | |
|---|---|---|
| $w_k$ | Kurven-/Krümmungswiderstandsbeiwert | [‰] |
| a | Achsstand | [m] |
| K | Krümmungsradius | [m] |

**Tabelle 8-11: Richtwerte für $w_k$ [‰] [14]:**

| Kurvenwiderstandsbeiwert | $w_k$ [‰] |
|---|---|
| Normalspur | 1 – 6 |
| Schmalspur | 3 – 10 |

# Rollwiderstandsbeiwert [‰] $w_{r(W)}$

**Rollwiderstand der inneren Lager bei Schmalspurwagen [73]:**

Formeln nach Engel für den einzelnen Wagen bei $v \cong 12$ km/h

bei Gleitlager:

$$w_{r(W)} = \frac{16.3}{V_{FSAE} + 0.31} + 3.1 + 0.056 \times v^2 \qquad [‰]$$

bei Wälzlager:

$$w_{r(W)} = \frac{5.5}{V_{FSAE} - 0.1} + 1.85 + 0.058 \times v^2 \qquad [‰]$$

| | | |
|---|---|---|
| $V_{FSAE}$ | Muldeninhalt | [m³] |
| v | Geschwindigkeit | [km/h] |

**Für den einzelnen Wagen beim Gleisbetrieb:**

**Tabelle 8-12: Rollwiderstandsbeiwerte der Räder für einzelne Wagen beim Gleisbetrieb [14]**

| **Rollwiderstandsbeiwert** | | **$w_{r(W)}$ [‰]** |
|---|---|---|
| Schmalspur | 600 mm | 8 – 10 |
| Schmalspur | 900 mm | 6 – 8 |
| Normalspur | 1435 mm | 5 – 6 |

# Rollwiderstandsbeiwert [‰] $w_{r(W)}$

**Schwerkraftlastwagen:**

**Tabelle 8-13: Rollwiderstandsbeiwerte $w_r$ [‰] für Schwerkraftlastwagen [72]**

| | | $w_r$ [‰] |
|---|---|---|
| **Beton, Asphalt** | | 15 |
| **Erdstrassen** | | |
| | glatt, hart, trocken (Kies mit Lehm) | 20 |
| | trocken, nicht verdichtet, lockeres Material | 30 |
| | weicher, zerfurchter Boden, schlecht instandzusetzen | 40 |
| | feuchte, schlammige Oberfläche auf festem Grund | 40 |
| | weicher, zerfurchter Boden | 60 |
| | unverdichtete Kippe | 80 |
| | trockener Sand oder Kies | 100 |
| | tief zerfurchter, schlammiger Untergrund | 160 |
| **Schnee** | | |
| | verdichtet | 300 |
| | 10 cm locker | 500 |

# 9 Literaturverzeichnis

# Literaturverzeichnis


[1] Girmscheid, G.: Bauhof- und Bauinventarmanagement als Schlüssel zur Ergebnis- und Liquiditätssteigerung. Hrsg.: Institut für Bauplanung und Baubetrieb, ETH Zürich, Zürich, 1999.

[2] Girmscheid, G.: Baubetrieb und Bauverfahren im Tunnelbau. Ernst & Sohn Verlag, Berlin, 2000.

[3] Schubert, E.: Baumaschinen, Bauverfahren, Baustelleneinrichtung. Vorlesungsskript, Textbuch II, Technische Universität Darmstadt, 1992.

[4] N.N.: BGL-Baugeräteliste1991. Bauverlag, Wiesbaden, 1991.

[5] Bauer, H.: Baubetrieb 1. Springer Verlag, Berlin, 1994.

[6] Liebherr-International AG: Technisches Handbuch Erdbewegungen. Eigenverlag Liebherr-International AG, Bulle (CH), 2000.

[7] Caterpillar Inc.: Caterpillar Performance Handbook. Eigenverlag Caterpillar, Peoria Illinois (USA), 1999.

[8] Kotte, G.: Ermittlung der Nutzförderleistung von Hydraulikbaggern. In: TIS Tiefbau Ingenieurbau Strassenbau, Bertelsmann Fachzeitschriften, 9/1997, S. 18-28.

[9] N.N.: Standard-Analysen SBV 1997 - 99 Untertagebau Band 1 und 2. SBV Schweizerischer Baumeisterverband, Zürich, 1997.

[10] N.N.: Standard-Analysen SBV 1997 - 99 Hochbau Band 1 bis 5. SBV Schweizerischer Baumeisterverband, Zürich, 1997.

[11] N.N.: Standard-Analysen SBV 1997 - 99 Tiefbau Band 1 bis 7. SBV Schweizerischer Baumeisterverband, Zürich, 1997.

[12] N.N.: Standard-Analysen SBV 2000 Hochbau/Tiefbau Kombiband 1 bis 4. SBV Schweizerischer Baumeisterverband, Zürich, 2000.

[13] Berner, F.: Verlustquellenforschung im Ingenieurbau: Entwicklung eines Diagnoseinstruments unter Berücksichtigung der Wirtschaftlichkeit und Genauigkeit von Zeitaufnahmen. Schriftenreihe des Instituts für Baubetriebslehre der Universität Stuttgart, Bd. 24, Bauverlag, Wiesbaden, 1983.

[14] Kühn, G.: Die Mechanik des Baubetriebs Teil 1 - Transportmechanik. Bauverlag, Wiesbaden, 1974.

[15] N.N.: Richtlinie 92/57/EU des Rates 24. Juni 1992. Brüssel, 1992.

[16] N.N.: Gesetze und Verordnungen über Arbeitsstätten und Unterkünfte in der BRD:
- Gesetz über die Mindestaufwendungen an Unterkünfte für Arbeitnehmer vom 23.07.1973.
- Ausführungsverordnung zum Gesetz über die Unterkunft bei Bauten vom 01.08.1968.
- Arbeitsstättenverordnung / Arbeitsstätten-Richtlinien.
- Richtlinien für die Unterkünfte ausländischer Arbeitnehmer in der Bundesrepublik Deutschland vom 01.04.1971.

[17] Rosenheinrich, G.: Baustelleneinrichtungsplanung. Verlagsgesellschaft Rudolf Müller, Köln, 1981.

[18] Böttcher, P.; Neuenhagen, H.: Baustelleneinrichtung. Bauverlag, Wiesbaden, 1997.

# Literaturverzeichnis

[19] N.N.: Vorschriften für Elektroinstallationen auf Baustellen der BRD:
- UVV Elektrische Anlagen und Betriebsmittel (VBG 4) 4.79.
- ICE 439-4 Bestimmungen für Baustromverteiler für Nennspannungen bis 380V Wechselstrom und für Ströme bis 630A.
- VDE 0100 Bestimmungen für das Errichten von Starkstromanlagen mit Nennspannungen bis 1000V.

[20] Drees, G.; Reiff, K.-O.: Die Baustelleneinrichtung. Werner Verlag, Düsseldorf, 1971.

[21] Jurecka, W.: Kosten und Leistungen von Baumaschinen. Springer Verlag, Berlin, 1975.

[22] Ruppelt, E.: Druckluft-Handbuch. Vulkan Verlag, Essen, 1996.

[23] Garbotz, G.: Baumaschinen und Baubetrieb - Band II. Carl Hauser Verlag, München, 1958.

[24] Rubarth, W. et.al.: Regeneration of Bentonite Mud in Special Civil Engineering Projects. Hrsg.: Schauenburg Maschinen- und Anlagen-Bau GmbH, Mülheim-Ruhr, o.J.

[25] Bundesausschuss Leistungslohn Bau, Fachgruppe Erdbau: Handbuch BML, Daten für die Berechnung von Baumaschinenleistungen, Erdbaumaschinen. Zeittechnik-Verlag, Neu-Isenburg, 1983.

[26] DIN Deutsches Institut für Normung e.V.: DIN 18300 – VOB Verdingungsordnung für Bauleistungen – Teil C: Allgemeine Technische Vertragsbedingungen für Bauleistungen (ATV) – Erdarbeiten. Beuth Verlag, Berlin, 2000.

[27] N.N.: ATM 4.132.2 – Arbeitstechnische Merkblätter für den Baubetrieb. Hrsg.: Verband für Arbeitsstudien REFA, IfA-Verlag, Stuttgart, 1974.

[28] Smoltczyk, U. (Hrsg.): Grundbautaschenbuch – Teil 2. Ernst & Sohn Verlag, Berlin, 1996.

[29] Türke, H.: Statik im Erdbau. Ernst Verlag für Architekten und bautechnische Wissenschaften, Berlin, 1984.

[30] Gehbauer, F.: Stochastische Einflussgrössen für Transportsimulationen im Erdbau. Diss., Universität Karlsruhe, 1974.

[31] Garbotz, G.: Die Leistungen von Baumaschinen. Verlagsgesellschaft Rudolf Müller, Köln, 1966.

[32] DIN Deutsches Institut für Normung e.V.: DIN 5901 – Breitfussschienen – Masse, statische Werte und Stahlsorten. Beuth Verlag, Berlin, 1995.

[33] N.N.: Fördergurte – Berechnungen. Hrsg.: Continental Aktiengesellschaft, Hannover, 3. Aufl., 1990.

[34] Zanke, U.: Zur Berechnung von Strömungs-Widerstandsbeiwerten. In: Wasser und Boden, Bonn, 1/1993, S. 14-16.

[35] Weast, R.C.: CRC Handbook of chemistry and physics: A ready-reference book of chemical and physical data. CRC Press, Cleveland, 1976.

[36] Richter, H.: Rohrhydraulik. Springer Verlag, Berlin, 1962.

[37] Schneider, K.-J. (Hrsg.): Bautabellen für Ingenieure. Werner Verlag, Düsseldorf, 1994.

[38] Press, H.; Schröder, R.: Hydromechanik im Wasserbau. Ernst & Sohn Verlag, Berlin, 1966.

[39] Press, H.: Stauanlagen und Wasserkraftwerke – III. Teil Wasserkraftwerke. Ernst & Sohn Verlag, Berlin, 1967.

[40] Kaufmann, W.: Technische Hydro- und Aerodynamik. Springer Verlag, Berlin, 1963.
[41] N.N.: Bentonit für Tunnelbau und unterirdische Bauverfahren – Ein Handbuch für die Baupraxis. Hrsg.: IBECO, Mannheim, o.J.
[42] N.N.: Hydraulische Grundlagen für den Entwurf von Kreiselpumpen-Anlagen. Hrsg.: Halberg Maschinenbau und Giesserei GmbH, Ludwigshafen, o.J.
[43] Lindner, H.: Physik für Ingenieure. Fachbuchverlag, Leipzig, 2001.
[44] Sauermann, H.D.: Hydraulische Transporte von groben Feststoffen in Kreis- und Segmentrohren. Diss., Technische Universität Braunschweig, 1982.
[45] Pürschel, W.: Bauingenieur-Praxis – Heft 92 – Fördern und Verteilen von Wasser. Ernst & Sohn Verlag, Kassel, 1965.
[46] Thönnissen, J.: Kraft- und Arbeitsmaschinen – Kreiselpumpen. Vorlesungsskript, FH Ulm, 2002.
[47] DIN Deutsches Institut für Normung e.V.: DIN 15262 – Stetigförderer, Schneckenförderer für Schüttgut, Berechnungsgrundsätze. Beuth Verlag, Berlin, 1983.
[48] Lislerud, A.: Hard Rock Tunnel Boring: Prognosis and Costs Tunneling and Underground Space Technology. Elsevier Science Ltd., Oxford (UK), 3/1988, S. 9-17.
[49] N.N.: Technische Unterlagen. Hrsg.: Voest Alpine, Zeltweg (A), o.J.
[50] Thuro, K.: Geologisch – geotechnische Grundlagen der Gebirgslösung in Fels. Lehrstuhl für allgemeine, angewandte und Ingenieur-Geologie, TU München, Expert Verlag, Esslingen, 1999.
[51] N.N.: Technische Unterlagen. Hrsg.: Atlas Copco, Stockholm (SE), o.J.
[52] Thuro, K.: Bohrbarkeit beim konventionellen Sprengvortrieb. Münchner geologische Hefte, Reihe B: Angewandte Geologie, München, 1996.
[53] N.N.: Verordnung über explosionsgefährliche Sprengstoffe (Sprengstoffverordnung) vom 26. März 1980, 941.411. (CH), 1980.
[54] N.N.: SUVA Form 1484.d – Richtlinien für die Bemessung und den Betrieb der künstlichen Lüftung bei der Durchführung von Untertagarbeiten. Hrsg.: SUVA Schweizerische Unfallversicherungsanstalt, Luzern (CH), 1987.
[55] N.N.: TBG-Heft – Die Belüftung von Baustellen unter Tage.
[56] N.N.: TBG-Heft – Belüftungseinrichtungen im Tunnelbau – Bemessung.
[57] SIA Schweizerscher Ingenieur- und Architektenverein: SIA Norm 196 – Baubelüftung von Untertagebauten. Eigenverlag SIA Schweizerischer Ingenieur- und Architektenverein, Zürich, 1983.
[58] Esters, K.; Kalthoff, D.; Stewering, T.: Auffahren von Tunnel- und Hohlraumbauwerken in Lockergestein unter sensibler Bebauung. Taschenbuch für den Tunnelbau 1991, Verlag Glückauf, Essen, 1991.
[59] Kühn, G.: Der maschinelle Tiefbau. Teubner Verlag, Stuttgart, 1992.
[60] Gehbauer, F.: Baubetriebstechnik II, Teil B: Tiefbau. Schriftenreihe des Instituts für Maschinenwesen im Baubetrieb, Universität Karlsruhe, 1994.
[61] N.N.: Technische Unterlagen. Hrsg.: Delmag, Esslingen, o.J.
[62] N.N.: Technische Unterlagen. Hrsg.: Dr.-Ing. Ludwig Müller Söhne GmbH & Co KG, Marburg, 1989.
[63] Drees, G.; Sommer, H.; Eckert, G.: Zweckmässiger Einsatz von Turmdrehkranen im Hochbau. In: BMT 12, 1980, S. 822-843.
[64] Seeling, R.: Die Kranbemessung im Hochbau unter besonderer Berücksichtigung des Warteschlangenansatzes. In: BMT 3, 1981, S. 118-124.

# Literaturverzeichnis


[65] DIN Deutsches Institut für Normung e.V.: DIN 459 – Betonmischer, Begriffe, Leistungsermittlung, Grössen. Beuth Verlag, Berlin, 1993.

[66] DIN Deutsches Institut für Normung e.V.: DIN 1045 – Beton und Stahlbeton – Bemessung und Ausführung. Beuth Verlag, Berlin, 2001.

[67] N.N.: Technische Unterlagen. Hrsg.: Fa. Putzmeister, Aichtal, o.J.

[68] N.N.: Arbeitszeit-Richtwerte-Tabelle Hochbau. Hrsg.: Zentralverband des Deutschen Baugewerbes, Zeittechnik-Verlag, Neu-Isenburg, 2002.

[69] Society of Automotive Engineers, Inc. – SAE Standards:
- SAE J 67: Shovel Dipper, Claim Bucket and Dragline Bucket Rating (1984).
- SAE J 296: Excavator Hoe Bucket Rating (1984).
- SAE J 742: Capacity Rating – Loader Bucket (1985).
- SAE J 1265: Capacity Rating – Dozer (1988).
- SAE J 1363: Capacity Rating – Dumper Body and Trailer Body (1985).

In: SAE Handbook 1990, Vol. 4: On-Highway Vehicles and Off-Highway Machinery, Customer Service SAE, Warrendale, PA, USA.

[70] Committee for European Construction Equipment CECE:
Europäische Richtlinien:
- Teil VI-1, für Hydraulikbagger und ihre Einrichtungen (1973).
- Teil VI-2, für voll drehende Seilbagger und ihre Einrichtungen (1973).
- Teil VII, für Dumper (Autoschütter und Muldenkipper) und ihre Anbaugeräte (1969).
- Teil VIII, für Radlader und ihre Anbaugeräte (1972).

Fachgemeinschaft Bau- und Baustoffmaschinen im Verband Deutscher Maschinenbauanstalten VDMA e.V., Frankfurt/Main.

[71] DIN Deutsches Institut für Normung e.V.:
- DIN 5485: Benennungsgrundsätze für physikalische Grössen – Wortzusammensetzungen mit Eigenschafts- und Grundwörtern (1986).
- DIN ISO 6483: Erdbaumaschinen – Muldenfahrzeuge – Nenninhalt (1988).
- DIN ISO 6484: Erdbaumaschinen – Elevator-Scraper – Nenninhalt (1986).
- DIN ISO 6485: Erdbaumaschinen – Scraper – Nenninhalt (1980).
- DIN ISO 7451: Erdbaumaschinen – Hydraulikbagger - Nenninhalt von Tieflöffeln (1997).
- DIN ISO 7546: Erdbaumaschinen – Lader und Bagger - Nenninhalt von Ladeschaufeln (1985).
- DIN ISO 9245: Erdbaumaschinen – Leistung der Maschinen - Begriffe, Formelzeichen und Einheiten (1995).
- DIN ISO 9246: Erdbaumaschinen – Schlepper auf Raupenketten oder Rädern – Plamierschild – Nenninhalt (1988).

Beuth Verlag, Berlin.

[72] Kühn, G.: Der maschinelle Erdbau. Teubner Verlag, Stuttgart, 1984.

[73] Engel, J.: Der Fahrwiderstand des Rollmaterials im Baubetrieb. Diss., TU Berlin, 1931.

[74] Schexnayder, C. J.; Ledbetter, W. B.; Peurifoy, R. L.: Construction Planning, Equipment and Methods. McGraw-Hill Companies, New York (USA), 1996.

[75] Halpin, D. W.; Riggs, L. S.: Planning and Analysis of Construction Operations. J. Wiley & Sons, New York (USA), 1992.

[76] Drees, G.; Spranz, D.: Handbuch der Arbeitsvorbereitung in Bauunternehmen. Bauverlag, Wiesbaden, 1976.

# 10 Abbildungsverzeichnis

# Abbildungsverzeichnis

# Abbildungsverzeichnis

# Abbildungsverzeichnis

# 11 Tabellenverzeichnis

# Tabellenverzeichnis

# Tabellenverzeichnis

# Tabellenverzeichnis

# 12 Stichwortverzeichnis

## W



## Z

FSC
www.fsc.org
MIX
Papier | Fördert
gute Waldnutzung
FSC® C083411

Kolibri 360 GmbH
Ferdinand-Jühlke-Straße 7
99095 Erfurt, Deutschland
produktsicherheit@kolibri360.de